CHRISTIAN BOURGOIS ÉDITEUR
8, rue Garancière — Paris VIᵉ

L'APPRENTI
DU DIABLE

PAR

ELLIS PETERS

Traduit de l'anglais
par Serge CHWAT

INÉDIT

Série « Grands détectives »
dirigée par Jean-Claude Zylberstein

CHRISTIAN BOURGOIS ÉDITEUR

Titre original :

The Devil's Novice

© Ellis Peters, 1983.
© Christian Bourgois Éditeur, 1990,
pour la traduction française.

ISBN 2-264-01524-1

CHAPITRE PREMIER

A la mi-septembre de l'an de grâce 1140, deux châtelains du Shropshire habitant respectivement au nord et au sud de la ville de Shrewsbury envoyèrent le même jour des messagers à l'abbaye des saints Pierre et Paul pour demander à faire entrer chez les bénédictins les cadets de leur maison. Pour d'excellentes raisons dans les deux cas on accepta l'un et pas l'autre.

— J'ai convoqué certains d entre vous, dit l'abbé Radulphe, avant de prendre une décision à ce sujet ou de l'évoquer au chapitre puisque le principe dont il sera question se discute en ce moment même parmi les dignitaires de notre ordre. Vous, frère prieur, et vous, frère sous-prieur, car vous avez chaque jour la charge de notre maison et de ses familiers, vous, frère Paul, maître des novices, frère Edmond à titre d'obédiencier et hôte du cloître depuis l'enfance, vos avis nous seront précieux, ainsi que le vôtre, frère Cadfael, qui vous êtes converti sur le tard après avoir vécu de nombreuses aventures.

« C'est donc ça », se dit Cadfael sans broncher, assis sur son tabouret dans le parloir abbatial très dépouillé et fleurant bon le bois. « Je vais jouer les avocats du diable en faisant entendre la voix du monde extérieur. » Il avait pris les ordres dix-sept ans auparavant, s'était adouci, mais gardait toujours la langue aussi

7

acérée, même dans la clôture. « Enfin, chacun rend les services qu'il peut selon ses talents, qui sait lequel sera utile.. » Il était plus qu'à moitié endormi car il avait fait la navette, depuis le matin, entre les vergers de la Gaye et son propre jardin de plantes médicinales, entre les offices obligatoires et les prières. Le bon air parfumé de ce beau mois de septembre lui avait légèrement tourné la tête. Après complies, il n'y aurait guère besoin de le bercer. Mais il n'avait pas sommeil au point de ne pouvoir dresser l'oreille quand l'abbé avait sollicité des conseils — quitte à ne pas les suivre si son esprit incisif l'orientait dans une autre direction.

— On a demandé à frère Paul d'accepter deux nouveaux hôtes qui en temps et en heure recevront l'habit et la tonsure. Celui par lequel nous commencerons vient d'une bonne famille et son père est un des protecteurs de notre église. Quel âge a-t-il, frère Paul ?

— Il est tout jeune. Il n'a pas encore cinq ans.

— Voilà où le bât blesse. Nous n'avons que quatre garçons très jeunes, dont deux ne sont pas promis au cloître et qui se trouvent ici uniquement pour étudier. Ils peuvent certes décider de rester parmi nous quand le moment sera venu, mais c'est à eux qu'incombe ce choix quand ils seront en âge de le faire. Les deux autres sont des oblats consacrés à Dieu par leurs parents. Ils ont respectivement dix et douze ans ; ils sont bien installés et heureux parmi nous. Ce serait péché que de troubler leur sérénité. Mais l'idée d'accepter de nouveaux oblats ne m'enthousiasme pas outre mesure. Ils n'ont aucune notion de ce qu'on leur offre, pas plus que de ce dont on les prive. C'est une joie, ajouta l'abbé, d'ouvrir nos portes à celui qui désire être admis en esprit et en vérité, mais un enfant à peine sevré a surtout besoin de ses jouets et du giron maternel.

Le prieur haussa ses sourcils argentés, lança un coup d'œil dubitatif et son nez fin, patricien, frémit.

— Cela fait des siècles que l'on approuve ceux qui

offrent les enfants en oblation. La Règle sanctionne cette coutume. Il ne faut pas envisager à la légère la moindre modification à cette règle. Qui sommes-nous pour nous opposer à ce qu'un père souhaite pour son fils ?

— Avons-nous le droit, nous ou un père légitime, de déterminer le cours d'une vie sans qu'un innocent, qui ignore ce dont il est question, puisse donner son avis ? répondit Radulphe. C'est pourtant ce qu'on fait ici, maintenant. Je sais que cette pratique existe depuis longtemps et qu'elle n'a jamais été remise en question. Mais à présent, je m'interroge.

— En l'abandonnant, insista Robert, on prive peut-être une âme pure de ses meilleures chances d'accéder à la sainteté. Même un enfant peut suivre une pente néfaste et perdre le chemin qui mène à la grâce divine.

— Je n'en disconviens pas, reconnu Radulphe, mais le contraire aussi peut être vrai, je le crains. Bien des enfants à qui une autre façon de vivre et de servir Dieu conviendrait mieux peuvent se retrouver dans ce qu'ils considéreront un jour comme une prison. Dans ce domaine, je n'ai que mon seul jugement pour guide. Mais nous avons frère Edmond qui est entré au couvent à quatre ans et frère Cadfael qui nous a rejoint en pleine maturité après une vie active, aventureuse. Tous deux, j'espère, ont une foi solide. Dites-nous votre avis là-dessus, Edmond. Regrettez-vous l'expérience que vous auriez pu avoir hors de nos murs ?

Frère Edmond, l'infirmier, qui n'avait que huit ans de moins que Cadfael (lequel avait dépassé la soixantaine), était grave, beau, pensif ; il aurait fait tout aussi bonne figure les armes à la main, à cheval, s'occupant d'un manoir et tenant ses fermiers à l'œil ; il réfléchit sérieusement au problème, sans se troubler.

— Non, je n'ai jamais eu le moindre regret. Mais à dire vrai, je ne savais pas ce qu'il y avait à regretter. Oh, j'en ai connu qui se sont révoltés et qui ont tout fait pour le découvrir. Ils s'imaginaient peut-être qu'à l'extérieur le monde était plus beau qu'il peut l'être ici-bas. Peut-être que, moi, je n'avais pas assez d'imagination pour ça. A moins que j'aie eu la chance de trouver ici un travail qui me plaisait et me convenait, j'étais trop occupé pour pouvoir me plaindre. Non, tout de même, je ne voudrais pas changer, mon choix eût été le même si j'étais entré dès la puberté et si j'avais prononcé mes vœux adolescent. Mais j'avoue que j'ai connu des frères qui auraient choisi tout autrement... s'ils en avaient eu le loisir.

— Voilà ce qui s'appelle parler ! s'exclama l'abbé. Et vous, frère Cadfael ? Vous avez parcouru une bonne partie du monde, vous êtes allé jusqu'en Terre sainte et vous avez porté les armes. Vous avez choisi tard et en toute liberté. Je ne crois pas que vous ayiez jamais eu de regrets. Cela vous a-t-il été profitable d'avoir vu tant de choses et cependant opté pour ce petit hermitage ?

Cadfael se sentit tenu de réfléchir avant de parler, et chargé comme il l'était du poids confortable de cette journée de labeur sous le soleil, la réflexion lui semblait difficile. Il n'était pas bien certain de ce que l'abbé attendait de lui mais il trouvait sans conteste indigne et gênant que l'on passât, pratiquement de force, à un enfant au maillot, l'habit qu'il avait, lui, choisi en toute connaissance de cause.

— Je pense n'avoir pas perdu au change, dit-il enfin. Toutefois, quelle que fût mon indignité, je crois avoir apporté quelque chose de plus que si j'étais venu ici encore innocent. J'avoue avoir aimé mon existence d'antan et grandement estimé les guerriers, les endroits et les actions héroïques que j'ai connus, et si je me suis décidé en pleine maturité à y renoncer pour entrer au couvent, j'estime que c'est le plus bel hommage que je pouvais rendre à la vie monastique. Et je me refuse à croire que les souvenirs que j'ai pu conserver me rendent moins apte à respecter mes vœux ; pour moi ce serait plutôt le contraire. Si on m'avait mis là quand j'étais enfant, je me serais révolté à l'âge adulte et j'eusse réclamé réparation. Libre depuis l'enfance, je pouvais me permettre de sacrifier mes droits en prenant de la sagesse.

— Vous tomberez donc d'accord qu'il sied à certains, de par leur nature et le cheminement de la grâce, de découvrir très jeune ce que vous avez appris à l'âge mûr, dit l'abbé dont le visage maigre s'éclaira d'un bref sourire.

— Sans le moindre doute ! Je pense même que ceux dont c'est le cas, quand ils sont sûrs d'eux-mêmes, sont les meilleurs d'entre nous. Ils font le choix qu'ils entendent faire, guidés par leur propre lumière.

— Bien, bien ! dit Radulphe, méditant un instant, le menton appuyé à son poing, les paupières baissées. Que pensez-vous de tout cela, Paul ? Vous avez la responsabilité des jeunes et je sais qu'ils ont rarement matière à se plaindre de vous.

Paul en effet — la quarantaine inquiète autant que consciencieuse —, telle une poule surveillant une couvée fantasque, était bien connu pour son indulgence envers les plus jeunes dont la malice le rendait toujours méfiant ; excellent maître au demeurant, il leur apprenait le latin sans conflit de part ni d'autre.

— Je ne considère pas comme une charge de m'occuper d'un bambin de quatre ans, dit-il lentement. Et je n'aurais pas grand mérite à y prendre plaisir ni à ce qu'il puisse y trouver son compte. Mais à mon avis, ce n'est pas ce que demande la Règle. Un père digne de ce nom en ferait tout autant pour son fils. Maintenant, c'est quand même préférable s'il sait à quoi il s'engage et s'il a une petite idée de ce qu'il laisse derrière lui. A quinze ou seize ans, s'il a bien appris...

Le prieur rejeta la tête en arrière avec le même regard sévère, laissant son supérieur décider pour le mieux. Frère Richard, le sous-prieur, n'avait pas ouvert la bouche depuis le début. Il était très compétent pour le train-train quotidien, mais il n'aimait guère prendre de décisions.

— Depuis que j'étudie les raisonnements de l'archevêque Lanfranc, je ne cesse de me dire que nous devons modifier notre attitude dans ce cas précis. Cette offrande d'enfants, j'en suis arrivé à penser qu'il faut la refuser et n'accepter ces oblats que lorsqu'ils seront en âge de décider eux-mêmes du genre de vie qu'ils désirent mener. Je suis donc convaincu, frère Paul, qu'il nous faut refuser ce petit selon les termes désirés. Qu'on explique à son père que d'ici quelques années ce garçon sera le bienvenu s'il veut s'instruire dans notre école, mais non en tant qu'oblat destiné à rentrer dans notre ordre. Quand il aura l'âge requis, s'il en manifeste fermement le désir, il pourra être des nôtres. Que tout cela soit bien clair.

Il poussa un soupir et bougea légèrement sur sa chaise pour indiquer la fin de la conférence.

— Il paraît qu'il y aurait une autre requête pour une admission ?

Frère Paul était déjà debout, soulagé, tout sourire.

— Là, il n'y aura pas de difficulté, père. Léoric Aspley d'Aspley désire nous amener son plus jeune fils, Meriet. Mais ce garçon a dix-neuf ans passés et il entre ici de son plein gré. Dans ce cas, père, nous n'avons pas à nous inquiéter.

— Les temps ne sont pourtant pas si favorables au recrutement, admit frère Paul en traversant la grande cour avec Cadfael pour se rendre à complies, que nous puissions nous offrir le luxe de refuser des postulants. N'importe, la décision de notre abbé me donne toute satisfaction. Je ne me suis jamais senti très à l'aise par rapport à ces jeunes enfants. D'accord, dans la plupart des cas, c'est par amour qu'on nous les offre. Mais il faut se poser des questions parfois… Si on désire garder des terres et que l'on a déjà un ou deux fils costauds, c'est une façon un peu trop commode de se débarrasser du troisième !

— Cela se produit aussi quand le troisième est déjà grand, observa sèchement Cadfael.

— Seulement là, en principe, tout le monde est d'accord. On peut aussi faire une belle carrière dans un cloître. Mais des enfants en bas âge, non, c'est trop facile.

— Tu crois qu'on héritera de celui-ci dans quelques années selon les termes fixés par l'abbé ?

— Voilà qui m'étonnerait. Si on nous l'envoie pour étudier, il faudra que son père mette la main à la poche.

Frère Paul était capable de découvrir un ange en chacun des garnements auxquels il faisait l'école, mais il demeurait très sceptique quant aux vertus de leurs aînés.

— Si l'on avait accepté ce petit comme oblat, nous aurions eu à charge de l'entretenir complètement. Je connais le père, ce n'est pas le mauvais cheval, mais il serait plutôt radin. Et je suis bien sûr que sa femme sera ravie de garder son fils.

Ils étaient à l'entrée du cloître et le crépuscule vert pâle, parmi les arbres et les bosquets, commençait à peine à prendre une teinte dorée dans l'air calme et parfumé.

— Et l'autre ? demanda Cadfael. Aspley... attends. C'est quelque part dans le sud, à l'orée de la Forêt Longue. Il me semble avoir déjà entendu ce nom-là. Tu connais la famille ?

— Seulement de réputation. Rien à redire. C'est l'intendant du château, un vieux paysan solide, qui m'a transmis le message. Saxon probablement, à en juger par son nom, Fremund. D'après lui, le garçon sait lire et écrire, il est en bonne santé et bien élevé. Tout s'annonce bien, apparemment.

Aucun des deux n'avait de raison de mettre en doute cette conclusion. Le pays était en pleine anarchie, déchiré par la guerre civile ; les revenus monastiques avaient diminué, les pèlerins se calfeutraient chez eux et le nombre de postulants qui désiraient vraiment prendre l'habit s'était singulièrement réduit tandis que s'accroissait le nombre de fugitifs et d'indigents venus chercher refuge à l'abbaye. Dans cette situation, la venue d'un nouvel arrivant déjà lettré et désireux de commencer son noviciat était une bénédiction pour l'abbé.

Après coup, bien sûr, nombreux furent ceux qui prétendirent s'être douté de quelque chose et parlèrent de sombres pressentiments, affirmant sans vergogne qu'ils « l'avaient bien dit ». Après la bataille, les devins de la onzième heure sont toujours légion.

Seul le hasard voulut que Cadfael assistât à l'arrivée du jeune néophyte deux jours plus tard. Pendant plusieurs jours, le temps de ramasser les pommes et de rentrer la farine fraîchement moulue, le ciel était resté clair et le soleil brillant ; mais ce soir-là la pluie qui tombait à verse transformait les routes en fleuves de boue et les trous de la grande cour en fondrières traîtresses. Dans le scriptorium, les copistes et les artisans n'étaient que trop heureux de travailler à leurs pupitres. Les enfants, maussades, se tournaient les pouces, regrettant leur récréation manquée, et à l'infirmerie, le moral des malades baissait à vue d'œil à l'instar du jour déclinant. Les hôtes ne se bousculaient pas. La guerre civile marquait le pas, cependant que des clercs de bonne volonté tentaient de rapprocher les deux parties, mais en Angleterre la plupart des gens préféraient rester chez eux.

Chacun attendait en se résignant ; seuls ceux qui n'avaient pas le choix prenaient la route et se réfugiaient à l'hôtellerie de l'abbaye.

Cadfael avait passé le début de l'après-midi dans l'herbarium. Il avait non seulement un certain nombre de décoctions en route, fruit des feuilles, des racines et des baies récoltées cet automne, mais il avait réussi également à dénicher un exemplaire de la liste d'Aelfric concernant les simples et les arbres d'Angleterre au

14

xᵉ siècle, et il voulait pouvoir l'étudier au calme. Il avait donné congé à frère Oswin — dont l'ardeur juvénile l'inquiétait bien plus souvent qu'elle ne le réconfortait dans son jardin secret — qui pouvait ainsi poursuivre ses études liturgiques, car l'époque où il prononcerait ses vœux définitifs approchait et il avait besoin de se perfectionner.

Même bienvenue, la pluie n'en était pas moins déprimante pour la plupart des hommes. La lumière diminuait ; la page que Cadfael étudiait s'assombrissait. Il abandonna sa lecture. Il lisait et écrivait l'anglais couramment, mais le latin qu'il avait appris avec peine, sur le tard, lui restait fort peu familier. Il fit la tournée de ses potions, en remua une par-ci par-là, ajoutant parfois un ingrédient qu'il pilait dans un mortier avant de l'incorporer à la cuisson et, traversant les jardins sous la pluie, revint vers la grande cour en protégeant son précieux parchemin sous son habit.

Il avait atteint l'abri offert par le porche de l'hôtellerie, et il reprenait son souffle avant de filer vers le cloître en essayant de ne pas patauger dans les flaques d'eau quand trois cavaliers venus de la Première Enceinte s'arrêtèrent sous la voûte du portail pour secouer leurs manteaux détrempés. Le portier sortit en toute hâte pour les accueillir, tout en restant plaqué contre le mur pour se protéger de la pluie, puis un palefrenier jaillit des écuries, sautant allègrement dans les trous d'eau, la tête recouverte d'un sac.

Cadfael pensa qu'il s'agissait sûrement de Léoric d'Aspley et de son fils qui désirait prendre l'habit. Il resta un moment à les considérer, d'abord parce qu'il était curieux, et ensuite parce qu'il espérait, vainement, que la pluie se calmerait, lui permettant de se rendre au scriptorium en évitant de se transformer en éponge.

Un homme d'un certain âge, grand, très droit, monté sur un puissant cheval gris, conduisait les visiteurs. Il retira sa capuche et l'on put voir des cheveux gris emmêlés et un visage allongé, austère et barbu. Même à cette distance, alors qu'il était de l'autre côté de la grande cour, on le devinait beau, sévère, raide, avec de l'arrogance dans la forme du nez, de la fermeté et de l'orgueil dans la bouche et la mâchoire. Pourtant, en descendant de cheval, il se montra grave et courtois envers le portier et le palefrenier. Il n'avait pas l'air avenant, et il ne devait pas être aisé de dérider un père pareil. Approuvait-il le choix de son fils ou ne l'avait-il accepté que contraint et forcé ? Cadfael lui donnait dans les cinquante-cinq ans, ce qui lui parut vieux en toute candeur, car il oubliait bien souvent qu'il comptait plus de soixante années lui-même.

Il accorda plus d'attention au jeune homme qui suivait respectueusement à quelques pas derrière son père et qui descendit rapidement de sa monture pour tenir l'étrier de ce dernier. Il en faisait presque trop, et cependant il y avait dans son attitude quelque chose qui rappelait le comportement de l'homme aux cheveux gris. Lui aussi manquait de souplesse. Tel père, tel fils. Meriet Aspley avait dix-neuf ans et une bonne tête de moins que Léoric. Il était bien bâti, solide et avait fine allure sans rien de remarquable à première vue. Des mèches de cheveux noirs collaient à son front mouillé et sur ses joues la pluie laissait des traces semblables à des larmes. Il se tenait un peu à l'écart, la tête penchée, soumis, les paupières baissées, tel un serviteur attendant les ordres de son maître, et quand ils allèrent s'abriter dans la loge du portier, il suivit comme un chien de chasse bien élevé. Il n'avait pourtant pas l'air de manquer de personnalité ; dans sa solitude il donnait l'impression de faire ce qu'on attendait de lui sans y attacher d'importance particulière et sans, surtout, que cela n'atteigne son caractère profond. Les brefs regards que Cadfael lui avait lancés avait revélé un visage tout aussi déterminé et sévère que celui de son père, une bouche aux lèvres pleines, passionnée, au dessin ferme.

« Non, se dit Cadfael, ces deux-là ne s'entendent pas, il n'y a pas à en douter. » Et la seule explication qu'il put trouver à ce manque de chaleur le força à revenir à sa première hypothèse : le père n'approuvait pas le choix de son fils, avait tenté vainement de le faire changer d'avis et lui en voulait sérieusement de son obstination. De l'entêtement d'un côté, de la frustration et de la déception de l'autre, rien d'étonnant à ce qu'ils ne s'entendissent pas. Cette vocation qui s'opposait à la volonté paternelle ne s'annonçait pas sous les meilleurs auspices. Mais ceux qu'une lumière excessive a aveuglée n'aperçoivent pas, ni ne peuvent se permettre de voir la souffrance qu'ils causent. Ce n'était pas dans cet état d'esprit que Cadfael avait pris l'habit, mais il n'en comprenait pas moins ceux qui avaient subi une telle épreuve.

Ils avaient gagné la loge à présent pour y attendre frère Paul et être reçus officiellement par l'abbé. Le palefrenier qui les avait suivis sur un cheval rustique venu de la forêt emmena les montures au petit trot jusqu'à l'écurie et la grande cour retrouva son calme sous la pluie battante. Cadfael remonta sa robe et courut se mettre à l'abri du cloître où il put se secouer à loisir, s'asseoir confortablement et continuer sa lecture dans le scriptorium. Peu après un problème l'absorba : ce qu'Aelfric appelait « dittampe », était-ce la même chose que ce qu'il connaissait sous le nom de « dictame » ? Il ne pensait plus du tout à Meriet Aspley qui tenait tant à devenir moine.

Le jeune homme fut présenté au chapitre dès le lendemain pour y prononcer officiellement ses vœux et être accueilli par tous ceux qui allaient devenir ses frères. Pendant leur période de probation les novices n'avaient pas voix au dit chapitre mais on les y admettait à l'occasion et Radulphe considérait qu'ils avaient droit dès leur arrivée à la courtoisie fraternelle de rigueur.

Dans son nouvel habit, Meriet avait l'air un peu emprunté et paraissait curieusement plus petit que dans ses vêtements séculiers, songeait Cadfael en l'observant d'un œil pensif. La présence de son père ne risquait plus de le rendre hostile à présent, il n'avait plus besoin de se méfier de ceux qui étaient heureux de l'accueillir parmi eux et, pourtant, il était encore tout raide, il gardait la tête penchée et ses mains jointes se crispaient. Peut-être était-il encore sous le choc de la décision qu'il venait de prendre. Il répondit aux questions d'une voix basse, égale, soumise et rapide. Son visage avait la pâleur naturelle de l'ivoire que le soleil de l'été avait changé en vieil or et le sang affluait vivement sous la peau douce jusqu'à ses hautes pommettes. Il avait le nez fin, droit, aux narines animées d'un frémissement nerveux et sa bouche si pleine et fière au repos devenait vulnérable dès qu'il parlait. Par humilité il baissa les paupières, dissimulées elles-mêmes sous l'arc de ses sourcils plus noirs encore que ses cheveux.

— Vous avez bien réfléchi ? demanda l'abbé, mais vous pouvez encore changer d'avis et nul ne vous en fera grief. Souhaitez-vous vraiment être des nôtres dans ce cloître ? Avez-vous toujours ce désir ? En êtes-vous sûr ? Vous pouvez vous exprimer librement.

— Oui, c'est ce que je souhaite, répondit-il d'une voix basse où se devinait plus de violence que de fermeté. Je vous supplie de m'accepter, ajouta-t-il avec plus de retenue, comme si sa véhémence l'avait lui-même surpris.

— Ce vœu définitif viendra plus tard, dit Radulphe avec un léger sourire. Pour l'instant, frère Paul sera votre maître et vous vous soumettrez à lui. Ceux qui entrent dans notre ordre après l'enfance doivent subir une année de probation. Vous aurez tout le temps de faire des promesses et de les tenir.

Quand il entendit ces mots, le garçon redressa brusquement la tête qu'il tenait penchée en signe de soumission, ses paupières se soulevèrent révélant de grands yeux noisette parcourus de lueurs vertes. Il regardait si rarement vers la lumière que l'éclat de ses prunelles parut surprenant, voire inquiétant.

— Père, demanda-t-il d'une voix soudain plus aiguë, presque effrayée, est-ce bien nécessaire ? Ne saurait-on raccourcir ce délai si je me donne du mal ? Cette attente est insupportable.

L'abbé l'examina bien en face et fronça les sourcils, plus parce qu'il se posait des questions que parce qu'il était en colère.

— Oui, cela peut arriver, si nous pensons que ce serait mieux ainsi. L'impatience, toutefois, n'est pas la meilleure conseillère, ni la hâte le meilleur avocat. Si nous vous sentons prêt, nous vous le dirons clairement. Ne vous épuisez pas à chercher la perfection.

Il était clair que Meriet se pénétrait des paroles de l'abbé comme de leur intonation. De nouveau il voila l'éclat de son regard qu'il reporta sur ses mains jointes.

— Je me laisserai donc guider, père. Mais je désire de tout mon cœur m'engager jusqu'au bout et trouver la paix.

Un bref instant Cadfael sentit que sa voix avait tremblé malgré lui. Très probablement, Radulphe ne lui tiendrait pas rigueur de sa fougue. Il avait l'expérience de ces enthousiastes passionnés et de ceux que, petit à petit la grâce amène au don total, comme des agneaux qui vont à l'abattoir.

— Certains y parviennent, dit doucement l'abbé.

— J'y parviendrai, père !

Oui, cette voix égale avait de nouveau tremblé un tant soit peu. Et ces yeux étonnants redevenaient voilés !

Radulphe le renvoya avec courtoisie et indulgence, puis il leva la séance. Un postulant modèle ? Ou bien faisait-il preuve d'un peu trop d'ardeur ? Un homme aussi fin que Radulphe ne manquerait pas de concevoir un léger soupçon et il tiendrait le novice à l'œil. Cependant un être jeune, tendu, décidé, en arrivant à bon port, avait le droit d'exiger un peu trop, d'être un peu trop pressé. Cadfael avait toujours eu les deux pieds sur terre, même quand il avait pris sa propre décision pour le reste de sa longue vie, mais il avait beaucoup de sympathie pour ces jeunes gens ardents qui en font trop et prennent feu et flamme à l'écoute d'un vers ou d'un accord. Ceux qui s'embrasent ainsi entretiennent ce feu jusqu'à leur mort, provoquent le même effet chez beaucoup d'autres et laissent comme un trait enflammé aux générations futures. Chez d'autres, le brasier s'éteint faute de combustible, mais ils ne font de mal à personne. L'avenir dirait sans doute ce que célait l'étincelle désespérée de Meriet.

Hugh Beringar, shérif-adjoint du Shropshire, était descendu de son manoir de Maesbury afin de prendre son poste à Shrewsbury car son supérieur, Gilbert Prestcote, était parti rejoindre le roi Étienne à Westminster pour la visite qu'il effectuerait à la Saint-Michel ; il lui apporterait l'argent des impôts et lui rendrait ses comptes. Ils avaient, Hugh comme Gilbert, bien tenu et protégé le comté qui n'avait pas souffert des désordres qui ravageaient la majeure partie du pays. L'abbaye avait toute raison de leur en être reconnaissante car de nombreux autres couvents le long des marches galloises avaient été pillés, saccagés, évacués, transformés en forteresse à plusieurs reprises sans jamais être indemnisés. Car, pires que les troupes d'Étienne et de sa cousine, l'impératrice Mathilde (bien assez dangereuses comme ça), il y avait, partout dans le pays, des armées privées qui, comme des prédateurs de tailles diverses, dévoraient tout sur leur passage quand la loi ne parvenait pas à les arrêter. Mais, jusqu'à ce jour, dans le Shropshire, les forces de l'ordre avaient fait montre de puissance et de loyauté.

Après avoir confortablement installé sa femme et son fils dans sa maison en ville, près de l'église Sainte-Marie, et s'être assuré que la garnison du château ne posait aucun problème, Hugh, comme toujours en pareil cas, avait commencé par aller saluer l'abbé. Il ne quittait jamais le couvent sans rendre visite à Cadfael dans son atelier du jardin. Ils étaient amis de longue date, plus proches que père et fils, et leurs relations avaient non seulement ce côté détendu, tolérant, fréquent entre gens de générations différentes, mais leurs expériences communes les avaient placés sur le même plan. Leurs affrontements pour une meilleure protection des valeurs et des institutions, dans un pays qui en avait bien besoin, les avaient rapprochés.

Cadfael demanda des nouvelles d'Aline * et sourit d'aise rien qu'en prononçant son nom. Il avait vu Hugh la conquérir de haute lutte ainsi que son poste actuel * et il se sentait presque une âme de grand-père pour leur premier-né qu'il avait tenu sur les fonts baptismaux au tout début de cette même année.

— Elle se porte comme un charme, dit Hugh, très satisfait, elle a demandé de vos nouvelles. A la première occasion, vous viendrez chez nous et le constaterez par vous-même.

— Je le crois sans peine. Et ce diablotin de Gilles ? Mon Dieu, il y a déjà neuf mois, il doit courir dans toute la maison. Les enfants se mettent à marcher sans qu'on s'en rende compte.

— A quatre pattes, il se débrouille très bien, dit Hugh fièrement, aussi bien que Constance sur ses deux pieds. Et il a déjà la poigne d'un homme d'épée. Mais Dieu veuille que ça n'arrive pas trop vite. Pour moi, il ne restera jamais assez longtemps enfant. Et avec un peu de chance le pays sera en paix quand il sera grand. Il fut un temps où l'ordre régnait en Angleterre. Ça reviendra bien un jour.

Hugh était un être équilibré et solide mais l'époque

* Voir dans la même collection *Un cadavre de trop* (n° 1963) et *la Foire de Saint-Pierre* (n° 2043).

projetait son ombre sur lui lorsqu'il pensait à sa charge et à son serment.

— Sait-on ce qui se passe dans le Sud ? demanda Cadfael, observant le mouvement d'un nuage. Il semble que la conférence de l'évêque Henri n'ait pas donné grand-chose.

Henri de Blois, évêque de Winchester et légat du pape, était le frère cadet du roi qu'il avait suivi contre vents et marées jusqu'à ce qu'Étienne s'opposât à l'Église qu'il avait grandement offensée en la personne de certains de ses évêques. On se demandait aujourd'hui de quel côté il penchait puisque sa cousine, l'impératrice Mathilde, était arrivée en Angleterre et s'était retranchée dans l'Ouest avec ses troupes, autour de la ville de Winchester. Il n'y avait rien d'étrange à ce qu'un homme d'Église compétent, ambitieux, pratique, éprouvât de la sympathie pour les deux camps et plus encore d'exaspération ; sans compter que l'évêque était partagé dans ses affections. Il avait passé tout le printemps et l'été de cette année à peiner pour que les deux parties se rencontrent et s'efforcent de trouver un arrangement susceptible de satisfaire chacun dans la mesure du possible et que l'Angleterre ait enfin un gouvernement crédible, des perspectives d'avenir plus souriantes. Il avait fait de son mieux, organisé la rencontre des représentants des deux camps à Bath, au mois d'août, mais sans succès.

— On a quand même cessé de se battre, remarque Hugh avec un petit sourire, au moins pour le moment. Mais autrement, échec total.

— A ce qu'il paraît, dit Cadfael, l'impératrice était prête à prendre l'Église comme juge de son bon droit, mais Étienne, non.

— Ça vous étonne ? s'écria Hugh avec un rire bref. C'est lui qui est sur le trône, pas elle. S'il y a un procès, il a tout à perdre et elle tout à gagner. Même si le jugement était suspendu, on verrait qu'elle n'est pas idiote. De plus mon roi — que Dieu lui mette un peu de plomb dans la cervelle ! — s'est mis l'Église à dos et, d'ordinaire, elle ne tarde pas à se venger. Non, c'était couru d'avance. Henri doit se rendre en France ces jours-ci, il n'a pas renoncé, il espère trouver appui auprès du roi de France et du comte Théobald de Normandie. Il sera très occupé au cours des prochaines semaines à essayer de trouver ce qu'il faut pour ramener la paix avant de revenir vers Maud et Étienne avec des arguments solides. A dire vrai, il espérait obtenir un soutien plus ferme, des gens du Nord essentiellement. Mais ils sont restés chez eux et bien cois.

— Chester ? hasarda Cadfael.

Ranulf, comte de Chester, esprit indépendant, se comportait plus ou moins en roi dans son palais fortifié du Nord ; il avait épousé une fille du comte de Gloucester, demi-frère de l'impératrice et son principal champion dans ce combat. Jusqu'à présent, il avait réussi à maintenir son royaume en paix et à ne prendre parti pour personne. D'ailleurs il en voulait aux deux camps.

— Son demi-frère aussi, Guillaume de Roumare. Roumare a de grands domaines dans le Lincolnshire et, à eux deux, ils forment une armée non négligeable. Ils ont maintenu l'équilibre là-haut, d'accord, mais ils auraient pu faire mieux. Enfin une trêve, même passagère, c'est déjà ça. On peut toujours espérer.

En ces temps difficiles, se dit Cadfael, morose, l'espoir ne courait pas les rues en Angleterre. Mais il fallait reconnaître qu'Henri de Blois faisait tout son possible pour sortir le pays du chaos. L'évêque était la preuve vivante qu'on peut mener une belle carrière tout en prenant l'habit très jeune. Moine à Cluny, abbé de Glastonbury, évêque de Winchester, légat pontifical, quelle ascension fulgurante ! C'est vrai qu'il était neveu du roi et devait ses progrès rapides au vieux roi Henri. Un fils cadet, d'une famille de moindre importance, en prenant l'habit, n'obtiendrait pas si aisément la mitre, à l'intérieur ou à l'extérieur de son abbaye. Ce jeune homme fragile, par exemple, avec sa bouche passionnée et ses reflets verts dans les yeux, jusqu'où irait-il sur la route du pouvoir ?

— Hugh, dit Cadfael, calmant son feu avec un peu de terre, au cas où il en aurait besoin plus tard et pour ne pas avoir à le rallumer, qu'est-ce que vous savez des Aspley ? Un domaine situé vers l'orée de la Forêt Longue, je crois, à deux pas de la ville, mais retiré.

— Pas tant que ça, répliqua Hugh, surpris par cette question, il y a là trois manoirs voisins qui, à l'origine, ne faisaient qu'un essart. Ils relevaient jadis du comte et aujourd'hui de la couronne. Il a choisi le nom d'Aspley. Son grand-père était saxon jusqu'au bout des ongles, mais il était solide, le comte Roger l'a pris en amitié et lui a laissé sa terre. Ils sont toujours saxons, mais ils avaient partagé le sel avec lui et ils sont passés à la couronne avec le comté. Il a épousé une Normande qui lui a apporté un manoir vers Nottingham. Il n'en reste pas moins très fier d'Aspley. Vous le connaissez ?

— Seulement sa silhouette à cheval, sous la pluie. Il nous a amené son cadet qui, poussé par Dieu... ou le diable, veut entrer au couvent. Franchement, je me demande pourquoi.

— Tiens, dit Hugh avec un haussement d'épaules et un sourire. Une terre modeste, un frère aîné. Il n'a pas grand-chose à espérer, à moins que d'aimer les armes et de conquérir son propre domaine. Et puis l'Église, le cloître, ça n'est pas un si mauvais choix. Si on est futé, on peut réussir mieux que par la guerre. Rien de mystérieux là-dedans.

A ce moment, Cadfael songea à Henri de Blois, qui était encore jeune. Hugh n'avait pas tort. Mais ce garçon raide, frémissant, avait-il l'étoffe d'un homme d'État ?

— Et le père ? demanda-t-il, prenant place près de son ami, sur le large banc appuyé au mur de son atelier.

— Sa famille remonte à Mathusalem et il est fier

24

comme un coq, car il possède deux manoirs à lui. A cette époque, les princes savaient plaire à leurs cours, en province. On trouve encore ce genre de maisons dans les collines et les forêts. L'homme doit avoir dépassé la cinquantaine, ajouta Hugh calmement, cherchant à se rappeler ce qu'il savait des terres et des châtelains sous sa juridiction en ces périodes troublées. Sa réputation est excellente. Je n'ai jamais vu ses fils, qui se suivent à cinq ou six ans de distance. Il a quel âge, votre bonhomme ?

— Dix-neuf ans, enfin il paraît.

— Qu'est-ce qui vous intrigue chez lui ? demanda Hugh, qui était moins troublé qu'intéressé.

Et, par-dessus son épaule, il jeta un bref coup d'œil vers Cadfael, attendant patiemment sa réponse.

— Sa soumission, répondit ce dernier, qui s'en voulait de ne pas savoir tenir non sa langue, mais son imagination. Il a une nature violente, poursuivit-il fermement, avec un œil d'oiseau de proie et un front bombé comme un rocher. Et il garde les mains jointes et se mord les lèvres avec la mine d'une servante qu'on gronde !

— C'est le métier qui rentre, répliqua Hugh. Il étudie l'abbé. C'est ce que font les plus malins. Je ne vous apprends rien.

— Je sais, je sais.

Et ça ne les avançait pas toujours, car certains avaient des talents limités, contrairement à leurs ambitions. Mais ce n'était pas le genre de celui-là. Cette faim, cette soif de soumission totale lui paraissaient une fin en soi, une tentative désespérée pour... Ce regard d'oiseau de proie ne portait pas très loin au-delà du mur de clôture.

— Ceux qui cherchent une porte à fermer derrière eux, mon ami, reprit Cadfael, veulent s'échapper vers le monde intérieur ou fuir le monde extérieur. Il y a une différence. Mais elle n'est pas toujours facile à distinguer.

CHAPITRE II

Il y eut une belle récolte de pommes d'octobre cette année-là dans les vergers de la Gaye, et comme depuis quelques jours le temps était devenu imprévisible, on dut profiter de trois journées ensoleillées qui se suivirent au milieu de la semaine afin de cueillir les fruits pendant qu'il faisait sec. On embaucha donc tout le monde à cet effet, moines du chœur, serviteurs, et tous les novices hormis les écoliers. Le travail n'avait rien de désagréable, surtout pour les jeunes qui y gagnèrent le droit de grimper aux arbres, de remonter leur robe au-dessus du genou et de se conduire un moment en gamins.

Un des commerçants de la ville avait une cabane jouxtant les terres de l'abbaye le long de la Gaye. Il y gardait ses chèvres et ses abeilles et avait le droit de couper de l'herbe pour ses bêtes sous les arbres fruitiers car il lui en manquait un peu. Ce jour-là, il était sorti avec sa faucille, longeant les hautes herbes autour des fûts, là où il est justement dangereux d'utiliser la faucille. Cadfael vint lui faire la causette et les deux hommes s'assirent sous un pommier pour échanger les civilités requises en pareil cas. Il connaissait pratiquement tous les bourgeois de Shrewsbury et le brave homme avait des légions d'enfants dont il demanda des nouvelles.

Plus tard, Cadfael se reprocha ce bavardage ; en

effet, l'homme avait déposé son outil sous l'arbre quand son plus jeune fils, un bambin haut comme trois pommes, était venu l'appeler pour prendre son pain et sa bière de midi. Ce fut peut-être à cause de cette conversation qu'il avait oublié de le récupérer. Toujours est-il qu'il l'avait laissée là, cette faucille, dans l'herbe, près du tronc. Cadfael se releva, un peu courbatu, et retourna ramasser ses pommes tandis que son compagnon ramenait à la cabane son cadet qui jacassait sans cesse.

On remplissait joyeusement les paniers de paille. Cadfael avait connu de meilleures récoltes, mais elle n'en tombait pas moins à pic. La journée était douce, brumeuse et ensoleillée tout à la fois, la rivière s'interposait tranquille entre la ville couronnée de tours et les cueilleurs de pommes ; de lourds effluves les enveloppaient où se mêlaient l'odeur des fruits, de l'herbe sèche, des plantes et des arbres tout chauds du soleil de l'été et que l'automne allait rendre au repos ; l'air était parfumé et entêtant. Rien de surprenant à ce que chacun se sentît bien, le cœur léger. On travaillait sans penser à rien. Cadfael aperçut frère Meriet qui travaillait avec ardeur ; il avait remonté ses lourdes manches, révélant ses bras élancés, son habit retroussé dévoilait ses genoux bruns et lisses, il avait rejeté sa capuche sur ses épaules et sa tête — il n'avait pas encore reçu la tonsure — se dessinait sur le ciel, avec ses cheveux noirs emmêlés. Son visage brillait, son regard noisette pétillait. Il se souriait à lui-même, car il se sentait bien, mais on le devinait vulnérable.

Ayant lui-même à faire, Cadfael le perdit bientôt de vue. Il est parfaitement possible de prier intensément tout en peinant dur à ramasser des pommes, mais il n'était que trop conscient de s'abandonner à la douceur sensuelle de cette journée. Et, selon toute apparence, frère Meriet était aussi dans ce cas. Ce qui contribuait à l'embellir.

Le sort voulut, malheureusement, que ce fût le plus

28

lourd et le plus disgracieux des novices qui choisît de grimper précisément à l'arbre sous lequel se trouvait la faucille ; pire encore, en cherchant à attraper un bouquet de pommes, il se pencha trop loin. Ce pommier avait ses fruits en bout de branche que le poids avait rendue fragile. Elle se rompit sous cette masse ; patatras ! le grimpeur fit la culbute dans un grand fracas de feuilles et de branches et tomba droit sur la lame dressée de la faucille.

Quelle chute spectaculaire ! Une demi-douzaine de ses compagnons l'entendirent tomber et se précipitèrent à la rescousse, Cadfael à leur tête. Le jeune homme gisait immobile, dans son habit en désordre, bras et jambes écartés ; il y avait une longue déchirure sur le côté gauche de sa robe et un filet de sang très rouge se répandait sur sa manche et sur l'herbe. Si jamais quiconque donna l'impression d'une mort soudaine et violente, ce fut bien lui. Rien de surprenant à ce que les jeunes qui n'y entendaient goutte restassent là, effarés, à pousser des cris d'orfraie.

Frère Meriet se trouvait un peu plus loin et n'avait pas entendu le bruit de la chute. Il arrivait entre les arbres, en toute innocence, avec au bras un grand panier de fruits qu'il emportait vers le chemin longeant le fleuve. Son regard, pour une fois très clair, buta sur le corps étendu, l'habit déchiré et le sang qui coulait. Il hésita comme un cheval foudroyé, recula en traînant les talons dans l'herbe. Son panier lui tomba des mains et les pommes se répandirent tout alentour.

Il n'émit aucun son, mais Cadfael qui s'était agenouillé près du blessé, surpris par cette avalanche de fruits, leva les yeux et découvrit un visage dont toute forme de vie semblait s'être retirée et qui avait pris la couleur de la cendre. Il n'y avait plus la moindre flamme dans ce regard fixe, atone, qui se posait sans ciller sur ce qui semblait être un cadavre poignardé, gisant dans l'herbe. La face n'était plus qu'un masque crispé, aux traits accentués, très pâle, figé pour l'éternité.

— Imbécile ! s'écria Cadfael, rendu furieux par le choc qu'il venait de subir, alors qu'il avait un blessé sur les bras. Ramasse tes pommes et disparais. Décampe, si tu es incapable de te rendre utile ! Tu ne vois donc pas que ce pauvre garçon, qui n'avait déjà pas beaucoup de cervelle, a pris un coup sur le crâne en tombant de cet arbre et qu'il s'est égratigné les côtes avec cette faucille ? Il a beau saigner comme un cochon qu'on égorge, il est bien vivant et ne risque rien, crois-moi.

Ce qu'en vérité le gisant se mit en devoir de prouver en ouvrant un œil vitreux, projetant un regard autour de lui comme s'il cherchait l'ennemi qui lui avait joué ce tour, et il commença à se plaindre sans pouvoir s'arrêter. Rassuré, le cercle qui l'entourait vola à son aide et Meriet resta derrière à ramasser ses pommes, obéissant et gauche. Son expression fut aussi longue à se détendre que ses yeux verts à retrouver leur éclat.

Quant au blessé, comme l'avait pensé Cadfael, sa blessure était spectaculaire mais superficielle. On l'eut bientôt lavée et pansée grâce au sacrifice qu'un novice fit de sa chemise et à une bande de tissu solide empruntée à la poignée d'un panier de fruits qu'elle avait servi à réparer. Sa chute lui avait valu une belle bosse et une bonne migraine. Heureusement, il n'y avait rien de plus grave à déplorer. On le renvoya en hâte à l'abbaye dès qu'il se sentit suffisamment d'attaque et capable de se relever, avec deux compagnons assez solides pour lui improviser une chaise de leurs mains et de leurs bras s'il faiblissait. Il ne resta aucune trace de l'incident, sauf de nombreuses traces de pas dans l'herbe piétinée autour d'une tache de sang, et la faucille qu'un gamin effrayé vint timidement réclamer. Il traîna là jusqu'à ce qu'il pût approcher Cadfael seul. Il fut grandement réconforté de savoir qu'il n'y avait pas grand mal et que son père n'encourrait aucun reproche pour ce malheureux oubli. Il y a toujours des accidents, même sans l'intervention de chevriers négligeants et d'adolescents maladroits et balourds.

Dès qu'il fut libéré de ses autres soucis, Cadfael se consacra au problème qui restait. Car s'il était bien là, le novice, avec son habit noir, parmi ses compagnons, s'il continuait à travailler, comme les autres, il détournait le visage et, tandis qu'autour de lui on commentait les derniers événements d'une voix aiguë, avec des pépiements de moineaux, lui demeurait bouche cousue. Une certaine raideur dans ses mouvements le faisait ressembler à une poupée de bois qui s'animerait soudain, et toujours cette façon de s'écarter si quelqu'un s'approchait. Il ne voulait pas être observé, pas avant du moins qu'il ait repris l'entier contrôle de lui-même.

On rapporta les pommes à l'abbaye et on les disposa dans des paniers qu'on entreposa dans les greniers de la grange principale, car ces fruits d'arrière-saison dureraient jusqu'à Noël. Sur le chemin du retour, l'heure de vêpres approchait, Cadfael resta près de Meriet et accorda son pas au sien, sans parler ou presque. Il était très doué pour étudier les gens tout en leur donnant l'impression de ne s'intéresser à eux que dans la mesure où ils faisaient partie du même monde que lui et de les accepter sereinement.

— Eh bien, il y en a eu du raffut pour quelques égratignures, constata Cadfael, d'un ton d'excuse qui aurait peut-être l'avantage de surprendre son interlocuteur. J'ai été désagréable avec toi, mon frère. Pardonne-moi ! Tout aurait très bien pu mal tourner, comme tu le craignais. Je l'ai cru un instant moi-même. Maintenant, nous voici soulagés, toi et moi.

Le garçon, méfiant, tourna vivement la tête vers lui, regardant par-dessus son épaule. Il y eut un éclair qui disparut instantanément dans les yeux vert et or. Dans sa voix se mêlaient la surprise et la douceur quand il répondit.

— Oui, Dieu merci et merci à vous, mon frère.

Cadfael eut le sentiment que son interlocuteur avait rajouté ce dernier mot parce qu'il le fallait, avec un peu de retard, mais il ne l'en apprécia pas moins.

— C'est vrai que je ne vous ai pas servi à grand-chose. Je... Je n'ai pas l'habitude, dit Meriet piteusement.

— Mais, mon garçon, c'est tout à fait normal. J'ai plus du double de ton âge, et j'ai pris l'habit sur le tard, pas comme toi. J'ai vu la mort sous bien des formes. J'ai été soldat et marin, dans le temps, en Orient, pendant la croisade, oui, j'ai servi dix ans après la chute de Jérusalem. J'ai vu des hommes tués au combat. Pour tout dire, j'en ai tué moi-même au combat aussi. Je n'ai jamais aimé ça, je le sais, mais je n'ai jamais cherché à l'éviter non plus car j'avais prêté serment.

Il se passait quelque chose à côté de lui, son jeune compagnon avait tressailli, à cause de cette histoire de serment peut-être sans rapport avec la religion mais qui pouvait être liée à une question de vie ou de mort. Cadfael, tel un pêcheur confronté à un poisson particulièrement malin, continua à bavarder, pour apaiser ses soupçons et l'intéresser en lui racontant sa jeunesse et ses expériences passées, ce qui lui arrivait rarement. L'ordre recommandait le silence, mais pas quand quelque chose de plus important était en jeu, en l'occurrence une âme en proie au tourment et qui cherchait sa voie. Sans compter qu'un vieux moine qui revenait sur son passé aventureux et qui avait parcouru la moitié du monde connu, quoi de plus inoffensif et de plus désarmant ?

— J'étais dans les troupes de Robert de Normandie. On formait une sacrée bande de Bretons, de Normands, de Flamands, d'Écossais, d'Anglais, bref il y avait tout le monde. Quand nous eûmes pris la ville et couronné Beaudoin, la plupart d'entre nous sont rentrés chez eux, dans les deux ou trois ans qui suivirent, mais j'avais pris goût à la mer et je suis resté. Il y avait des pirates qui ravageaient la côte, nous ne manquions jamais d'ouvrage.

Le jeune homme à côté de lui buvait littéralement ces paroles et, bien qu'il n'ouvrît pas la bouche, frémissait comme un chien de race qui, manquant d'entraînement, vibre au son du cor.

— Puis, en fin de compte, je suis rentré chez moi, parce que c'était mon pays, et que j'en avais besoin, conclut Cadfael. Pendant quelques années j'ai servi çà et là comme soldat indépendant jusqu'à ce que le moment vienne et que je sois prêt. Mais je n'avais pas perdu mon temps dans le siècle.

— Et maintenant, que faites-vous ici ? demanda Meriet.

— Je fais pousser des simples, je les sèche et je prépare des remèdes pour les malades qui viennent nous voir. Je soigne beaucoup de gens — et pas seulement dans la clôture.

— Et ça vous donne satisfaction ? demanda-t-il, comme s'il protestait ; lui, ça ne l'aurait pas satisfait.

— Soigner des hommes après avoir passé des années à guerroyer ? Que peut-on rêver de mieux ? Il faut faire ce qu'on doit, dit Cadfael après réflexion, quelle que soit la voie qu'on a choisie, qu'il s'agisse de combattre, de sauver des malheureux blessés au combat, de mourir, de tuer ou de soigner. Beaucoup te diront ce qu'on attend de toi, mais un seul être est capable de démêler le bon grain de l'ivraie pour parvenir à la vérité : toi-même, en vertu de la lumière qui te sera impartie pour trouver ta voie. Sais-tu lequel de mes vœux je trouve le plus difficile à respecter ? L'obéissance. Et je n'ai plus vingt ans, dit-il, laissant entendre par là qu'il s'en était donné à cœur joie et qu'il avait fait les quatre cents coups.

« Qu'est-ce que j'essaie de lui expliquer en ce moment ? se demandait-il. Qu'il ne faut pas promettre trop vite ce qu'on ne peut tenir ? Que nul ne peut donner que ce qu'il possède ? »

— C'est vrai, admit Meriet abruptement. Chacun doit faire ce qu'il doit sans se poser de questions. C'est cela, l'obéissance, n'est-ce pas ?

Et se tournant soudain vers Cadfael, il lui montra, malgré sa jeunesse, un visage dévot, exalté, comme s'il venait d'embrasser, ainsi que Cadfael l'avait fait jadis, la croix de la garde de son poignard et juré de consacrer sa vie à une cause aussi sacrée à ses yeux que la délivrance de la Cité de Dieu.

Jusqu'à la fin de la journée, Cadfael ne cessa de penser à Meriet et, après vêpres, il prit frère Paul pour confident du malaise qu'il avait éprouvé en se rappelant le désastre survenu pendant la matinée. Paul, étant resté derrière avec les enfants, n'avait entendu parler que de la chute et des blessures de frère Wolstan et non de l'horreur inexprimable qui avait saisi Meriet.

— Remarque, il n'y a rien d'extraordinaire à reculer à la vue d'un homme baignant dans son sang, tout le monde a été secoué. Mais lui, ça lui a fait un tel effet !

Frère Paul secoua la tête, dubitatif, devant la difficulté de sa tâche.

— Il réagit toujours d'une façon excessive. Je ne trouve pas en lui la certitude calme qui doit accompagner toute vraie vocation. Il est certes l'incarnation du devoir, tout ce que je lui demande, il le fait, il ne souhaite qu'une chose, aller plus vite que la musique. C'est l'élève le plus diligent que j'aie jamais eu. Mais les autres ne l'aiment pas, Cadfael, il les évite. Il se détourne de ceux qui tentent de l'approcher et il n'y met guère de formes. Il préfère rester seul. Je vais te dire, Cadfael, jamais je n'ai vu novice si passionné… et moins gai. Tu l'as vu sourire, toi, depuis qu'il est là ?

« Oui, se dit Cadfael, une fois, cet après-midi, avant que Wolstan ne dégringole, pendant qu'il ramassait des pommes au verger. C'est la première fois qu'il sortait de la clôture depuis que son père nous l'a amené. »

— Tu crois que ce serait une bonne chose de l'amener au chapitre ? hasarda-t-il.

— J'ai fait mieux, du moins je l'espère. Avec une nature pareille, je ne voulais pas avoir l'air de me plaindre sans raison. J'ai parlé de lui à notre abbé, qui m'a répondu de le lui envoyer et de le rassurer. « Dites-lui, a-t-il ajouté, que je suis là pour tous ceux qui ont besoin de moi, du plus jeune de nos élèves à nos anciens obédienciers, et qu'il me parle sans crainte, comme si j'étais son père. » C'est ce que j'ai fait en ajoutant qu'il pouvait avoir toute confiance. Et qu'est-ce que ça a donné ? « Oui, père ; non, père ; bien, père ! » Il n'a pas proféré un mot qui émane du cœur. Il ne sort de sa réserve que quand on doute du bien-fondé de sa présence parmi nous et qu'on lui conseille de réfléchir encore. Aussi sec, il tombe à genoux. Il nous supplie d'abréger son temps de probation et de le laisser prononcer ses vœux définitifs. L'abbé lui a parlé de l'humilité et de l'importance de l'année de noviciat ; apparemment ça lui a fait une impression et il a promis d'être patient. Mais il insiste toujours. Je n'ai pas le temps de lui donner des livres qu'il les a déjà finis. Il tient absolument à prononcer ses vœux très vite. Les plus lents lui en veulent. Et ceux qui sont à son niveau, parce qu'ils ont deux mois d'avance ou plus, prétendent qu'il les méprise. J'ai bien vu qu'il les évitait, j'avoue qu'il me pose un problème.

A Cadfael aussi, sans toutefois qu'il avoue à quel point.

— Je n'ai pu m'empêcher de m'interroger, poursuivit Paul. L'abbé lui dit de lui parler comme s'il était son père. C'est bien joli ! Mais est-ce vraiment de nature à rassurer un jeune qui vient de quitter son foyer ? Tu les as vu, Cadfael, quand ils sont arrivés tous les deux ?

— Oui, répondit prudemment Cadfael. Juste un moment. Ils venaient de descendre de cheval et secouaient leur manteau, puis ils sont entrés.

— Tu réagis plus vite d'ordinaire. Son père, hein ?

J'étais là tout le temps. J'ai assisté à leurs adieux. Sans une larme, sans un mot gentil ; le père est parti et il me l'a laissé. Ce n'est pas la première fois, je sais. Les parents craignent autant les adieux que les jeunes, parfois plus. Mais je n'en ai jamais vu se séparer sans au moins s'embrasser, comme Aspley et son fils. Jamais.

Paul, moine modèle, n'ayant évidemment jamais procréé, ni par conséquent fait baptiser ses enfants, ne s'était jamais occupé lui-même d'un tout-petit. Cependant il y avait chez lui quelque chose que le vieil abbé Héribert, qui n'était pourtant ni très subtil ni très sage avait remarqué, puisque c'est à lui qu'il avait confié les jeunes et les novices, confiance et charge dont Paul n'avait jamais démérité.

Dans le long dortoir, presque deux heures après complies, l'obscurité régnait ; seule la petite lampe en haut de l'escalier de matines, qui donnait dans l'église, brûlait et l'on n'entendait guère que le soupir passager d'un dormeur qui se retournait dans son sommeil ou un insomniaque qui remuait, mal à l'aise. A l'extrémité de la grande salle Robert, le prieur, avait sa cellule d'où l'on apercevait tout le couloir. A une certaine époque, quelques jeunes moines qui « n'avaient pas encore dépouillé le vieil homme », s'étaient trouvés fort aises que le prieur eût le sommeil aussi lourd. Il était même arrivé à Cadfael de sortir subrepticement par ce même escalier, quand les circonstances l'y avaient obligé. Ses premières rencontres avec Hugh Beringar, avant que ce dernier ne conquière son Aline et ne devienne shérif-adjoint, avaient eu lieu de nuit, et sans autorisation. Il ne l'avait jamais regretté, qui plus est ! Et, en pareil cas, il ne pensait jamais à s'en confesser. Ce jeune ambitieux de Hugh avait été une véritable énigme pour lui à cette époque *, car il ne le situait ni comme ami ni

* Voir dans la même collection *Un cadavre de trop* (n° 1963).

comme ennemi. Mais par la suite, en tant qu'ami fidèle, il avait fait plus que ses preuves.

Dans le silence de la nuit, Cadfael était allongé, bien éveillé et réfléchissait sérieusement, non pas à Hugh Beringar, mais à Meriet qui avait reculé avec cette mimique d'horreur désespérée, devant l'image d'un cadavre poignardé, gisant dans l'herbe. Illusion! Le novice blessé était maintenant couché à trois ou quatre cellules de Meriet, un peu gêné, peut-être, à cause de ses bandages et de ses courbatures, mais aucun bruit ne provenait de sa cellule. Il devait dormir sur ses deux oreilles. Pouvait-on en dire autant de Meriet? Où diantre avait-il vu un cadavre baignant dans son sang? Qu'est-ce qui avait bien pu stimuler ainsi son imagination?

Il n'était pas encore onze heures et le silence était total. Même ceux qui ne pouvaient trouver le sommeil étaient calmes. Les enfants, séparés de leurs aînés sur l'ordre de l'abbé, dormaient dans une petite pièce au bout du dortoir et frère Paul occupait la cellule qui protégeait l'isolement de la leur. Radulphe comprenait parfaitement les dangers qui guettent en tapinois les âmes, vouées au célibat, aussi innocentes qu'elles fussent...

Cadfael ne dormait que d'un œil, comme il l'avait fait bien souvent au bivouac ou sur le champ de bataille, ou encore enveloppé dans sa cape de marin, sur le pont, sous le regard des étoiles. Il se retrouvait en Orient, dans le passé, prêt à affronter le danger alors même qu'il n'y en avait aucun.

Le cri jaillit, atroce, déchirant le silence et la pénombre, comme si un démon s'était amusé à lacérer le sommeil de tous et le voile même de la nuit. Ce hurlement s'éleva jusqu'au toit, éveillant sous les voûtes où il se perdait de sauvages échos hululants, prisonniers des poutres faîtières. Il s'y mêlait des mots dont aucun n'était distinct, des balbutiements et des imprécations, telle une malédiction, entrecoupés de sanglots permettant au dormeur de reprendre souffle.

Cadfael avait jailli de son lit avant que la voix ne devînt suraiguë, cherchant à tâtons dans le couloir à parvenir à l'endroit d'où elle provenait. Tout le monde était réveillé à présent, il entendait un murmure terrifié et des prières s'élever frénétiquement, puis le prieur, lourd de sommeil, demander plaintivement qui osait ainsi troubler la paix du dortoir. De l'endroit où dormait Paul, les piaillements des enfants se joignirent à cette cacophonie ; les deux plus jeunes geignaient de terreur, ce qui n'avait rien de surprenant. On ne les avait jamais tirés aussi brutalement de leur sommeil et le plus petit n'avait guère plus de sept ans. Paul était sorti de sa cellule au pas de course pour les rassurer. Les clameurs n'avaient pas cessé, insupportables, tour à tour menaçantes et menacées. Les saints parlent à Dieu dans leur langue. A qui cette voix terrible et violente parlait-elle, à qui s'adressait cette querelle et en quelle langue, pleine de souffrance, de rage et de défi ?

Cadfael s'était muni d'une bougie et se dirigeait vers la lampe de l'escalier de matines pour l'allumer, cherchant son chemin maladroitement dans l'obscurité vivante, repoussant parfois des ombres tremblantes qui n'avaient rien à faire là et qui bloquaient le passage. Tout le long du couloir, il entendit ce tintamarre de malédictions, de cris et de lamentations toujours dans le langage incohérent du sommeil. Dans leur petite chambre, les enfants continuaient à hurler. Il parvint à la lampe et put enfin allumer sa bougie dont la flamme claire s'éleva droite, vers les hautes poutres, éclairant des visages hagards, bouche bée, l'œil rond. Il avait déjà son idée sur celui qui troublait ainsi la paix nocturne. Il repoussa sur le côté ceux qui l'empêchaient de passer et pénétra avec sa chandelle dans la cellule de Meriet. Des esprits plus timorés le suivirent timidement et se mirent en cercle, attentifs, peu désireux de s'approcher de trop près.

Frère Meriet était assis très droit sur sa couchette, tremblant, balbutiant, les poings crispés sous sa couverture, la tête rejetée en arrière et les yeux clos. Cadfael en fut quelque peu rassuré : malgré ce qui le tourmentait, le novice dormait toujours ; si on pouvait lui rendre un sommeil plus apaisé, il s'en sortirait peut-être sans dommage. Robert rejoignait maintenant le cercle des spectateurs et il n'hésiterait pas, tant son déplaisir était extrême, à saisir Meriet par l'épaule et à le secouer violemment. Cadfael se hâta de passer un bras autour des épaules crispées et maintint le corps contre lui. Le jeune homme frémit et le rythme de ses cris affreux s'apaisa. Cadfael posa sa bougie et, passant la main sur le front du dormeur, le força doucement à se recoucher. Quand il eut la tête sur l'oreiller, ses cris atroces se muèrent en doux vagissements plaintifs, puis cessèrent tout à fait. Le corps rigide se détendit, devint plus souple et glissa sur la couche. Quand Robert arriva près de lui, Meriet était allongé en toute innocence, profondément endormi, enfin délivré de ses fantasmes.

Frère Paul l'amena au chapitre le lendemain, estimant que, pour ce genre de troubles spirituels, il fallait trouver un guide et un traitement approprié. Paul, quant à lui, aurait mieux aimé se contenter de suivre de près son élève pendant un jour ou deux, et d'essayer de lui faire dire ce qui pouvait bien le troubler au point de provoquer un tel cauchemar, tout en l'accompagnant dans ses prières afin de lui permettre de retrouver la paix. Mais le prieur ne l'entendait pas de cette oreille. Certes, le novice incriminé avait subi une expérience très pénible la veille, lors de l'accident survenu à son compagnon, mais c'était aussi le cas de tous ceux qui se trouvaient au verger ; or lui seul avait réveillé tout le dortoir par ses cris. Pour Robert, ce genre de manifestation, même dans le sommeil, révélait la volonté de se donner en spectacle, la présence d'un démon tenace et bien caché. Et, en pareil cas, il n'y avait que le fouet qui pût chasser le diable. Dans ce cas précis, Paul s'interposait seul entre lui et le châtiment immédiat. Il fallait en référer à l'abbé.

Meriet était debout, au centre des débats, les yeux baissés, les mains jointes, tandis que l'on évoquait ouvertement son offense involontaire. Il s'était réveillé comme les autres, enfin ceux qui avaient eu la chance de pouvoir se rendormir et trouver le repos, quand la cloche sonna pour matines, et comme le silence était de règle à ce moment il se demandait bien pourquoi tant de ses frères le dévisageaient avec cette évidente méfiance et le fuyaient comme s'il avait la peste. C'est ce qu'il avait dit pour sa défense quand enfin on l'avait éclairé sur son comportement, et Cadfael le croyait.

— Si je vous amène ce garçon, ce n'est pas qu'il se soit sciemment mal conduit, mais parce qu'il a besoin d'une aide que je ne saurais lui apporter seul, dit Paul. Il faut avouer que, comme nous l'a dit frère Cadfael — je n'étais pas moi-même au verger hier — l'accident survenu à frère Wolstan a beaucoup troublé les esprits et frère Meriet, qui n'était pas au courant, a subi un choc violent quand il est arrivé sur les lieux, car il pensait que ce pauvre jeune homme était mort. C'est peut-être cela, tout simplement qui l'a perturbé et provoqué ce cauchemar. Et peut-être ne lui faut-il que du calme et des prières. J'ai besoin de vos conseils.

— Vous voulez dire, demanda Radulphe, contemplant, méditatif, la silhouette soumise devant lui, qu'il dormait profondément tout en semant la panique dans tout le dortoir ?

— Sans aucun doute, affirma Cadfael. Et le réveiller brutalement en pareille circonstance aurait pu se révéler très dangereux, seulement voilà : il ne s'est pas réveillé. Quand je l'ai forcé tout doucement à se recoucher, il a sombré dans un sommeil encore plus profond et son mal a disparu. Je doute même qu'il se rappelle quoi que ce soit de son rêve, si c'en était un. Je suis sûr qu'il ignorait tout de ce qui s'était passé, la pagaille qu'il avait déclenchée, avant qu'on ne le mette au courant ce matin.

— C'est vrai, père, opina Meriet avec un bref coup d'œil anxieux, on m'a dit ce que j'avais fait et je veux bien le croire. Dieu sait que je le regrette. Mais je vous jure que j'ignorais tout de ma faute. Et si j'ai fait ces mauvais rêves, je ne me souviens de rien, ni ne comprends rien à tout cela. Je ne peux qu'espérer que cela ne se reproduise pas.

L'abbé réfléchit, les sourcils froncés.

— J'ai peine à admettre que vous ayiez pu être à ce point perturbé sans raison. Il me semble plutôt qu'en voyant frère Wolstan baignant dans son sang, vous ayez été profondément affecté. Mais qu'il vous soit si difficile de vous accepter et de contrôler votre imagination, voilà qui n'augure pas très bien d'une véritable vocation, mon fils.

Seule, cette menace à peine suggérée parut inquiéter Meriet. Il tomba à genoux, tout d'un coup, gracieux, affolé, et son habit vola autour de lui, comme une cape. Levant vers l'abbé un visage tendu et des mains suppliantes, il s'écria :

— Aidez-moi, père, ayez confiance en moi ! Je ne désire qu'une chose : entrer ici, trouver la paix, obéir à la Règle en tout point et rompre tous les liens qui me rattachent à mon passé ! Si je me conduis mal, si je désobéis, volontairement ou non, soignez-moi, punissez-moi, imposez-moi toutes les pénitences que vous voudrez, mais ne me rejetez pas !

— Nous ne désespérons pas si facilement d'un postulant, répondit Radulphe, pas plus que nous ne tournons le dos à qui nous demande du temps et de l'aide. Il y a des remèdes pour apaiser un esprit trop fiévreux. Frère Cadfael les connaît, mais il ne faut les utiliser qu'à bon escient ; pour le moment, il vaudrait mieux prier et chercher à mieux vous contrôler.

— J'y parviendrais plus aisément si vous acceptiez de raccourcir mon temps de probation et de me laisser profiter pleinement de la vie monastique. Je n'aurais plus alors ni doute ni crainte...

Ni espoir? se demanda Cadfael qui l'observait de près; et il soupçonna l'abbé de s'être posé la même question.

— Cette vie monastique, répliqua sèchement Radulphe, il s'agit de la mériter. Vous n'êtes pas encore prêt à présenter vos vœux. Nous devrons, vous et nous, faire preuve d'un peu de patience avant que vous ne soyiez en état de vous engager. Plus vous manifesterez d'impatience, et moins vous réussirez. Rappelez-vous cela, et réfrénez donc votre impétuosité. Pour cette fois nous attendrons. Je sais que votre manquement n'était pas volontaire, je suis sûr que vous vous efforcerez de ne pas recommencer. Allez maintenant, frère Paul vous transmettra nos ordres.

Meriet jeta un bref coup d'œil au visage pensif des membres du chapitre et s'en alla, les laissant discuter de la meilleure attitude à adopter à son sujet. Le prieur, toujours en colère et prompt à reconnaître une forme d'humilité à laquelle se mêlait une bonne dose d'arrogance, pensait qu'on calmerait cet esprit troublé par la mortification de la chair, c'est-à-dire en l'accablant de travail, en le mettant au pain sec et à l'eau ou en le faisant fouetter. Plusieurs préféraient une solution plus simple : puisque le garçon n'avait pas eu conscience de sa faute, il serait injuste de le punir; en revanche, on pourrait envisager de le maintenir à l'écart des autres pour préserver la paix de chacun. Frère Paul fit remarquer que si cette mise en quarantaine n'était pas une punition, elle y ressemblait fort.

— Nous nous tourmentons peut-être pour rien, dit finalement l'abbé. Qui d'entre nous n'a jamais passé une mauvaise nuit, ni fait de cauchemar? Cela ne lui est arrivé qu'une fois et aucun d'entre nous n'en a souffert, pas même les enfants. Pourquoi ne pas lui faire confiance? Cela peut très bien ne jamais se reproduire. Et en cas de besoin, il y a deux portes qu'on fermera entre le dortoir et la chambre des garçons. N'oublions pas enfin, toujours en cas de besoin, qu'il y a d'autres mesures à prendre.

Trois nuits se passèrent dans le calme, mais il y eut une autre alerte à l'aube de la quatrième, moins effrayante certes que la première, mais à peine moins étrange. Meriet ne poussa pas de hurlement à cette occasion, mais à deux ou trois reprises, entrecoupés de silences, il prononça quelques mots à voix haute, d'un ton très agité. Ce qu'il déclara clairement bouleversa les autres novices. Ils s'écartèrent plus encore de lui et leur suspicion s'accentua.

— Non ! a-t-il crié plusieurs fois ; c'est ce que rapporta son plus proche voisin, d'un ton geignard à frère Paul le matin suivant. Et puis il a dit : « je le ferai ! » et il a parlé de devoir et d'obéissance... Ensuite il s'est tu, puis soudain il a crié « du sang ! ». Je suis allé voir, parce qu'il m'avait réveillé en sursaut, il était assis dans son lit et il se tordait les mains. Après cela, il s'est rallongé, il n'a plus bougé. Mais à qui parlait-il ? je crains qu'un démon ne se soit emparé de lui. Je ne vois pas d'autre explication.

Frère Paul n'aimait pas beaucoup ce genre de supposition bien qu'il eût lui-même entendu la même chose, ce qui l'avait lui aussi troublé. De nouveau Meriet fut stupéfait, confondu, d'apprendre qu'il avait pour la seconde fois réveillé le dortoir alors qu'il ne se souvenait d'aucun cauchemar et qu'il ne voyait rien, pas même un mal de ventre qui ait pu troubler son sommeil.

— Il n'y a pas eu de dégât cette fois, dit Paul à Cadfael après la grand-messe, il n'a pas fait de bruit et nous avions fermé la porte pour les enfants. J'ai fait de mon mieux pour couper court à leurs bavardages, ça n'empêche pas qu'ils aient peur de lui. Ils ont besoin de calme eux aussi et ce garçon représente une menace pour eux. Ils prétendent qu'il a un démon en lui pendant son sommeil, que c'est lui qui l'a amené dans nos murs et ils se demandent à qui il va s'en prendre la prochaine fois. Tu sais comment ils l'appellent ? L'apprenti du diable. Évidemment, je leur ai interdit de le dire mais ils le pensent.

Cadfael aussi avait entendu les étranges paroles, bien que Meriet n'eût pas crié cette fois. Il avait senti son tourment, sa souffrance et son désespoir, et il était absolument sûr que tout cela avait une cause parfaitement naturelle. Mais fallait-il s'étonner si des jeunes gens ignorants, crédules et superstitieux, y voyaient une manifestation qui n'avait rien d'humain ?

Ce fut en plein mois d'octobre et ce même jour que le chanoine Eluard de Winchester, parti de Chester et se rendant dans le Sud, arriva avec son secrétaire et son palefrenier pour passer une ou deux nuits de repos à Shrewsbury. Il ne s'agissait ni d'une simple visite dictée par des raisons de politique religieuse, ni de pure courtoisie. Il était là précisément parce que le novice Meriet Aspley habitait dans l'abbaye des saints Pierre et Paul.

CHAPITRE III

Eluard de Winchester possédait une culture très vaste et il était diplômé de plusieurs universités dont certaines étaient françaises. Ses connaissances étendues et sa largeur de vues l'avaient recommandé auprès de l'évêque Henri de Blois ; cet homme d'Église figurait parmi les assistants les plus influents de ce grand prélat dont il avait toute la confiance, et c'est lui qui s'occupait des affaires en suspens pendant que son maître résidait en France.

Frère Cadfael occupait un rang trop modeste dans la hiérarchie pour être invité à la table de l'abbé quand il y avait des hôtes de cette importance. Il n'en éprouvait aucune rancœur, et il n'en serait pas moins informé de ce qui se dirait puisqu'il était évident que Hugh Beringar, en l'absence du shérif, serait présent à toute réunion où l'on arborderait des problèmes politiques et qu'il rapporterait fidèlement l'essentiel des propos à son alter ego.

Après avoir accompagné le chanoine dans ses appartements de l'hôtellerie, Hugh arriva en bâillant à la cabane du jardin aux herbes médicinales.

— C'est un type impressionnant ; ça ne m'étonne pas que l'évêque l'apprécie tellement. Vous l'avez vu, Cadfael ?

— Oui, je l'ai vu arriver.

Le chanoine était grand, corpulent, solidement bâti ; il montait cependant à cheval comme un chasseur depuis son enfance et comme un guerrier depuis son adolescence. Une tonsure ronde dans sa chevelure épaisse couronnait une tête sphérique et massive. On distinguait une ombre bleutée sur son visage glabre quand il descendit de cheval au début de la soirée. Ses beaux vêtements étaient élégants mais austères ; il portait pour seuls bijoux une croix et un anneau mais tous deux d'un goût exquis. Sa mâchoire volontaire et son œil autoritaire exprimaient l'intelligence et la tolérance.

— Qu'est-ce qu'il fabrique par ici, alors que son évêque se trouve outre-mer ?

— Mais, la même chose que son évêque en Normandie ; il sollicite l'appui de tous les gens importants qu'il peut dénicher pour essayer de mettre sur pied un plan susceptible de permettre d'éviter à l'Angleterre un démembrement complet. Tout en recherchant le soutien du roi et du duc en France, Henri s'efforce par tous les moyens de connaître la position du comte Ranulf de Chester et de son frère Guillaume de Roumare. Ils n'ont prêté aucun intérêt à la réunion de l'été dernier et il semble bien que l'évêque ait envoyé un de ses hommes dans le Nord, histoire de se montrer courtois envers les deux frères juste avant son départ pour la France. Il s'agit d'un des prêtres de sa maison, un jeune homme promis à un grand avenir du nom de Peter Clemence. Et Peter Clemence n'est jamais revenu. On peut interpréter cela de plusieurs façons, mais le temps passe, il n'a pas donné signe de vie et les deux frères du Nord n'ont pas donné de ses nouvelles, alors notre chanoine devient nerveux. Il s'est instauré une sorte de trêve au sud et à l'ouest. De part et d'autre on s'observe et on attend. Donc Eluard s'est dit qu'il pourrait tout aussi bien se rendre à Chester pour découvrir ce qui s'y passe et voir ce qu'il était advenu de l'envoyé de son évêque.

— Et qu'en est-il advenu ? demanda Cadfael, per-
plexe. Il semble que Sa Seigneurie soit en route vers le
sud pour rejoindre Sa Majesté. Quel accueil lui a-t-on
fait à Chester ?

— Oh, parfaitement cordial et chaleureux ! Et pour
autant que je puisse en juger, aussi loyalement qu'il
soutienne les efforts de son maître pour rétablir la paix,
notre chanoine pencherait plutôt du côté d'Étienne, et
il va retourner à Westminster pour dire au roi qu'il
serait sage de battre le fer pendant qu'il est chaud. Puis
il se rendra dans le Nord en personne afin d'essayer
d'amadouer Chester et Roumare car il aimerait qu'ils
restent aussi bien disposés à son égard que lors de son
premier voyage. Un manoir ou deux et un titre flatteur
— Roumare est pratiquement comte de Lincoln, alors
autant l'appeler ainsi — pourraient bien arranger ses
affaires là-bas. Enfin c'est ce qu'Eluard a cru comprendre. Ils ont déjà engagé leur loyauté plus d'une fois. Et
puis sa femme a beau être la fille de Robert de
Gloucester, Ranulf est quand même resté chez lui
quand Robert a amené son impératrice de sœur pour
reprendre le combat il y a plus d'un an. Donc la
situation est parfaitement du goût d'Eluard, maintenant que tout est clair. Mais pourquoi n'est-ce pas Peter
Clemence qui a apporté lui-même ces bonnes nouvelles
le mois dernier ? Réfléchis, mon cher Cadfael. Personne ne l'a vu là-bas, car il n'est jamais arrivé à
Chester.

— Voilà certes une excellente raison, dit Cadfael
sans sourire, et il regarda son ami avec une attention
soutenue. Sait-on jusqu'où il est allé ?

Il ne manquait pas d'endroits peu fréquentables où
un homme pouvait en faire disparaître un autre dans
cette Angleterre déchirée, simplement pour lui voler
son manteau ou son cheval. Dans certaines régions les
manoirs étaient restés à l'abandon et retournaient à
l'état sauvage, nul ne s'occupait plus des forêts et des
villages entiers, trop exposés au danger, pourrissaient

sur pied, faute d'habitants. Le Nord, cependant, avait bien moins souffert que le Sud et l'Ouest et des seigneurs comme Ranulf avaient réussi à maintenir une certaine stabilité dans leurs domaines.

— C'est ce qu'Eluard a essayé de découvrir ; il a passé au peigne fin tous les chemins que Clemence a pu prendre. Car il est sûr qu'il n'a jamais approché de Chester. Et ce n'est qu'en revenant dans le Shropshire que notre chanoine a trouvé quelque chose. Parce qu'il n'y a pas la moindre trace du disparu dans tout le Cheshire.

— Et rien jusqu'à Shrewsbury ?

Hugh, qui avait encore des choses à dire, regardait pensivement dans son gobelet, les sourcils froncés.

— Un peu plus loin que Shrewsbury, Cadfael, mais vraiment tout près. Il a fait un détour de quelques miles pour revenir par ici, et il a d'excellentes raisons pour ça. Il a pu remonter jusqu'à la nuit du huit septembre que Peter Clemence a passée dans la maison d'un cousin éloigné. Et savez-vous de qui il s'agit ? De Leoric Aspley dont le manoir se situe à l'orée de la Forêt Longue.

— Vous m'en direz tant ! s'exclama Cadfael, soudain très attentif. Le huitième jour du mois, hein ? Et environ une semaine plus tard, Fremund, l'intendant, arrive ici, demandant de la part de son maître, que son fils cadet, dont c'est le plus cher désir, puisse entrer dans notre maison. Mais enfin, il ne faut pas confondre « autour » et « alentour ». De toute manière, je ne vois pas le rapport entre la découverte soudaine d'une vocation chez un homme et le séjour d'un autre pendant une seule nuit et son départ le lendemain matin. Eluard savait-il que son messager ferait halte à cet endroit ? Connaissait-il leurs liens de parenté ?

— L'évêque et Eluard étaient au courant. Tout le manoir a vu Peter Clemence arriver et tous ont raconté comment il avait été reçu. Tout le manoir, ou presque, l'a vu partir le matin suivant. Aspley et l'intendant l'ont

48

accompagné à cheval pendant un mile, sous le regard de toute la maisonnée et de la moitié des voisins. Il n'y a aucun doute, il est parti entier et sur un bon cheval.

— Où devait-il coucher la nuit suivante ? Était-il attendu ? S'il avait annoncé sa venue, quelqu'un se serait inquiété à son sujet depuis longtemps.

— D'après Aspley, Clemence avait l'intention de faire halte à Whitchurch, à peu près à mi-parcours. Il savait qu'il n'aurait pas de mal à trouver à se loger, aussi n'avait-il pas prévenu avant. A partir de là, on perd sa trace, personne ne l'a vu ni entendu.

— Si je comprends bien, il disparaît entre ici et Whitchurch ?

— A moins qu'il n'ait modifié ses plans et son itinéraire et Dieu sait qu'il pouvait y avoir toutes sortes de raisons pour cela, grommela Hugh, morose, même ici, dans ma juridiction ; j'espère seulement qu'il n'est rien arrivé de fâcheux. Je prétends que nous maintenons l'ordre dans nos régions, qu'on ose me dire le contraire, mais peut-être pas au point de ne laisser subsister aucun passage dangereux. Il a pu entendre quelque chose qui lui a fait tourner bride. Toujours est-il qu'il a disparu. Et depuis trop longtemps !

— Et le chanoine veut qu'on le retrouve ?

— Mort ou vif, répliqua Hugh, l'œil sombre. D'ailleurs, c'est aussi ce que voudra l'évêque, et il faudra que quelqu'un en réponde, car il l'estimait beaucoup.

— Et c'est vous qui êtes chargé de le rechercher ?

— Je ne dirais pas ça comme ça. Eluard est un homme juste, il a décidé, sans rechigner, de s'occuper d'une partie de la besogne. Mais je suis responsable de ce comté en tant que shérif-adjoint et il est normal que je fasse ma part. Il y a un clerc, un érudit qui disparaît dans mon fief. Et ça ne me plaît pas du tout, conclut Hugh d'une voix dangereusement douce où il passa comme un éclair d'argent évoquant une épée nue.

— Pourquoi le chanoine, qui a recueilli le témoignage d'Aspley et de toute sa maisonnée, a-t-il éprouvé le besoin de revenir sur ses pas et de repasser par Shrewsbury ? demanda Cadfael que cette question obsédait, bien qu'il devinât la réponse.

— Parce que, cher ami, vous avez chez vous un jeune novice qui est le fils cadet de ladite maison. Il ne laisse rien au hasard, le chanoine. Il veut entendre tout le monde, même les brebis égarées de la tribu. Allez savoir qui, au manoir, aura peut-être remarqué un détail important.

C'était une excellente question, profondément dérangeante, qui troubla longtemps Cadfael.

— Il n'a pas encore interrogé le garçon ?

— Il ne voulait pas désorganiser les offices du soir pour ça. Ni le dîner qui l'attendait, ajouta Hugh avec un bref sourire. Mais demain il le fera venir au parloir de l'hôtellerie et il reprendra toute l'affaire avec lui, avant de partir pour le Sud rejoindre le roi à Westminster et lui suggérer d'aller s'assurer de Chester et de Roumare pendant qu'il le peut encore.

— Vous assisterez évidemment à leur entretien.

— Oui, j'y serai. J'ai besoin de connaître le témoignage de tous quand un homme vient à disparaître d'une manière suspecte dans ma juridiction. Maintenant, ça me concerne autant qu'Eluard.

— Vous me raconterez ce que le petit a à dire et comment il s'est comporté ? demanda Cadfael en confidence.

— D'accord, lança Hugh, se levant pour prendre congé.

Il apparut que Meriet avait fait preuve de calme et de stoïcisme pendant son entretien au parloir en présence de l'abbé, du chanoine et de Hugh Beringar qui représentaient à eux trois les pouvoirs régulier et séculier. Il répondit aux questions d'une manière simple et directe, sans hésitation, apparemment.

Oui il s'était bien trouvé là quand maître Clemence était venu faire halte à Aspley. Non, on ne l'attendait pas, il était arrivé à l'improviste, mais la maison de ses parents lui était toujours ouverte. Non, il n'était venu qu'une fois, des années auparavant, il était devenu quelqu'un d'important, qui ne s'éloignait guère de son maître. Oui, c'est Meriet en personne qui avait emmené son cheval à l'écurie, qui l'avait pansé, nourri et abreuvé pendant qu'à l'intérieur les femmes s'occupaient de maître Clemence. C'était le fils d'un cousin de la mère de Meriet, d'origine normande lui, et mort depuis deux ans maintenant. Qu'avait-on fait pour lui être agréable ? On lui avait servi un repas et des vins excellents, il y avait eu de la musique après le souper, et il y avait eu une invitée supplémentaire, la fille du manoir voisin, fiancée au frère aîné de Meriet, Nigel. Le jeune homme évoquait cette soirée l'œil clair et le visage calme.

— Maître Clemence vous a-t-il parlé de sa mission ? demanda soudain Hugh. A-t-il dit où il se rendait et pourquoi ?

— Il a dit qu'il agissait pour le compte de l'évêque de Winchester. Je ne me rappelle pas qu'il ait ajouté quoi que ce soit pendant que j'étais là. Mais il y avait de la musique après que j'eus quitté la grande salle et tout le monde était encore attablé. Je suis allé voir si tout se passait bien aux écuries. Il en a peut-être dit plus à mon père.

— Et le matin, que s'est-il passé ? demanda Eluard.

— Nous avions tout préparé pour le servir dès qu'il se lèverait ; il avait dit qu'il voulait partir tôt. Mon père, Fremund, notre intendant et deux palefreniers l'ont accompagné le premier mile, tandis que moi, les serviteurs et Isouda...

— Isouda, dites-vous ? demanda Hugh en dressant l'oreille car il entendait ce nom pour la première fois.

Meriet avait mentionné la présence de la fiancée de son frère, mais personne de ce nom.

— Ce n'est pas ma sœur, mais l'héritière du manoir de Foriet qui jouxte le nôtre par le flanc sud. Mon père est son tuteur et administre ses terres. Elle habite chez nous.

Une petite sœur de peu d'importance, en somme, d'après ce qu'il laissait entendre ; pour une fois qu'il n'était pas sur ses gardes...

— Elle est venue avec nous aux portes du manoir pour assister au départ de maître Clemence et l'honorer comme il convient.

— Vous ne l'avez plus revu après ?

— Je ne suis pas allé avec eux. Mais, par courtoisie, mon père l'a accompagné plus loin qu'il n'y était tenu et il l'a quitté sur la bonne route.

Hugh avait encore une question.

— C'est vous qui vous êtes occupé de son cheval. A quoi ressemblait-il ?

— C'était une belle bête, pas plus de trois ans et pleine de feu, dit Meriet d'une voix enthousiaste. Un grand bai brun, avec une étoile en tête depuis le front jusqu'au nez, et deux antérieurs blancs.

Il s'agissait donc d'un animal assez remarquable pour qu'on le reconnaisse facilement si on le trouvait et, de plus, il avait de la valeur.

— Si, Dieu sait pourquoi, on a voulu expédier cet homme dans l'autre monde, dit plus tard Hugh à Cadfael, discutant dans le jardin aux simples, on ne se sera sûrement pas débarrassé d'un cheval pareil. Et ce cheval, il faut bien qu'il soit quelque part entre ici et Whitchurch. Quand on l'aura trouvé, ça fera un bon début de piste. Et s'il faut envisager le pire, il est plus simple de cacher un cadavre qu'un cheval vivant. Un petit curieux finirait fatalement par le repérer, et tôt ou tard, ça me viendrait aux oreilles.

Cadfael accrochait les herbes bruissantes qu'il avait mises à sécher à la fin de l'été sous l'auvent de sa cabane, mais il n'en était pas moins tout ouïe. Ainsi donc le chanoine avait renvoyé Meriet sans avoir obtenu de lui le moindre détail supplémentaire. Sa version était exactement la même que celle de tous les autres membres de la famille Aspley et des serviteurs.

— Si vous le pouvez, répétez-moi exactement les paroles du garçon, demanda Cadfael. Si, dans le fond, il n'a rien dit d'intéressant, la forme vaut la peine qu'on s'y arrête.

Hugh avait une excellente mémoire et il reproduisit jusqu'aux intonations de Meriet.

— Mais il n'y a rien dans tout ça, à part une bonne description du cheval. Il a répondu à toutes les questions et cependant il n'a rien dit, puisqu'il ne sait rien.

— Ah, pardon, objecta Cadfael, il n'a pas répondu à tout. Et pour moi, il a peut-être même dit des choses intéressantes, mais je ne suis pas sûr que cela concerne la disparition de maître Clemence. Quand le chanoine lui a demandé : « Vous ne l'avez plus revu après ? », il a répondu : « Je ne suis pas allé avec eux. » Mais il n'a jamais dit qu'il n'avait pas revu son hôte. De la même façon, quand il a parlé des serviteurs et de cette jeune fille de Foriet, il n'a pas mentionné la présence de son frère, pas plus qu'il n'a précisé si son frère avait lui aussi accompagné maître Clemence.

— Admettons, fit Hugh, sans enthousiasme. Mais ça n'est pas nécessairement significatif. Très peu d'entre nous ne laissent aucun détail dans l'ombre et surveillent à ce point leur langage.

— Je vous l'accorde. Mais il n'y a pas de mal à s'arrêter à ces petites choses, elles donnent à réfléchir. Un homme qui n'a pas l'habitude de mentir essaiera de répondre à côté s'il le peut. Si on retrouve le cheval à trente bons miles d'ici, il sera inutile d'éplucher ce qu'a dit Meriet, on ne pourra suspecter aucun membre de sa famille, et ils pourront oublier Peter Clemence, à part une messe qu'ils feront dire à sa mémoire, à l'occasion.

Le chanoine Eluard partit pour Londres avec armes, secrétaire, palefrenier et bagages dans sa hâte à décider le roi à rendre une visite diplomatique dans le Nord avant Noël, et défendre ses intérêts auprès des deux frères dont le pouvoir s'étendait presque d'une côte à l'autre. Ranulf de Chester et Guillaume de Roumare avaient décidé de passer les fêtes à Lincoln avec leurs épouses, et un minimum de flatterie employée à bon escient, accompagnée d'un ou deux petits cadeaux, pourrait aboutir aux résultats les plus heureux. Le chanoine avait déjà préparé le chemin et il entendait bien faire le voyage du retour en compagnie du roi.

— Et quand je reviendrai, dit-il, prenant congé de Hugh dans la grande cour de l'abbaye, je quitterai l'escorte de Sa Majesté et repasserai vous voir en espérant bien qu'à ce moment vous aurez des nouvelles pour moi. Mon évêque sera très inquiet.

Il s'en alla donc, laissant Hugh continuer à chercher Peter Clemence ou, pour être plus précis, son cheval bai. Ces recherches, il les menait énergiquement, déployant autant d'hommes qu'il en put trouver le long des routes du Nord les plus fréquentées ; il alla voir les seigneurs locaux, visita force écuries et interrogea les voyageurs. Quand il eut visité sans résultat aucun tous les endroits où un voyageur normal s'arrêterait, il envoya ses hommes en rase campagne. Au nord du comté, le terrain était plus plat avec moins de forêts et de grands espaces de landes à bruyères et de boqueteaux. Plusieurs tourbières, vastes et désolées, impossibles à cultiver, servaient aux gens du cru qui savaient où passer sans danger, se faisaient des réserves de bois qu'ils coupaient et entassaient en prévision de l'hiver.

Le manoir d'Alkington se dressait au bord de ces étendues sauvages d'étangs aux eaux sombres, de mousses et d'épineux emmêlés sous un ciel pâle et vide. Il avait perdu de sa valeur, ses terres cultivables avaient diminué comme une peau de chagrin, ce n'était donc sûrement pas là qu'on pouvait s'attendre à trouver, dans les prés du métayer, un grand pur-sang bai brun, monture digne d'un prince. C'est pourtant là que Hugh le trouva, avec son étoile en tête, ses deux antérieurs blancs et tout et tout ; il avait un peu maigri, il était mal soigné, mais pour le reste il se portait comme un charme.

Le métayer cherchait aussi peu à se cacher qu'il n'avait cherché à dissimuler son cheval. C'était un homme libre qui sous-louait une terre appartenant au seigneur du Wem, et il était tout disposé à expliquer la présence de cet hôte inattendu dans son écurie.

— Et tel que vous le voyez là, messire, il est en bien meilleur état que quand il est arrivé, il avait dû se trouver livré à lui-même pendant quelque temps, à ce qu'il semble, et du diable si aucun d'entre nous savait à qui il était et d'où il venait. Un de mes ouvriers a un essart un peu plus loin à l'ouest, une île dans les mousses où il prend de la tourbe pour lui et d'autres. C'est ce qu'il était en train de faire quand il a aperçu de loin cet animal qui errait tout seul, avec tout son harnachement, mais pas l'ombre d'un cavalier. Il a essayé de l'attraper mais l'animal ne voulait rien savoir. Il s'y est repris à plusieurs fois en essayant de lui donner à manger, pas fou, le cheval s'est approché pour se nourrir mais il était trop malin pour se laisser prendre. Il s'était flanqué dans une fondrière jusqu'aux épaules et il avait arraché je ne sais où presque toute sa bride, quant à sa selle, elle était presque arrivée au ventre. A la fin, j'ai fait préparer ma jument, on l'a emmenée là-bas et c'est elle qu'il a suivie. Il s'est calmé une fois qu'on l'a capturé, trop content de se débarrasser de ce qu'il avait encore sur le dos et de sentir à nouveau une couverture sur ses flancs. Mais à qui il appartenait, mystère. J'ai fait prévenir mon maître à Wem, et on le garde en attendant d'en savoir plus long.

Il était hors de doute que l'homme avait dit la vérité. On se trouvait environ à un mile ou deux de Whitchurch et à la même distance de la ville.

— Vous avez toujours son harnachement ?

— Oui, il est à votre disposition dans l'écurie.

— Mais il n'avait pas de cavalier. L'avez-vous cherché ensuite ?

Aucun voyageur sain d'esprit ne traverserait les mousses la nuit, alors que même le jour elles n'étaient guère sûres pour un cavalier audacieux. Tout au fond des tourbières, ce ne sont pas les ossements qui manquent !

— Bien sûr, messire. Il y a des gens, par ici, qui connaissent tous les canaux, les sentiers et les îles où l'on peut circuler ; on a supposé que le cheval l'avait jeté par terre ou que le cavalier et sa monture étaient tombés dans un trou et que seul le cheval s'en était sorti. Cela s'est déjà vu, mais rien, pas la moindre trace, et tout sale qu'il était ce canasson ne s'est pas enfoncé jusqu'aux épaules, sinon, avec un homme sur le dos, c'est l'homme qui avait le plus de chances de s'en tirer.

— Vous pensez donc qu'il est arrivé par ici tout seul ? demanda Hugh, en regardant l'animal avec attention.

— Certainement. A quelque miles plus au sud, il y a des bois ; si des routiers s'étaient emparés de son maître, ils auraient eu du mal à le garder, lui. Je suppose qu'il est arrivé ici par ses propres moyens.

— Vous voudrez bien dire à mon sergent comment aller voir votre ouvrier dans les mousses ? Il pourra nous en dire plus et nous indiquer les endroits où le cheval a traîné. Un clerc de la maison de l'évêque a disparu — il est peut-être mort — dit Hugh, décidant de faire confiance à cet homme dont l'honnêteté était évidente. C'était son cheval. Si vous apprenez autre chose, envoyez chercher Hugh Beringar, c'est moi, au château de Shrewsbury, vous n'aurez pas à vous en plaindre.

— Ainsi vous allez l'emmener. Dieu sait comment il s'appelle. Moi je l'appelais le Brun. Il me manquera. Il n'a pas encore retrouvé tout l'éclat de sa robe, mais ça viendra. Au moins, on lui a enlevé toutes les bourres de bruyère qu'il avait ramassées.

Et, sur ces mots, le maître de ce pauvre manoir se pencha sur sa palissade de roseaux et claqua des doigts. Confiant, le bai s'approcha et mit le bout de son nez dans la main offerte.

— On vous dédommagera largement, promit Hugh, avec chaleur. C'est le moins qu'on puisse faire. Maintenant, il vaudrait mieux que j'aille jeter un œil à ce qui reste de son harnachement, mais je doute qu'il y ait grand-chose à en tirer.

Ce fut par hasard que les novices qui se rendaient au cloître pour les leçons de l'après-midi traversèrent la grande cour au moment précis où Hugh Beringar franchissait le portail de l'abbaye, emmenant aux écuries le cheval surnommé Brun pour que l'on s'occupât de lui. Il valait mieux l'amener ici qu'au château, puisque l'animal était propriété de l'évêque de Winchester, à qui il faudrait songer à le rendre un jour.

Quant à Cadfael, il sortait du cloître au même moment. Comme il se rendait au jardin des simples, il se trouva nez à nez avec les novices. Frère Meriet qui était parmi les derniers arriva juste à temps pour voir le splendide animal entrer dans la cour au petit trot, au bout de sa longe ; Brun incurva l'encolure et leva sa tête fine, inquiet de se trouver dans ces lieux inconnus, son pas dansant sur les pavés faisait ressortir ses antérieurs blancs.

Cadfael assista en direct à cette rencontre. Le cheval encensa, tendit le cou, les naseaux dilatés et hennit doucement. Le jeune homme devint aussi pâle que la tête étoilée ; il s'arrêta net, sursauta violemment et un bref éclair passa dans ses yeux verts. Puis il se ressaisit et continua rapidement son chemin, suivant ses compagnons dans le cloître.

Pendant la nuit, une heure avant matines, il y eut un grand cri sauvage dans le dortoir « Barbarie... Barbarie » qui réveilla tout le monde, puis un long coup de sifflet perçant avant que Cadfael n'atteignît la cellule de Meriet, et, pour le calmer, ne passât rapidement la main sur le front et le visage crispé. Puis il aida à se recoucher le jeune homme qui ne s'était pas réveillé. Les images de son rêve, s'il s'agissait bien d'un rêve, s'estompèrent soudain, et il retomba dans le silence. Cadfael était tout prêt à ne laisser s'approcher personne, pas plus les moines mal réveillés que le prieur qui hésitait à troubler un sommeil aussi agité, et tant pis si le repos de tous, y compris le sien, avait été perturbé. Longtemps après que le silence et le calme furent revenus, Cadfael resta au chevet du novice. Il ne savait pas exactement à quoi il s'était attendu, mais il était heureux de s'être tenu prêt. Demain serait un autre jour, d'accord, mais apporterait-il l'inquiétude ou l'apaisement ?

CHAPITRE IV

Quand Meriet se leva pour prime, il avait les yeux cernés, le regard lourd, mais apparemment il ne se doutait nullement de ce qui s'était produit pendant la nuit ; il n'eut cependant pas à affronter immédiatement l'inquiétude, le mécontentement et les craintes latentes de ses frères car, dès la fin de l'office, on le pria de se rendre aux écuries à la demande du shérif-adjoint. Hugh avait fait déposer la bride rompue et abîmée sur un banc de la cour, et un palefrenier promenait Brun par la bride sur les pavés, tout heureux de le faire admirer dans la douce lumière du matin.

— J'ai à peine besoin de vous poser la question, dit Hugh d'une voix agréable. Même dans cette tenue qu'il n'a jamais vue, regardez-le lever la tête et dilater les naseaux en vous voyant approcher. Aucun doute, il vous reconnaît. Je suis donc fondé à penser que vous le connaissez aussi, ajouta-t-il avec un sourire.

Et comme Meriet se taisait et attendait qu'on l'interroge pour parler, il poursuivit :

— Est-ce le cheval que montait Peter Clemence quand il est parti de chez votre père ?

— C'est bien lui, messire.

Il s'humecta les lèvres et, à part un bref coup d'œil à l'animal, garda les yeux baissés.

— Est-ce la seule occasion où vous avez eu affaire à

lui ? Il vient vers vous sans hésiter. Caressez-le voyons, vous voyez bien qu'il ne demande que ça.

— Oui, je l'ai emmené à l'écurie et je l'ai pansé cette nuit-là, avoua Meriet d'une voix basse et hésitante. Je l'ai aussi sellé le lendemain matin. Je ne m'étais jamais trouvé avec un tel cheval... Je... je sais m'y prendre avec les chevaux.

— Je vois ça. Alors vous reconnaissez aussi sa bride et sa selle. Ce sont bien elles ?

Elles avaient été fort bien travaillées, avec pour la selle des incrustations de cuirs de couleurs et les ornements d'argent de la bride étaient maintenant tout sales.

Meriet répondit affirmativement et finit par demander, d'une voix un peu tremblante :

— Où avez-vous trouvé Barbarie ?

— Ah, c'est son nom ? C'est son maître qui vous l'a dit ? A une vingtaine de miles au nord d'ici, dans les tourbières près de Whitchurch. Très bien, jeune homme, ça ira pour l'instant. Vous pouvez retourner à vos occupations.

Près des lavabos, dans la salle d'eau où ils se lavaient, les camarades de Meriet profitaient au maximum de son absence. Tous élevaient vigoureusement la voix pour exprimer leurs doléances, ceux qui avaient peur de lui car ils le croyaient possédé, ceux que vexaient ses manières de se tenir à part et ceux qui voyaient dans son silence rien moins que du dédain. Le prieur n'était pas là, mais son éminence grise, frère Jérôme, était présent, lui, et écoutait de toutes ses oreilles.

— Enfin mon frère, vous aussi vous avez entendu ! Il a recommencé à crier, et nous a tous réveillés...

— Il hurlait après son compagnon. J'ai entendu comment il appelle son démon, Barbarie ! Et le diable a sifflé en réponse... On sait bien, nous autres, que les diables, ça siffle !

— Il a fait entrer un diable, ici au couvent, nos vies

sont en danger... Et la nuit, on ne peut pas se reposer. C'est vrai, mon frère, on est tous morts de peur !

Cadfael, qui passait un peigne dans son épaisse tignasse grise entourant sa tonsure couleur noisette, avait bien envie d'intervenir, mais il préféra y renoncer. Qu'ils expriment donc tout ce qu'ils avaient accumulé contre ce garçon, il ne fallait pas être grand clerc pour voir que ce n'était pas grand-chose. Ils étaient sûrement craintifs et superstitieux, ça oui, et ce genre de réveil en fanfare trouble les esprits simples. Si on les forçait immédiatement à se taire, cela ne ferait que renforcer leurs rancunes. S'ils étaient libres de parler, l'émotion se calmerait toute seule. Il décida donc de garder le silence, tout en laissant une oreille traîner.

— On en reparlera au chapitre, croyez-moi, promit frère Jérôme qui tenait à être la source essentielle de renseignements pour son prieur. On ne manquera pas de prendre des mesures pour assurer notre repos, j'en suis convaincu. S'il le faut, on mettra en quarantaine ce perturbateur.

— Mais, mon frère, chevrota le plus proche voisin de dortoir de Meriet, si on l'isole dans une cellule séparée, sans personne pour le surveiller, qui sait ce qui va encore lui passer par la tête ? Il sera encore plus livré à lui-même, et je crains que son démon n'en gagne de l'audace et ne s'empare des autres. Il pourrait bien nous faire tomber le toit sur la tête ou mettre le feu à nos paillasses...

— C'est ce qui s'appelle manquer de confiance dans la divine providence, répliqua Jérôme, en tripotant la croix qu'il portait sur la poitrine. Frère Meriet nous a causé bien des ennuis, je vous le concède, mais de là à dire qu'il a un démon...

— Mais mon frère, c'est vrai ! Il a même un talisman de son démon, qu'il dissimule dans son lit, je le sais ! Je l'ai surpris en train de cacher un petit objet sous sa couverture, pour que je ne le voie pas, un jour où je suis entré dans sa cellule. Tout ce que je voulais, c'était lui demander une ligne d'un psaume, car vous savez que c'est un lettré. Il avait quelque chose dans la main qu'il a glissé hors de vue très vite et il est resté entre moi et le lit, sans vouloir me laisser rentrer. Il m'a regardé d'un œil noir, mon frère, qui m'a fait peur! Mais depuis, moi, j'ai ouvert les deux yeux. C'est vrai, je le jure, il a un objet magique dissimulé là et la nuit, il le met dans son lit. Je suis sûr que c'est la marque de son démon, et ça nous portera malheur à tous!

— J'ai peine à croire... commença frère Jérôme, qui s'interrompit net, se demandant s'il n'était pas trop crédule. Vous avez vu *ça*? dans son *lit*, dites-vous? Un objet étranger qu'il a dissimulé? Ce n'est pas conforme à la règle. Un novice qui entre ici doit remettre tout ce qu'il possédait en ce monde. J'en parlerai à frère Meriet, poursuivit Jérôme, redressant ses maigres épaules en sentant qu'il y avait là une véritable infraction à la règle.

Cela apportait de l'eau à son moulin! Il n'aimait rien tant que de faire des reproches aux autres. Car en effet, il ne saurait y avoir dans une cellule qu'un lit et un tabouret, un petit bureau pour lire, et des livres pour étudier.

Une demi-douzaine de voix s'élevèrent pour l'encourager et le pousser à agir immédiatement.

— Allons-y maintenant, mon frère, profitons de son absence et vous verrez si je vous ai menti! Si vous lui enlevez son talisman, son démon n'aura plus aucun pouvoir sur lui.

— Et nous aurons de nouveau la paix...

— Venez avec moi! ordonna Jérôme, héroïque dans la décision qu'il venait de prendre.

Et avant que Cadfael ait eu le temps de réagir, Jérôme avait quitté les lieux et se dirigeait au pas gymnastique vers l'escalier du dortoir, suivi de très près par les novices dans tous leurs états.

Cadfael leur emboîta le pas, résigné autant que dégoûté, mais, dans l'immédiat, il n'y avait pas péril en la demeure. Le garçon discutait tranquillement aux écuries avec Hugh, et, bien entendu, on ne trouverait rien de pendable dans sa cellule, rien qui fût susceptible de faire jaser, la méchanceté stimulant souvent l'imagination. Une bonne déception donnerait matière à réflexion à tous, du moins l'espérait-il ! Il n'en grimpa pas moins les escaliers quatre à quatre. Mais il y avait quelqu'un d'encore plus pressé. Un pas léger sonnait la charge sur le plancher de bois derrière Cadfael et le coureur le dépassa impétueusement à la porte du long dortoir et le devança de plusieurs longueurs dans le couloir carrelé. Emporté par l'indignation, il le dépassa à toute vitesse, sa robe volant au vent.

— Je vous ai entendus ! Je vous ai entendus ! Ne touchez pas à mes affaires !

On était loin de sa petite voix soumise, de ses yeux modestement baissés et de ses mains jointes. C'était maintenant un jeune seigneur furieux qui commandait, d'un ton sans réplique, qu'on s'éloigne de ses biens et qui faisait face, les poings serrés et le regard flamboyant. Cadfael resta pantois un bon moment. Se ressaisissant, il essaya de saisir une manche qui s'envolait mais il ne réussit qu'à se faire entraîner dans le sillage de Meriet.

La couvée de novices curieux, effarés, encerclait l'entrée de sa cellule, passant précautionneusement la tête à l'intérieur, mais laissant à tout hasard le postérieur dehors. Ils se détournèrent, affolés, à l'approche de cette apparition furieuse qui leur tombait dessus et s'égayèrent en caquetant comme des poules devant un renard. Au seuil même de son petit domaine, Meriet se trouva nez à nez avec frère Jérôme qui en sortait.

Apparemment, la confrontation était parfaitement inégale ; un simple postulant, entré depuis environ un mois, qui avait déjà causé force désordre et qui avait été dûment chapitré, en face d'un homme investi d'une autorité certaine, bras droit du prieur, clerc et confesseur, l'un des deux responsables des novices. Cette inégalité arrêta Meriet pendant un moment, le temps pour Cadfael de lui murmurer à l'oreille :

— Tu es fou ! Calme-toi ! Il va avoir ta peau !

Il aurait pu garder son souffle — il ne lui en restait pas tellement ! — car Meriet n'entendit rien. Le moment où il aurait pu revenir à la raison était déjà passé ; son regard venait de tomber sur le petit objet brillant que Jérôme balançait au bout d'un doigt dégoûté comme s'il s'agissait de quelque chose d'impur. Le garçon devint très pâle. Oh, ce n'était certes pas la peur, mais une rage incontrôlable qui transformait tout son corps en glace.

— C'est à moi, dit-il d'une voix douce, mortellement dangereuse, en tendant la main. Rendez-moi ça !

Frère Jérôme se redressa de toute sa hauteur et le rouge de la colère lui monta au front en s'entendant ainsi adresser la parole. Son nez frémit sous l'affront.

— Et vous l'avouez sans vergogne ? Ne savez-vous pas, misérable insolent, qu'en demandant à entrer parmi nous, vous avez renoncé à tout bien personnel, ainsi que le veut la règle ? Et c'est la bafouer que d'introduire subrepticement un objet dans nos murs sans l'aval de messire l'abbé. Que dis-je ? C'est un péché ! Mais apportez ça — ça ! — sciemment, c'est faire offense aux vœux mêmes que vous souhaitez prononcer. Et le garder dans votre lit, c'est presque de la fornication. Comment osez-vous ? Il va falloir vous en expliquer !

Il n'y avait que Meriet à ne pas avoir les yeux fixés sur l'innocent objet du litige car il continuait à foudroyer son adversaire du regard. C'était donc ça, ce fameux talisman, un ravissant petit morceau de chiffon tels qu'en utilisent les jeunes filles pour attacher leurs cheveux ; on y avait brodé des fleurs bleues, rouges et or. L'on remarquait aussi une mèche de cheveux blond vénitien passée dans la boucle.

— Connaissez-vous seulement le sens de l'engagement que vous tenez tant à prendre, paraît-il ? fulmina Jérôme. Car je ne vois ici aucune trace de célibat, de pauvreté, d'obéissance et de stabilité. Ah ! prenez garde, pendant qu'il en est temps encore. Renoncez aux impuretés que suggère cet objet frivole, sinon il ne nous sera pas possible de vous accepter en ces lieux. Mais vous ne couperez pas au châtiment que mérite votre faute. Enfin, si la grâce est en vous, vous avez le temps de vous amender.

— Moi, en tout cas, grâce ou pas, je ne fouille pas dans le lit des autres pour leur voler ce qui leur appartient, rétorqua Meriet, nullement impressionné et il ajouta, très calmement, mais les dents serrées : Rendez-moi ça !

— Nous verrons, insolent, ce que messire l'abbé aura à dire de votre comportement. En attendant, vous ne sauriez garder un aussi vain objet. Quant à votre refus d'obéir, je le rapporterai intégralement. Maintenant, filez, hors de mon chemin ! ordonna Jérôme avec une confiance pleine et entière en son bon droit et sa position dominante.

Cadfael ne sut jamais si Meriet, se méprenant sur ses intentions, crut simplement qu'il laisserait l'abbé trancher au prochain chapitre. Le garçon avait encore assez de bon sens pour en rester là, même si cela signifiait qu'il lui faudrait en dernier ressort perdre son modeste trésor ; après tout, il était venu de son propre chef, et quand on le réprimandait, il ne manquait jamais d'insister de tout son cœur pour ne pas être chassé mais autorisé à prononcer ses vœux. Toujours est-il qu'il recula, sans beaucoup d'enthousiasme, certes, et laissa Jérôme s'avancer dans le couloir.

Ce dernier se dirigea vers l'escalier de matines, suivi, à distance respectueuse, de ses myrmidons muets. Dans un petit récipient, fixé à un crochet, une lampe achevait de brûler. C'est là que s'arrêta Jérôme et avant que Cadfael ou Meriet aient eu le temps de comprendre ce qu'il mijotait, il avait livré à la flamme le ruban délicat.

La mèche de cheveux siffla avant de disparaître dans l'éclat d'or du feu, il ne resta du ruban que deux bouts calcinés qui retombèrent dans la soucoupe. Sans un mot, Meriet sauta comme un fauve à la gorge de Jérôme. Trop tard pour l'empoigner par son habit et essayer de l'arrêter ! Cadfael n'eut d'autre ressource que de plonger dans la mêlée.

Il ne faisait aucun doute que Meriet voulait la peau de son adversaire. En silence, il entoura des deux mains le cou de poulet de Jérôme qu'il entraîna sur le carrelage du couloir et il se mit en devoir de l'étrangler sans tenir aucun compte de la demi-douzaine de novices effrayés qui essayaient de l'arrêter comme ils pouvaient, avec pour seul résultat d'empêcher Cadfael d'agir. Jérôme devint tout rouge, prit une ressemblance marquée avec un poisson fraîchement pêché et battit des mains désespérément. Se forçant un chemin, Cadfael parvint jusqu'à Meriet et lui glissa à l'oreille ces mots inspirés :

— N'as-tu pas honte, mon fils, de t'en prendre à un vieillard ?

A la vérité, Jérôme avait bien vingt ans de moins que Cadfael, mais la cause justifiait cette légère exagération. Dégrisé, Meriet se remémora ses ancêtres et relâcha son étreinte. Jérôme inspira bruyamment, et, de cramoisi, devint simplement rouge brique. Une douzaine de mains forcèrent le coupable à se redresser et l'immobilisèrent, toujours furieux et silencieux, au moment même où le prieur, grand et majestueux — il se voyait déjà abbé mitré — arrivait dans le couloir, toutes voiles dehors, flamboyant, tel un archange vengeur.

Dans la soucoupe, le ruban achevait de se consumer en dégageant une odeur désagréable et poussiéreuse qui se mêlait à celle, guère plus agréable, de la mèche incriminée.

Sur l'ordre du prieur, deux serviteurs laïcs apportèrent les menottes, qu'on utilisait rarement, enchaînèrent Meriet et le conduisirent dans l'un des cachots, isolé des parties communes de la maison. Il les suivit sans mot dire, trop conscient de sa dignité pour opposer la moindre résistance ; il ne voulait pas non plus leur faire de difficultés. Cadfael le regarda avec un intérêt particulier, comme s'il le voyait pour la première fois. Il n'était plus gêné par son habit, il marchait à grands pas dédaigneux, la tête très droite, et si un sourire sarcastique ne se devinait pas sur ses lèvres et ses narines frémissantes, c'était une fort bonne imitation. Au chapitre, on lui demanderait des comptes, mais il s'en gaussait. Dans une certaine mesure, il avait eu satisfaction.

Quant à frère Jérôme, on le releva, le coucha, et le plaignit abondamment. On lui apporta force potions calmantes, préparées par Cadfael, on enveloppa sa gorge meurtrie de baumes adoucissants et on écouta religieusement les faibles sons caquetants qu'il se fatigua bientôt d'émettre, à cause de la douleur qu'ils provoquaient. Il avait eu plus de peur que de mal, mais il parlerait difficilement pendant quelque temps, ce qui le rendrait peut-être plus souple et moins cassant avec ces jeunes aristocrates encore sauvages qui se mettaient en tête de prendre l'habit. Par erreur ? Cadfael se posait des questions sur le choix inexplicable de Meriet Aspley. S'il y avait un jeune homme fait pour s'occuper d'un manoir, monter à cheval et manier les armes, c'était bien Meriet Aspley.

« N'as-tu pas honte, mon fils, de t'en prendre à un vieillard ? »

Et le voilà qui ouvre les mains et laisse échapper son ennemi. Il est même fait prisonnier, mais avec les honneurs.

Au chapitre, le résultat était couru d'avance. Il n'y avait pas d'autre solution. Agresser un prêtre, confesseur de surcroît, aurait pu lui valoir l'excommunication, mais on fit preuve de clémence. Seulement la faute était gravissime et le fouet était la seule peine adéquate. On ne se servait de la discipline qu'en dernier recours, mais cette fois c'était inévitable. On s'en servit donc pour Meriet. Cadfael n'en attendait pas moins. Autorisé à s'exprimer, le coupable se borna à déclarer que ce qu'on lui reprochait était la pure vérité. Invité à plaider les circonstances atténuantes, il refusa, très digne. Il subit la flagellation sans une plainte.

Dans la soirée, avant complies, Cadfael se rendit chez l'abbé pour lui demander l'autorisation de visiter le prisonnier, qui resterait isolé dans son cachot pendant dix jours.

— Puisque frère Meriet refuse de se défendre et que le prieur, qui l'a fait comparaître devant vous, est arrivé après la bataille, il ne serait pas mauvais que vous sachiez tout ce qui s'est passé, car il y a peut-être un rapport avec la venue de ce garçon parmi nous.

Et il lui raconta la triste histoire du souvenir que Meriet avait caché dans sa cellule pour le serrer contre lui pendant la nuit.

— Je ne prétends pas en savoir plus que les autres, père. Mais le frère aîné de notre bouillant postulant est fiancé et doit se marier bientôt, si j'ai bien compris.

— Je vous entends, dit Radulphe d'une voix lasse et reposant ses mains jointes sur son bureau. Moi aussi, j'y ai pensé. Son père est un des protecteurs de notre maison, et le mariage doit avoir lieu ici même en décembre. Je m'étais demandé si le désir du cadet d'entrer en religion... Il me semble que cela expliquerait bien des choses.

Il eut un sourire en coin en pensant à tous ces malheureux jeunes gens pour qui une déception amoureuse signifie la fin du monde et qui ne voient d'autre issue que d'en chercher un autre.

— Cela fait bien une semaine que je me demande si je ne devrais pas envoyer quelqu'un qui comprend la vie parler à son père, et voir un peu si nous ne rendons pas à ce jeune homme un bien mauvais service en le laissant prononcer des vœux pour lesquels il n'est pas fait, quel que soit son désir de les prononcer — pour le moment du moins, reprit-il.

Cadfael l'approuva chaleureusement.

— Ce garçon fait pourtant preuve de grandes qualités, remarqua Radulphe, à regret, mais elles ne conviennent pas en ces murs. Il s'en faut de trente ans ; qu'il se marie, ait des enfants, et les élève, qu'il soit fier de leur transmettre son nom, et après, quand il sera lassé du monde, on verra. Nous avons notre style de vie, mais eux, ils sont nécessaires pour continuer à la fois à accomplir ce qu'ils savent et ce qu'on leur apprend. Vous, vous comprenez cela, mais rares sont ceux qui s'en montrent capables parmi nos frères qui viennent chercher refuge ici par crainte de la tempête. Voulez-vous aller à Aspley pour moi ?

— Bien volontiers, père, dit Cadfael.

— Dès demain ?

— J'en serai ravi, si c'est ce que vous souhaitez. Mais, dans l'immédiat, puis-je voir ce que je peux faire pour apaiser frère Meriet moralement et matériellement ? Et aussi ce que je peux en tirer ?

— Allez, vous avez ma bénédiction.

Dans son petit cachot de pierre, où ne se trouvaient qu'un lit dur, un tabouret, un crucifix accroché au mur, et un vaisseau de pierre indispensable aux besoins physiologiques du prisonnier, frère Meriet avait bizarrement l'air plus accessible, détendu, voire satisfait, que lors de ses précédentes rencontres avec Cadfael. Seul dans le noir, échappant aux regards des autres, il n'avait plus besoin de surveiller tous ses gestes et ses paroles, ni de tenir à l'écart ceux qui tentaient de se rapprocher de lui. Quand la porte s'ouvrit soudain et que quelqu'un entra, une petite lampe à la main, il se tendit un instant et souleva la tête appuyée sur ses bras pour voir de qui il s'agissait. Cadfael fut flatté et encouragé de constater qu'en le reconnaissant il soupira de soulagement et se laissa aller, la joue sur l'avant-bras, mais de manière à pouvoir observer son visiteur. Il était allongé à plat ventre, sans chemise, la robe à la taille, afin de laisser exposer ses blessures à l'air libre. Il y avait du défi dans son air calme, et il n'avait toujours pas retrouvé son sang-froid. S'il avait reconnu tout ce dont on l'accusait, en vérité, il ne regrettait rien.

— Qu'est-ce qu'on me veut encore ? demanda-t-il d'emblée, mais sans aucune appréhension.

— Rien. Reste tranquille le temps que je pose cette lampe bien droite. Là, tu entends ? Nous sommes enfermés, toi et moi. Il faudra que je tambourine à cette porte pour que tu sois débarrassé de moi. J'ai avec moi de quoi te faire passer une nuit calme sur tous les plans. Veux-tu essayer mes remèdes ? Voici une potion qui te soulagera et te fera dormir, si tu veux, dit Cadfael, posant sa lampe sur le support, sous le crucifix, afin qu'elle éclaire le lit.

— Ce n'est pas la peine, répondit Meriet sans hésitation. Je ne veux pas dormir. Je suis au calme ici.

Et il demeura étendu, les yeux grands ouverts. Les traces bleuâtres sur son dos n'avaient pas trop marqué son corps brun, souple et robuste. Le serviteur laïc avait sans doute retenu ses coups. Peut-être appréciait-il modérément Jérôme.

— Alors permets-moi au moins de te passer ma lotion sur le cuir. Je t'avais prévenu. Tu aurais pu t'épargner tout cela, imbécile, dit Cadfael d'un ton de reproche, en s'asseyant sur le bord de la paillasse et en commençant à frotter doucement les minces épaules qui frémirent sous ses doigts.

— Ce n'est rien, ça, riposta Meriet indifférent, en s'abandonnant toutefois. J'ai connu pire. Quand mon père était en colère, il aurait pu en remontrer à tout ce beau monde.

— En tout cas, ça ne t'a pas mis de plomb dans la cervelle. J'avoue qu'il m'est arrivé, à moi aussi, d'avoir envie d'étrangler Jérôme, admit loyalement Cadfael.

Mais il est tout aussi vrai qu'il n'accomplissait que son devoir, sans beaucoup de délicatesse, me diras-tu. C'est lui le confesseur des novices dont, paraît-il, tu ferais partie. Et si c'est vraiment ce que tu veux, tu es censé renoncer au commerce des femmes, mon ami, et à tout bien personnel. Il faut lui rendre cette justice qu'il avait des raisons de se plaindre de toi.

— Mais pas de me voler ce qui m'appartient, rétorqua Meriet du tac au tac.

— Il avait le droit de confisquer ce qui est interdit ici.

— Moi, j'appelle ça voler. Et il n'avait pas le droit de le détruire devant moi — ni de parler comme si les femmes étaient des êtres impurs.

— Tu as payé tes erreurs, mais il a payé les siennes, déclara Cadfael d'un ton apaisant. Avec sa gorge douloureuse, il devra rester tranquille pendant une bonne semaine, et pour quelqu'un qui aime tant s'écouter faire des sermons, la vengeance est cruelle. Quant à toi, mon garçon, il t'en reste du chemin à parcourir, avant de devenir un bon moine ! Et si tu comptes y parvenir, tu serais bien inspiré de profiter de ton séjour dans cette cellule pour réfléchir un peu sérieusement.

— Un autre sermon ? demanda Meriet, la tête enfouie dans ses bras, et pour la première fois il y eut comme un sourire dans sa voix, même teintée de mélancolie.

— Simple suggestion, si tu as la sagesse de l'écouter.

Cela lui donna à penser. Il retint son souffle et resta silencieux un instant, puis il tourna la tête, inquiet, et regarda Cadfael dans les yeux. Ses cheveux châtains bouclaient délicatement sur sa nuque bronzée par le soleil de l'été, et son cou avait gardé la grâce de l'enfance. Il était certainement très vulnérable de par sa nature propre, mais aussi à cause des êtres qu'il avait trop aimés. La jeune fille aux cheveux blond vénitien, par exemple ?

Au bord de l'affolement, il voulut savoir ce qu'on disait de lui et si on n'avait pas l'intention de le renvoyer.

— L'abbé ne ferait pas cela. Il me l'aurait dit franchement! Que savez-vous au juste? Qu'est-ce qui m'attend? Je n'abandonnerai pas maintenant, c'est impossible, affirma-t-il, en se tournant d'un geste vif et, se soulevant sur une hanche, il empoigna Cadfael par le poignet.

— Tu as fait douter de ta sincère vocation, dit ce dernier sans ménagement, et tu ne dois t'en prendre qu'à toi-même. S'il n'avait tenu qu'à moi, je t'aurais fourré ton joli trophée dans la main et je t'aurais dit de filer et d'aller la retrouver, elle ou une autre, tout aussi jolie et blonde, et d'arrêter de nous casser les pieds, car tout ce qu'on demande, c'est de vivre en paix. Mais si tu te sens capable de dominer ton fichu caractère, il reste une chance. Alors, de deux choses l'une : tu te soumets ou tu t'en vas.

Il y avait un autre problème à l'arrière-plan et il le savait. Le garçon s'assit très droit, sans se soucier de sa demi-nudité dans ce cachot où il faisait froid. Il continuait à agripper le poignet de Cadfael et à le regarder au fond des yeux, essayant de deviner ce qu'il pensait, sans crainte, ni méfiance.

— Je changerai, dit-il. Vous ne m'en croyez pas capable, mais vous verrez. Frère Cadfael, si vous avez la confiance de l'abbé, aidez-moi ; dites-lui que je veux toujours être reçu parmi vous. Dites-lui que j'attendrai, s'il le faut, que j'apprendrai la patience, mais que je me rendrai digne d'être admis ! Il n'aura pas à se plaindre de moi ! Dites-le-lui ! Il ne me rejettera pas.

— Et la fille aux cheveux d'or ? interrogea Cadfael, intentionnellement brutal.

Meriet se détourna brusquement et se remit à plat ventre.

— Elle est en de bonnes mains, répliqua-t-il, tout aussi brutal, et il refusa d'ajouter un seul mot.

— Il y en a d'autres, objecta Cadfael. Réfléchis. C'est maintenant ou jamais. Laisse-moi te dire, car j'ai largement l'âge d'être ton père, et si j'avais le temps je pourrais éprouver quelques regrets, que tu n'es pas le seul dont ce fut le plus cher désir, et qui a maudit le jour où cette idée lui est passée par la tête. Dieu merci, notre abbé ne manque pas de bon sens, et tu auras le temps de réfléchir avant de t'engager irrémédiablement pour le restant de tes jours. Alors mets bien ce délai à profit avant qu'il ne soit trop tard.

En un sens c'était grand dommage d'effrayer un être aussi jeune, objet de tant de conflits personnels, mais il avait dix jours et dix nuits de solitude devant lui avec une nourriture légère et du temps pour prier et réfléchir. La solitude ne lui pèserait pas autant que la présence de ses camarades avec qui il s'entendait mal. Il dormirait sans faire de cauchemars ni se mettre à hurler en pleine nuit. Ou, si c'était le cas, il n'y aurait personne pour l'entendre et ajouter à ses soucis.

— Je viendrais te passer du baume sur le dos demain matin, dit Cadfael, reprenant sa lampe. Non, attends ! Si tu restes comme ça, tu auras froid cette nuit. Enfile ta chemise, elle ne te gênera pas beaucoup et ainsi tu pourras supporter la couverture.

— Ça ira, dit Meriet, presque honteux de s'incliner. Merci, mon frère, ajouta-t-il gauchement, avec un peu de retard, et du bout des lèvres, comme si cette expression ne correspondait pas à ce qu'il voulait dire, tout en sachant que c'était ce qu'il fallait dire.

— Mieux vaut tard que jamais, bougonna Cadfael. Enfin... Dis-moi, tu es bien sûr de vouloir être moine ? Bien, bien sûr ?

— Je n'ai pas le choix, balbutia Meriet, qui tourna tristement la tête.

« Je voudrais fichtre savoir pourquoi, se demanda Cadfael, frappant à la porte pour qu'on vînt lui ouvrir. Pourquoi faut-il qu'il termine cet entretien en disant enfin quelque chose d'aussi grave, alors qu'il s'est calmé et que ça ne peut que lui nuire. Au lieu de " je le veux ! " ou " j'y arriverai ! ", il avoue : " Je n'ai pas le choix ! " C'est tout ce qu'il trouve à dire. Ce qui implique une décision forcée, mais de qui vient-elle ou de quelle absolue nécessité ? Qui diantre l'a fait rentrer au cloître, ou est-ce seulement la situation qui ne lui a laissé d'autre possibilité ? »

En sortant de complies cette nuit-là, Cadfael trouva Hugh qui l'attendait à la loge du portier.

— Venez donc avec moi jusqu'au pont. J'étais sur le point de rentrer chez moi, mais j'ai appris par le portier que messire l'abbé vous envoie en mission demain, et que donc je ne pourrai pas vous joindre de toute la journée. Je suppose que vous êtes au courant pour le cheval.

— Oui, je sais qu'on l'a trouvé, mais c'est tout. On a été bien trop occupés aujourd'hui avec nos propres problèmes pour trouver le temps de penser à ce qui s'est passé à l'extérieur, reconnut Cadfael à regret. Mais je suppose que je ne vous apprends rien.

Frère Albin, le portier, était en effet la plus grande commère de la clôture.

— Vos ennuis et les miens se tiennent compagnie à ce qu'il semble mais ils n'arrivent jamais à se rejoindre. C'est drôle, non ? Et voilà maintenant que vous découvrez le cheval dans le nord, au diable Vauvert, enfin c'est ce qu'on m'a dit.

Ils passèrent tous deux la porte et tournèrent à gauche vers la ville ; des nuages couraient sous le ciel sombre et froid et pourtant, à hauteur du sol, il n'y avait qu'un peu de vent, à peine suffisant pour chasser la douce odeur de décomposition propre à l'automne. A droite de la route, s'étirait l'ombre des arbres, à gauche brillait le reflet métallique du bief du moulin et, devant eux, bruissait la rumeur du fleuve ; un peu plus loin s'étendait la ville.

— En effet, dit Hugh, on l'a retrouvé à moins de

deux miles de Whitchurch où son cavalier avait l'intention de passer la nuit, comme ça, il lui serait plus facile d'arriver à Chester le lendemain.

Et il lui raconta toute l'histoire ; il appréciait toujours la façon originale dont Cadfael voyait les choses et qui différait souvent de la sienne. Mais pour cette fois, ils pensaient tous deux la même chose.

— Il y a des bois inhabités tout près, dit Cadfael d'un air sombre, et les mousses sont à portée de la main. Si ça s'est passé là-bas, et que le cheval était jeune et plein de feu, il s'est échappé sans retour, donc notre jeune homme peut reposer au fond d'une tourbière. On ne le retrouvera jamais. Ça ne sera même pas la peine de lui creuser une tombe.

— C'est ce que j'ai pensé moi aussi, acquiesça Hugh, morose, mais si j'ai des brigands de grands chemins dans mon comté, comment se fait-il que je n'en ai encore jamais entendu parler ?

— Peut-être sont-ils descendus du Cheshire. Vous savez à quelle vitesse ces gens se déplacent. Et même dans votre juridiction, Hugh, l'époque apporte des changements. Mais s'il s'agissait de soldats perdus, ils ne savaient pas s'y prendre avec les chevaux. Tout hors-la-loi digne de ce nom aurait préféré se couper un bras plutôt que de laisser s'enfuir un animal pareil. J'ai été le voir aux écuries, quand j'ai eu un moment de libre, admit Cadfael. Et cette bride incrustée d'argent... si quelque bandit l'avait vue, il aurait fallu un miracle pour que vous mettiez la main dessus. Ce que l'homme avait sur lui valait sûrement moins que le cheval et sa bride.

— S'ils attaquent les voyageurs dans les parages, dit Hugh, ils savent parfaitement où se débarrasser d'un cadavre. Les endroits ne manquent pas. Cependant, j'ai des hommes qui fouillent la région. On a peine à le croire, mais certains indigènes sont capables de vous dire si on a récemment jeté quelqu'un dans un étang.

N'importe, je doute fort qu'on retrouve jamais la moindre trace de Peter Clemence.

Ils étaient arrivés près du pont. Dans la pénombre, la Severn coulait, rapide et silencieuse, tel un grand serpent dont les écailles reflètent par instant la lumière des étoiles ; elles brillaient comme de l'argent avant qu'il ne glisse et dévale le courant, trop vite pour qu'on puisse le rattraper. Ils s'arrêtèrent pour prendre congé.

— Vous allez vous rendre à Aspley, dit Hugh. Là où notre homme s'est reposé tranquillement en famille, une petite journée avant sa mort. C'est-à-dire s'il est mort ! parce qu'en fait on en est réduit aux suppositions. Et s'il avait eu de bonnes raisons de disparaître et de se faire passer pour mort ? Par les temps qui courent, les hommes retournent leur veste comme ils changent de chemise, et il y a preneur pour tous ceux qui désirent se vendre. Bon, servez-vous de vos yeux et de vos oreilles pour votre novice, car vous êtes pour lui comme une poule protégeant son poussin, mais rapportez-moi tout ce que vous pourrez glaner sur Peter Clemence et sur ce qu'il avait en tête quand il est parti vers le nord. Il y a peut-être quelqu'un là-bas qui connaît le fin mot de l'histoire et qui ne s'en doute même pas.

— D'accord, dit Cadfael, et, faisant demi-tour dans le crépuscule, il se dirigea vers la loge du portier... et vers son lit.

CHAPITRE V

Nanti de la bénédiction de l'abbé, avec un peu plus de quatre miles à parcourir, Cadfael préféra emprunter une mule aux écuries plutôt que de se rendre à Aspley à pied. Il fut un temps où cette idée ne lui serait même pas venue à l'esprit, mais il avait plus de soixante printemps, et ne dédaignait pas de prendre ses aises une fois de temps en temps. De plus, ce genre d'occasion ne se présentait pas tous les jours, et il se dit qu'il aurait grand tort de la refuser.

Il déjeuna sur le pouce et partit après prime. La matinée était douce, brumeuse et l'air saturé d'humidité et de mélancolie comme souvent en cette saison ; le soleil protégé par son voile épais se laissait deviner, comme un grand fruit mûr. Quel plaisir de chevaucher ainsi sur la grand-route !

La Forêt Longue, qui s'étendait au sud et au sud-ouest de Shrewsbury, était restée telle quelle plus longtemps que ses congénères ; ses essarts étaient rares et éloignés les uns des autres, ses sous-bois, épais et difficilement pénétrables, et ses landes abritaient toutes sortes de gibier à plume et à poil. Le shérif Prestcote suivait de très près les transformations dont elle était l'objet, mais ne s'opposait à rien de ce qui pouvait la rendre plus policée, et les manoirs établis sur ses lisières avaient eu tout loisir d'agrandir leurs terres cultivées, à

77

la seule condition de faire respecter la loi d'une façon rigoureuse. Il y avait, à l'orée des grands bois, où ne se trouvaient jadis que des essarts profondément enfoncés dans leurs flancs, de très anciennes propriétés qui, à force de travail, avaient transformé des terrains impropres à la culture en bonnes terres arables soigneusement clôturées. Les trois manoirs voisins de Linde, Aspley et Foriet, en protégeaient la partie orientale, mi-boisée, mi-cultivée. Si un cavalier partait de là pour se rendre à Chester, il n'avait nul besoin de passer par Shrewsbury, qu'il pouvait aisément contourner et laisser à main gauche. C'est ce qu'avait fait Peter Clemence qui, l'occasion s'en présentant, avait choisi de rendre visite à sa famille plutôt que de porter ses pas vers le havre de paix de l'abbaye. Son sort aurait-il été différent s'il avait décidé de dormir au couvent des saints Pierre et Paul ? En faisant route vers Chester, il aurait même pu éviter Whitchurch, qu'il aurait eu tout loisir de contourner par l'ouest, en restant à l'écart des tourbières. Seulement, il était un peu tard pour se poser la question.

Cadfael se rendit compte qu'il pénétrait sur les terres du château de Linde en arrivant sur des champs bien dégagés où l'on voyait encore les traces de la moisson, engrangée depuis longtemps, et dont les moutons broutaient les chaumes. A présent, le ciel s'était dégagé légèrement et un soleil tiède, laiteux, réchauffait l'atmosphère, sans parvenir à chasser complètement la brume. Un jeune homme apparut, qui marchait sans se presser sur un remblai ; un chien de chasse le suivait de près et un émerillon à demi dressé était perché sur son poignet. Ses bottes étaient humides et tachées de rosée et il y avait dans ses cheveux châtain clair quelques gouttes d'eau qu'un coup de vent avait dû faire tomber des feuilles d'un bosquet qu'il venait sûrement de traverser un moment auparavant. Il semblait avoir bon pied et cœur léger car il sifflait joyeusement en enlevant le capuchon de l'oiseau dont il caressa les plumes ébouriffées. Il ne devait guère avoir plus de vingt ans. Sautant du remblai où il se trouvait, il bondit dans le chemin creux que Cadfael remontait avec sa mule, dès qu'il aperçut le cavalier et sa monture. N'ayant pas de chapeau, il se contenta d'incliner gracieusement la tête pour les saluer.

— Bonjour, mon frère ! Est-ce à nous que vous venez rendre visite ? lança-t-il gaiement.

— Si vous vous appelez Nigel Aspley, alors oui, c'est bien vous que je viens voir, répondit Cadfael, se retournant pour répondre à cet aimable salut.

Mais ce garçon était trop jeune pour être le frère aîné de Meriet, qui avait cinq ou six ans de plus que son cadet. Il y avait trop de différence entre eux dans la stature et la complexion ; lui était grand, avec des yeux bleus et un visage rond au sourire facile. Si ses cheveux blonds avaient un peu plus tiré sur le roux, alors qu'ils avaient la couleur changeante du feuillage des chênes tel qu'il apparaît au printemps ou au détour de l'automne, ils auraient pu fournir cette mèche que Meriet chérissait jusque dans son sommeil.

— Pas de chance. Pour nous, bien sûr, répondit gracieusement le jeune homme, avec une grimace amusante de déception. Remarquez, si vous voulez venir vous rafraîchir et vous reposer un peu chez nous, vous n'en serez pas moins le bienvenu. Quant à moi, je ne suis que Janyn Linde, et pas un Aspley.

Cadfael se remémora ce que Hugh lui avait dit des réponses de Meriet au chanoine. Le frère aîné était fiancé à la fille du châtelain voisin ; il ne pouvait s'agir que d'une Linde puisqu'il avait mentionné, sans y attacher d'importance, la petite parente de Foriet, l'héritière du manoir qui bordait la frange méridionale de celui d'Aspley. Cet agréable jeune homme était donc, selon toute vraisemblance, le futur beau-frère de Nigel.

— C'est très aimable à vous, dit doucement Cadfael, et je vous en remercie vivement, mais il vaudrait mieux que je fasse ce que j'ai à faire. Car je ne suis guère qu'à un mile ou deux d'Aspley.

— Même pas, monsieur, si vous prenez le premier sentier à main gauche après la bifurcation. Vous traversez le bosquet et vous arrivez sur leurs terres. Le sentier vous mènera droit au château. Si vous avez un moment, je vais vous accompagner et vous montrer le chemin.

Cadfael accepta d'enthousiasme. Même s'il n'apprenait pas grand-chose sur tous ces manoirs où l'on avait des légions de filles et de garçons à peu près du même âge, et qui formaient presque une seule famille, il serait en agréable compagnie.

Et puis, sait-on jamais ? Le peu qu'il pourrait glaner déposerait en lui une graine qui germerait plus tard. Pourquoi pas ? Sa mule battait tranquillement l'amble, et Janyn Linde accorda sa longue foulée souple à celle de l'animal.

— Je gage que vous venez de Shrewsbury, mon frère, commença-t-il, montrant ainsi qu'il n'était pas dénué de curiosité. Votre voyage est-il en rapport avec Meriet ? Ça nous a fait un coup, je vous l'avoue, quand il a décidé de prendre l'habit et cependant, si on y pense, il n'en a toujours fait qu'à sa tête, et pour lui changer les idées... Comment se portait-il quand vous l'avez quitté ? Bien, j'espère.

— Oui, assez, renvoya Cadfael, sans se compromettre. Vous le connaissez sûrement beaucoup mieux que nous, puisque vous êtes voisins et que vous avez pratiquement le même âge.

— On a tous été élevés ensemble, plus ou moins, comme une portée de chiots, Nigel, Meriet, ma sœur et moi, surtout quand nos mères sont mortes. Il en va de même pour Isouda qui s'est retrouvée orpheline, mais elle est plus jeune. Meriet est le premier du clan à être parti. Il nous manque, vous savez.

— Je me suis laissé dire qu'il se préparait un mariage qui changerait encore pas mal de choses, hasarda

Cadfael comme un pêcheur tentant de ferrer un poisson difficile.

— Roswitha et Nigel ? (Janyn haussa légèrement les épaules.) Nos pères ont arrangé ce mariage il y a belle lurette. Mais même sans cela, il aurait bien fallu que ça se termine ainsi, car ces deux-là avaient décidé de s'unir depuis leur enfance. Si vous allez à Aspley, c'est bien le diable si vous n'y rencontrez pas ma sœur. Elle y passe le plus clair de son temps. Ils sont fous l'un de l'autre !

Il avait l'air de s'en amuser, sans s'en offusquer pour autant. Tout le monde sait de quelles folies sont capables les amants, surtout quand on est encore immunisé soi-même. Ainsi, ils étaient fous l'un de l'autre ! Donc, si cette mèche provenait bien de la chevelure de Roswitha, elle ne l'avait sûrement pas donnée de bon gré au frère cadet de son fiancé dont elle savait qu'il s'était entiché d'elle. Meriet avait dû la lui prendre par surprise et lui voler son ruban. A moins qu'il ne l'ait obtenue d'une autre fille, bien sûr.

— Meriet a choisi une autre voie, dit Cadfael, qui ne voulait pas s'écarter de la sienne. Comment son père a-t-il pris cette décision ? Il me semble que si j'étais père de deux enfants, ça ne me ferait pas plaisir de perdre ainsi l'un des deux.

— Le père n'a jamais vraiment apprécié aucune des décisions de son fils, affirma Janyn avec un petit rire plein de gaîté. Et ça a toujours été le cadet des soucis de Meriet. Voilà des années qu'ils ne font que se battre. Et cependant je suis sûr qu'ils s'aiment beaucoup tous les deux. De temps à autre il faut qu'ils s'affrontent, comme l'eau et le feu. Ils n'y peuvent rien.

Ils étaient arrivés à un endroit, sous le remblai, où les champs laissaient place à des bosquets, et une large allée cavalière tournait légèrement pour longer les arbres.

— C'est le chemin le plus commode pour arriver à la palissade du manoir. Tout droit, dit Janyn. Et si, à votre retour, vous avez une minute pour passer nous voir, mon frère, mon père sera heureux de vous accueillir.

Cadfael le remercia gravement et s'avança dans l'allée cavalière. A un détour du chemin, il se retourna. Janyn regagnait à grands pas son remblai et les champs dégagés, où il pourrait laisser s'envoler son émerillon sans qu'il risque de s'accrocher aux branches des arbres. Il avait recommencé à siffler, très joliment, et ses cheveux clairs imitaient à la perfection la teinte des jeunes chênes. Il avait le même âge que Meriet, mais quelle différence avec ce dernier ! Janyn n'aurait aucun mal à donner satisfaction au plus exigeant des pères, et jamais il ne lui causerait de chagrin en choisissant de fuir ce monde qu'il semblait tant aimer.

Le taillis était bien dégagé, les arbres ayant perdu la moitié de leurs feuilles, découvrant ainsi un sol encore vert et frais. Il y avait quelques mousses orangées sur les cimes et quelques faux agarics, bleuâtres et délicats, poussaient dans l'herbe. Comme Janyn le lui avait dit, le chemin l'amena aux grands champs du manoir qu'on avait depuis longtemps arrachés à la forêt et agrandis depuis, à l'ouest, en prenant sur les arbres et à l'est sur des terres moins difficiles d'accès. On avait lâché les moutons en grand nombre dans les chaumes, pour brouter ce qu'ils pourraient trouver après la moisson, et leurs crottes serviraient à fertiliser les sols pour les prochaines semences. Le long d'un chemin surélevé entre des bandes de terre, le château se profila, dissimulé derrière un mur de clôture, mais il s'élevait suffisamment haut pour qu'on pût en distinguer les toits. On voyait un long bâtiment de pierre, les fenêtres d'un couloir sous un grenier bas et probablement quelques chambres sous les combles du côté d'un cabinet privé. Bien construit et bien entretenu, tout comme les terres qui l'entouraient, il ferait un bon héritage. De larges portes basses, pour laisser passer chariots et charrettes donnaient sur le cellier, et un escalier en pente raide menait à l'étage de la grande salle. Des étables et des écuries se succédaient, de part et d'autre des murs, et le bétail n'y manquait pas.

Deux ou trois hommes s'activaient autour des étables quand Cadfael franchit le portail et un palefrenier, que l'habit bénédictin rendit respectueux et diligent, sortit de l'écurie pour lui prendre la bride. Puis un homme barbu, trapu et plus très jeune — Cadfael supposa, à juste titre, qu'il s'agissait de Fremund, l'intendant — sortit de la grande salle. C'est lui qui était venu annoncer à l'abbaye que Meriet voulait prendre les ordres. Aucun doute, la maison était bien tenue. On avait sûrement accueilli Peter Clemence avec tous les honneurs quand il était arrivé à l'improviste. Il semblait assez difficile de prendre ces gens par surprise.

Cadfael demanda à voir messire Léoric. On lui répondit qu'il était aux champs ; un arbre avait glissé d'une berge instable dans la rivière, polluant ainsi l'eau et il surveillait les travaux d'équarrissage, mais on allait le faire appeler aussitôt, si Cadfael voulait bien l'attendre un petit quart d'heure dans le cabinet où on lui servirait une coupe de vin ou de bière pour le faire patienter — invitation que ce dernier accepta bien volontiers après sa course. On avait sans doute emmené sa mule pour se montrer aussi hospitalier envers elle. A Aspley, tout comme dans les temps anciens, on ne plaisantait pas sur ce chapitre. Ici, un hôte était sacré.

Quand il entra, Léoric Aspley remplit tout entier le cadre étroit de la porte et son épaisse chevelure grise en effleura la partie supérieure. Auparavant, elle avait dû être châtain. Meriet était assez différent dans sa stature et sa complexion, mais il lui ressemblait beaucoup par le visage. Était-ce parce qu'ils étaient aussi fiers l'un que l'autre qu'ils se disputaient constamment, comme Janyn l'avait signalé ? Aspley accueillit son hôte avec une courtoisie parfaite — et distante — le servit de sa propre main, et, d'un geste décidé, ferma la porte, les isolant du reste de la maisonnée.

— Je viens à vous à la demande de l'abbé Radulphe

pour vous consulter à propos de votre fils Meriet, dit Cadfael, quand ils furent assis l'un en face de l'autre dans l'embrasure profonde d'une fenêtre, une coupe à portée de la main.

— Et qu'a donc fait mon fils Meriet ? Il est maintenant plus proche de vous que de moi, ainsi qu'il en a décidé, et c'est désormais messire l'abbé qui lui tient lieu de père. Je ne vois donc pas en quoi je pourrais vous servir.

Il s'arrangea pour dissimuler ce que ces mots avaient d'implacable sous une intonation contrôlée et calme, mais Cadfael comprit sur-le-champ qu'il n'avait aucune aide à attendre. Il était d'autant plus intéressant d'essayer.

— C'est quand même vous qui l'avez fait. Si c'est un souvenir qui vous déplaît, répondit-il en s'efforçant de trouver le défaut de la cuirasse, je vous suggère de ne pas trop vous regarder dans un miroir. Ce n'est pas parce que des parents offrent leurs enfants en oblation qu'ils doivent pour autant renoncer à les aimer. Je suis persuadé que nous sommes d'accord sur ce point.

— Qu'est-ce que vous essayez de me dire ? demanda Aspley, avec une moue dédaigneuse. Qu'il regrette déjà le choix qu'il a fait ? Qu'il essaye déjà de quitter l'ordre ? Seriez-vous venu m'annoncer son retour, la queue entre les jambes ?

— Oh, pas du tout ! Il n'arrête pas de réclamer à cor et à cri d'être autorisé à prononcer ses vœux définitifs. Il ferait presque preuve de trop de ferveur en exécutant tout ce qui peut hâter notre acceptation ou du moins y contribuer. C'est à cela qu'il emploie toutes ses heures de veille. Quant à son sommeil, c'est une autre paire de manches. A ce qu'il me semble il y a quelque chose qui l'a profondément marqué et même terrifié. Ce qu'il désire le jour, il s'en détourne avec horreur dans ses cauchemars. Il me paraît juste que vous en soyez informé.

Aspley ne dit mot. Les sourcils froncés, immobile, il

paraissait inquiet. Exploitant son avantage, Cadfael poursuivit en lui racontant ce qui s'était produit au dortoir mais, il aurait été bien incapable de dire pourquoi, il garda pour lui l'agression dont Jérôme avait été victime, et le châtiment que cela avait valu à Meriet. Ils s'entendaient déjà mal ; inutile de verser de l'huile sur le feu.

— Quand il se réveille, ajouta Cadfael, il ne se rappelle pas ce qui s'est passé dans son sommeil. Il n'y a donc rien à lui reprocher, mais ça laisse planer un doute sérieux sur sa vocation. Notre père abbé vous demande donc de réfléchir et de nous dire si, à votre avis, nous ne causons pas grand tort à votre fils en l'autorisant à rester parmi nous, quel que soit son désir à ce sujet.

— Qu'il veuille se débarrasser de lui, dit Aspley, recouvrant son calme implacable, je le comprends sans peine. Ce garçon a toujours été une tête de mule, et mal élevé avec ça.

— Ce n'est ni l'opinion de l'abbé ni la mienne, rétorqua Cadfael, piqué au vif.

— Il faut donc croire, quelles que puissent être les difficultés qu'il traverse, qu'il est mieux avec vous qu'avec moi, car depuis son enfance, je ne l'ai jamais connu autrement. Et je pourrais tout aussi bien faire valoir qu'on risque de lui causer un tort considérable en l'empêchant de suivre une voie à laquelle il tient tant. C'est lui seul qui l'a voulu, et lui seul peut changer d'avis. Pour moi, il vaut mieux qu'il endure ces quelques souffrances au début, plutôt que de renoncer à sa vocation.

Cette réaction n'avait rien de très surprenant de la part de quelqu'un d'aussi dur et têtu, qui allait toujours jusqu'au bout de ce qu'il commençait, et tenait toujours scrupuleusement parole sans dévier d'un pouce, autant par honneur que par obstination. Cadfael n'en continua pas moins à chercher le défaut de cette cuirasse, car il fallait que cet homme éprouve une rancune peu commune pour refuser le moindre geste d'affection à son fils qui en avait tant besoin.

— Je ne veux pas l'influencer, déclara finalement Aspley, ni le troubler en allant lui rendre visite ou en autorisant aucun membre de ma famille à le voir. Gardez-le, il finira bien par trouver la lumière, et je pense qu'il continuera à désirer être des vôtres. Quand on a commencé à mettre la main à la charrue, il faut aller jusqu'au bout du sillon. Je ne le recevrai pas ici s'il tourne casaque.

Il se leva pour indiquer que l'entretien était terminé, et qu'il n'y avait plus rien à obtenir de lui. Il pouvait maintenant se permettre de redevenir un hôte prévenant, et il invita Cadfael à dîner, ce que ce dernier refusa tout aussi courtoisement, Aspley l'accompagna alors dans la cour.

— Vous aurez beau temps pour rentrer, dit-il, je regrette cependant que vous n'ayez pas accepté de partager notre repas.

— Moi aussi, et je vous remercie, dit Cadfael, mais je dois m'en aller pour transmettre votre réponse à mon abbé. Et le trajet ne présente aucune difficulté.

Un palefrenier amena la mule. Cadfael se mit en selle, prit civilement congé, et franchit le portail du petit mur de pierre.

Il n'avait pas fait plus de deux cents pas, juste assez pour se trouver hors de vue de ceux qu'il avait laissés derrière leurs murailles, qu'il vit deux silhouettes s'avancer d'un même pas tranquille vers ce même portail. Ils marchaient main dans la main et ne s'étaient pas encore rendu compte qu'un cavalier, chevauchant sur le chemin tracé entre les champs, s'approchait d'eux, car ils ne faisaient que se regarder l'un l'autre. Leur dialogue était interrompu par de longs silences, comme s'ils partageaient un rêve où les mots étaient de peu d'importance ; la voix virile et douce du garçon, et le timbre argentin de la jeune fille évoquaient, même à distance, de brefs éclats de rire, ou des clochettes de bride. Deux calmes chiens de chasse, bien dressés, les suivaient de près, flairant les odeurs disséminés dans l'herbe, mais sans s'égarer d'un pouce du chemin qui les ramenait à la maison.

Il s'agissait sûrement des amoureux qui rentraient dîner. Cadfael, se dirigeant lentement vers eux, les regarda avec intérêt. Ils en valaient la peine. Quand ils furent plus près, mais pas assez pour s'arracher à leur mutuelle contemplation, ils le frappèrent encore davantage. Tous deux étaient grands. Lui avait la stature noble de son père, mais avec la souplesse et la légèreté de la jeunesse, des cheveux châtain clair et la peau mate des Saxons habitués à vivre en plein air. Un tel fils avait de quoi réjouir n'importe qui. Ce jeune homme éclatait de santé, s'épanouissait harmonieusement comme une belle plante, et promettait une floraison superbe. Un cadet trapu et sombre, né plusieurs années après, risquait assurément de susciter moins d'enthousiasme, après cette parfaite réussite. Un paladin suffit à la famille, surtout s'il est difficile à égaler. Et s'il marche vers l'âge adulte dans toute sa gloire, à quoi bon un autre fils ?

La jeune fille le valait bien. Mince et droite comme lui, elle lui arrivait à l'épaule. Elle était le portrait de son frère, mais tout ce qui était grâcieux et attirant chez lui devenait beauté chez elle. Elle avait le même visage ovale, aux courbes douces, mais raffiné jusqu'à devenir presque translucide. Elle avait les mêmes yeux bleu clair, mais légèrement plus foncés, ombrés de cils acajou. Et là, sans erreur possible, se répandaient les cheveux blond vénitien, coiffés en lourde tresse, avec des boucles folles qui s'échappaient sur les tempes.

Était-ce l'explication à l'attitude de Meriet ? Voulait-il à tout prix échapper à cet amour malheureux en se retrouvant dans un univers sans femme ? Sans compter qu'il désirait peut-être aussi éviter de jeter une ombre, aussi minime fût-elle, sur le bonheur de son frère ? Était-ce l'explication à sa conduite ? Mais emporter jusque dans le cloître le symbole de son supplice, était-ce bien raisonnable ?

Le bruit léger des petits sabots de la mule dans l'herbe sèche et les cailloux du sentier finit par arriver aux oreilles de la jeune fille. Elle leva les yeux, vit un cavalier s'approcher et en toucha discrètement un mot à son compagnon. Le jeune homme s'immobilisa un moment et regarda fixement, la tête levée, ce bénédictin qui venait de franchir les portes d'Aspley. Il ne tarda pas à deviner ce que cette présence suggérait et s'en étonna. Perdant aussitôt son sourire, il retira sa main de celle de la jeune fille et hâta le pas, avec l'intention évidente d'aborder le visiteur qui s'éloignait.

Ils se rapprochèrent pour s'arrêter ensemble. De près, le fils aîné était encore plus grand que son père, et dans ce monde imparfait, il semblait incroyablement beau. Il saisit la bride de la mule de sa grande et noble main, et après un bref salut hâtif, leva vers Cadfael deux yeux noisette arrondis d'inquiétude.

— Vous êtes de Shrewsbury, mon frère ? Veuillez excuser mon indiscrétion, mais vous venez de chez mon père ? Il y a du nouveau ? Mon frère, euh... n'aurait-il pas ?...

A ce moment, il se reprit et pensa, avec un peu de retard, à saluer et à se présenter.

— Veuillez me pardonner mes questions, car vous ne me connaissez même pas. Je suis Nigel Aspley, le frère de Meriet. Il lui est arrivé quelque chose ? Il n'a pas fait de bêtise, j'espère ?

Que répondre à cela ? Car à la vérité Cadfael aurait bien été en peine de dire s'il considérait ce que Meriet avait fait consciemment comme une bêtise. Mais il y avait au moins quelqu'un qui semblait se préoccuper de son sort, et à en juger par le souci et l'inquiétude qui se marquaient sur le beau visage, il avait peur pour son frère, ce qui ne se justifiait pas encore.

— Il n'y a aucune raison de vous tourmenter pour

lui, l'apaisa Cadfael. Il va bien et il ne lui est rien arrivé. Ne craignez rien.

— Il est toujours décidé... Il n'a pas changé d'avis ?

— Non. Il veut toujours prononcer ses vœux.

— Mais vous êtes allé voir mon père ! Quel autre sujet auriez-vous pu aborder ? Vous êtes sûr que Meriet ?...

Il s'interrompit, étudiant les traits de Cadfael sans savoir que penser. La jeune fille s'était approchée tranquillement. Elle se tenait un peu à l'écart, les observant sereinement, mais avec tant de grâce dans son attitude que Cadfael ne pouvait s'empêcher de détourner les yeux vers elle, tant il avait plaisir à la regarder.

— Quand j'ai quitté votre frère, il allait fort bien, affirma-t-il, sincère mais prudent, et sa résolution n'avait en rien faibli. Je suis allé parler à votre père sur la demande de mon abbé, car certains doutes se sont manifestés dans l'esprit de Sa Seigneurie et non dans celui de votre frère. Il est encore très jeune pour prendre une telle décision à la hâte, et son zèle paraît excessif à des esprits plus rassis. Votre âge vous rend plus proche de lui que votre père ou nos responsables, ajouta Cadfael, persuasif. Ne pourriez-vous me dire ce qui a pu justifier sa décision ? Quelle raison, suffisamment importante pour lui, a bien pu le pousser à souhaiter si jeune quitter le monde ?

— Je n'en ai aucune idée, avoua piteusement Nigel, secouant la tête devant son échec. Je n'ai jamais compris qu'on puisse en arriver là.

Rien d'étonnant à cela, avec toutes les raisons qu'il avait, lui, pour ne pas quitter le monde !

— Il a simplement dit qu'il le voulait, ajouta-t-il.

— Il le dit toujours. Et il y revient à chaque occasion.

— Vous le soutiendrez ? Vous l'aiderez à y arriver ? Si c'est vraiment ce qu'il désire, évidemment...

— Nous y sommes tous résolus, croyez-moi, déclara

sentencieusement Cadfael. Vous n'ignorez pas que tous les jeunes gens ne poursuivent pas la même destinée.

Il fixait la jeune fille ; elle savait que c'était vrai, et il savait qu'elle savait. Une autre mèche de cheveux blond vénitien s'était échappée du bandeau qui les retenait, et reposait contre sa joue satinée, projetant une ombre d'or chaud sur sa peau.

— Vous voudrez bien lui transmettre mon plus affectueux souvenir, mon frère ? Dites-lui que mes prières et mon amour lui sont acquis.

Sur ces mots, Nigel lâcha la bride de la mule et se recula pour laisser le cavalier continuer sa route.

— Dites-lui que moi aussi je l'aime, ajouta la jeune fille d'une voix douce et lourde comme du miel, levant ses yeux bleus vers Cadfael. Nous avons tous ici été compagnons de jeux pendant si longtemps qu'il m'est permis de l'aimer, d'autant plus que je serai bientôt sa sœur.

— Roswitha et moi devons nous marier à l'abbaye en décembre, précisa Nigel, reprenant la main de sa fiancée.

— J'aurai plaisir à transmettre vos messages, dit Cadfael et je vous souhaite tout le bonheur possible.

La mule, résignée, se mit en marche à la première sollicitation de la bride. Cadfael passa devant le couple, le regard fixé sur la jeune fille dont les immenses yeux bleus s'ouvrirent tel un ciel d'été. En le regardant partir, elle eut un très léger sourire où se refléta une certaine satisfaction. Elle savait qu'il ne pouvait que l'admirer et même l'admiration d'un vieux moine lui procurait du plaisir. Il était évident que ses moindres gestes — elle en était parfaitement consciente — avaient eu cette admiration pour but, comme une araignée cherchant à attraper une mouche particulièrement rétive.

Il prit grand soin de ne pas se retourner, car il venait juste de comprendre que c'était exactement ce à quoi elle s'attendait.

Juste à l'orée du bosquet, à l'extrémité des champs, il y avait une bergerie de pierre, tout près de l'allée cavalière et quelqu'un — une très jeune fille — était assise sur le mur grossier, balançant ses chevilles croisées et ses petits pieds nus. Elle serrait contre elle une poignée de noisettes tardives qu'elle cassait avec ses dents, laissant tomber les coques dans l'herbe haute. A cette distance, Cadfael avait d'abord hésité, garçon ? fille ? car sa robe était remontée au-dessus du genou, ses cheveux courts atteignaient à peine les épaules et ses vêtements d'un drap tissé très simple, comme on en porte à la campagne. Mais en se rapprochant, il vit qu'il ne pouvait guère y avoir de doute. Il s'agissait bien d'une jeune fille, et qui plus est, joliment partie pour devenir une femme. Sous le corsage ajusté, ses seins étaient hauts et fermes, et bien qu'elle fût très mince, ses hanches rondes lui permettraient plus tard d'avoir des enfants sans difficulté. Il lui donna environ seize ans. Le plus étrange était qu'elle semblait véritablement l'attendre, car, lorsqu'il s'avança vers elle, elle se tourna sur son perchoir avec un joli sourire comme si, le reconnaissant, elle voulait lui faire bon accueil. Quand il fut tout près, elle sauta du mur, époussetant sa robe, et, avec la brusquerie de qui se décide à passer à l'action, elle fit retomber ses jupes sur ses pieds nus.

— Il faut que je vous parle, monsieur, dit-elle fermement, en caressant l'encolure de la mule de sa petite main brune. Ça vous ennuierait de venir vous asseoir près de moi ?

Elle avait encore un visage d'enfant sous lequel celui de l'adulte commençait à se dessiner, et déjà sous la chair encore puérile apparaissait l'ossature élégante des pommettes et du menton. Elle était presque aussi brune que ses noisettes ; mais sous la peau brune et satinée se dessinait une complexion d'un rose soutenu. Sa bouche d'un beau rouge évoquait les pétales d'une rose à demi ouverte. Ses beaux cheveux courts, épais, bouclés étaient brun-roux, ses yeux légèrement plus foncés avec des sourcils noirs. Elle avait beau être habillée à la va-comme-je-te-pousse, elle n'était pas fille de paysans. Elle savait qu'elle hériterait d'un domaine et qu'il faudrait compter avec elle.

— Mais bien volontiers, répliqua vivement Cadfael. Et il joignit le geste à la parole.

Elle recula d'un pas, la tête penchée sur le côté. Elle ne s'était pas attendue à ce que cela se passe aussi facilement, sans qu'on lui demande la moindre explication. Quand il fut debout près d'elle — il avait à peine une demi-tête de plus qu'elle — elle se décida soudain, avec un sourire éclatant.

— Oui, je pense qu'on peut vraiment parler, vous et moi. Vous ne m'interrogez pas, et pourtant vous ne savez même pas qui je suis.

— Ah, je ne dirais pas ça, objecta Cadfael, attachant la bride de la mule à un crampon du mur. J'imagine que vous êtes Isouda Foriet, je me trompe ? J'ai déjà rencontré tous les autres, et on m'a déjà dit que vous êtes la plus jeune de la tribu.

— Il vous a parlé de moi ? demanda-t-elle, très intéressée, mais sans montrer d'inquiétude particulière.

— Pas à moi directement, mais on me l'a rapporté.

— En quels termes a-t-il parlé de moi ? demanda-t-elle carrément, avançant un menton au dessin ferme. Ça aussi, on vous l'a rapporté ?

— J'ai cru comprendre que vous étiez un peu sa petite sœur.

Il n'aurait pas su expliquer pourquoi il lui paraissait non seulement impossible de mentir à cette jeune personne, mais également, sans intérêt d'essayer de l'épargner.

Elle eut un sourire pensif, comme un général sûr de lui évaluant les dangers éventuels sur le champ de bataille.

— Comme si je ne comptais pas beaucoup pour lui. Mais peu importe ! Un jour, il comprendra.

— Si j'avais la moindre influence sur lui, affirma respectueusement Cadfael, je lui conseillerais d'y réfléchir dès maintenant. Eh bien, Isouda, me voici, comme vous le souhaitiez. Venez vous asseoir, et dites-moi ce que vous attendez de moi.

— Vous autres, moines, vous êtes censés vous tenir loin des femmes, remarqua Isouda avec un sourire chaleureux et en remontant sur son mur. Ça le met à l'abri de ses manœuvres à « elle », c'est toujours ça. Mais il ne faudrait quand même pas qu'il aille trop loin non plus. Puis-je savoir votre nom, puisque vous connaissez le mien ?

— Je m'appelle Cadfael, je suis gallois de Trefriw.

— Ma première nourrice était galloise, dit-elle, et se penchant en avant, elle arracha un mince brin d'herbe verte, parmi les tiges fanées qui se trouvaient à ses pieds et le glissa entre ses solides dents blanches. Je ne crois pas que vous ayiez toujours été moine, frère Cadfael, vous savez trop de choses.

— Mon petit, j'ai connu des moines cloîtrés depuis l'âge de huit ans qui en savaient plus que j'en saurai jamais, affirma sérieusement Cadfael, bien que Dieu seul puisse expliquer ce mystère. Mais, en effet, j'ai vécu quarante ans dans le siècle avant de prendre l'habit. Mon savoir est limité, ce que je sais est à votre disposition. Vous voulez que je vous parle de Meriet, je suppose.

— Pas « frère Meriet » ? s'exclama-t-elle, ravie et vive comme un chat.

— Pas encore. Il lui faut du temps.

— JAMAIS ! s'écria-t-elle, fermement, sûre d'elle. Ça ne se passera pas ainsi. Il ne le faut pas, poursuivit-elle, le regardant bien en face, hautaine, impérieuse. Il est à moi. Meriet est à moi, qu'il le sache ou non. Et personne d'autre ne l'aura.

CHAPITRE VI

— Demandez-moi tout ce que vous voulez, dit Cadfael, essayant de trouver sur le mur la position la moins inconfortable. Moi aussi, j'ai des questions à vous poser.

— Et vous me direz honnêtement ce que j'ai besoin de savoir ?

Il y avait du défi dans sa voix qui, tout en gardant le timbre aigu, clair et direct des enfants, n'en était pas moins celle d'une châtelaine.

— C'est entendu.

Elle la méritait, la vérité, elle y était même prête. Et qui connaissait mieux qu'elle le personnage déroutant qu'était Meriet ?

— Est-il sur le point ou non de prononcer ses vœux ? Quels ennemis s'est-il fait ? Quelles bêtises a-t-il encore bien pu commettre avec sa vocation de martyr ? Racontez-moi tout ce qui lui est arrivé depuis qu'il s'est éloigné de moi.

Il nota qu'elle avait dit « de moi », pas « de nous ».

Cadfael s'exécuta. S'il ne le fit pas sans ménagement, il ne lui cacha cependant rien. Elle écouta en silence, très attentivement, hochant la tête à l'occasion quand cela lui parut s'imposer, la secouant d'un air critique à d'autres moments, et puis, elle avait soudain un bref sourire. Contrairement à Cadfael qui ne le connaîtrait jamais à fond, elle comprenait parfaitement l'homme qu'elle avait choisi. Il finit par lui parler en toute franchise d'un châtiment que Meriet s'était attiré sur les épaules et même, mais non sans avoir été tenté de passer cet épisode sous silence, de cette tresse brûlée qui lui avait amené cette épreuve. Il remarqua que cela ne sembla pas l'affecter sérieusement. Elle ne s'attarda guère sur ce détail.

— Si vous saviez le nombre de fois où il a été fouetté auparavant ! Personne ne le fera céder en s'y prenant ainsi. Et votre frère Jérôme a brûlé son colifichet — c'est bien fait. S'il n'a plus son joujou, il ne pourra plus se raconter des histoires bien longtemps.

Cadfael soupçonna un moment qu'il n'était pas à sa place dans cette histoire de jalousie de femmes, et il la soupçonna de s'en douter. Elle se tourna vers lui et grimaça un sourire. Elle s'amusait franchement.

— Oh, mais c'est que je vous ai vu leur parler ! Je vous observais, seulement ils ne s'en doutaient pas ; vous non plus, d'ailleurs. Ne l'avez-vous pas trouvée jolie ? Si bien sûr, et c'est justice. Est-ce qu'elle ne s'est pas mise en frais pour vous aguicher ? Et soyez sûr que c'est pour vous qu'elle minaudait — pourquoi se donnerait-elle tant de mal pour Nigel ? Elle le tient bien en main ; c'est la seule conquête qu'elle désire vraiment. Mais elle ne peut pas s'empêcher de provoquer les hommes. C'est *elle,* bien sûr, qui a donné cette boucle de cheveux à Meriet ! Elle supporte mal qu'un homme lui échappe.

C'était si précisément ce que Cadfael avait pensé dès qu'il avait jeté les yeux sur Roswitha qu'il ne sut que répondre.

— Je n'ai pas peur d'*elle,* ajouta Isouda, avec indulgence. Je la connais trop bien. Il n'a commencé à s'enticher d'elle que parce que c'est la fiancée de Nigel, et qu'il lui faut désirer tout ce que Nigel désire et aussi jalouser tout ce que possède Nigel et que lui n'a pas.

Pourtant, je vous jure qu'il n'aime personne comme il aime Nigel. Du moins pas encore.

— Il me semble que vous en savez bien plus long sur ce garçon qui me déroute et que j'aime beaucoup malgré mes réserves, remarqua Cadfael. Je voudrais que vous me disiez tout ce qu'il ne me dit pas, sur la maison où il est né, comment il y a grandi. Car il a besoin de notre aide à tous deux, et je suis tout disposé à vous représenter dans cette histoire, si, comme moi, vous lui voulez du bien.

Elle remonta les genoux, les entoura de ses bras minces, et se décida à parler.

— Je suis la châtelaine d'un manoir, orpheline de bonne heure et j'ai pour tuteur mon oncle Léoric, le voisin de mon père, qui n'est d'ailleurs pas mon oncle. C'est un brave homme. Je sais que mon manoir est parfaitement géré et que mon oncle, à qui j'ai été confiée, ne garde rien pour lui. Il faut vous dire que c'est quelqu'un de la vieille génération, scrupuleusement honnête. Si on est un garçon, et son fils de surcroît, il n'est pas facile à vivre. Mais je suis une fille et il s'est toujours montré bon et indulgent envers moi. Dame Avota qui est morte il y a deux ans — c'était..., c'était d'abord sa femme avant d'être la mère de Meriet. Vous avez vu Nigel. Qui pourrait vouloir un autre héritier ? Ils n'avaient nul besoin de Meriet qu'ils n'ont jamais seulement désiré. Ils ont fait leur devoir envers lui quand il est né, mais ils n'avaient d'yeux que pour Nigel et n'ont jamais prêté attention au cadet. Il était tellement différent !

Elle s'arrêta un instant pour réfléchir à tout cela et penser précisément à ce qui les rendait si différents.

— Croyez-vous, demanda-t-elle, dubitative, que des petits enfants se rendent compte qu'ils ne semblent pas de premier choix ? Je pense que Meriet l'a compris très jeune. Rien qu'à le regarder, il était différent. Mais le problème n'était pas là. Pour moi, il a toujours fait le contraire de ce qu'on attendait de lui. Si son père disait

blanc, Meriet disait noir ; et on pouvait crier ou
tempêter, impossible de l'en faire démordre. Il a appris
malgré lui, car il est vif et curieux, alors il a fini par
savoir lire et écrire ; mais quand il a su qu'on prétendait
le transformer en clerc, il s'est mis à rechercher la
compagnie de tous les galopins de la région et il s'est
ingénié à faire tourner son père en bourrique. Il a
toujours été jaloux de Nigel, dit la jeune fille, d'un air
méditatif, la tête sur les genoux, mais il l'a toujours
adoré. Il cherche volontairement à faire enrager son
père, parce qu'il se sait moins aimé, et qu'il en souffre
énormément, mais il n'arrive pas à en vouloir à Nigel
malgré tout. Comment le pourrait-il, alors qu'il l'aime
tant ?

— Et Nigel, qu'éprouve-t-il pour lui ? demanda
Cadfael, se remémorant l'air troublé de ce dernier.

— Oh, il l'aime beaucoup lui aussi. Il l'a toujours
défendu. Et bien souvent il s'est arrangé pour qu'on ne
le punisse pas. Il le prenait aussi toujours avec lui, quoi
qu'ils fassent, quand ils jouaient tous ensemble.

— Tiens, pourquoi n'avez-vous pas dit « nous » ?

Isouda cracha son brin d'herbe et se tourna vers lui, à
la fois surprise et souriante.

— Je suis la plus jeune. J'ai trois ans de moins que
Meriet. J'étais la gamine qu'ils traînaient derrière eux,
pas toujours de bon gré. Enfin, pendant un temps. J'en
ai vu des choses, si vous saviez. Vous connaissez les
autres ? Il y avait les deux garçons qui avaient six ans de
différence, et les deux Linde au milieu. Et puis moi qui
étais trop jeune, parce que je suis venue après la
bataille. Vous avez vu Roswitha, mais je ne pense pas
que vous ayez rencontré Janyn.

— Si, si. En venant. C'est lui qui m'a montré le
chemin.

— Ils sont jumeaux. Vous en seriez-vous douté ?
Maintenant, si vous voulez mon avis, c'est lui qui a reçu
toute l'intelligence en partage. Elle ne sait faire qu'une
chose, dit Isouda d'une voix sans appel, s'attacher les

98

hommes et les garder bien serrés. Elle s'attendait à ce que vous vous retourniez en partant, et elle vous en aurait remercié d'un petit coup d'œil. Vous me prenez pour une idiote, n'est-ce pas, jalouse d'une fille plus jolie qu'elle ? lança-t-elle, déconcertante, et elle rit en constatant qu'elle avait vu juste. Bien sûr que j'aimerais être jolie, mais je n'envie pas Roswitha. Et puis, à notre façon, nous avons toujours été très proches. Ça oui ! Il faut bien que toutes ces années comptent pour quelque chose.

— Il me semble que parmi tous ces gens, c'est vous qui connaissez le mieux ce garçon, dit Cadfael. Alors, si vous le pouvez, expliquez-moi donc quelle raison l'a poussé à un choix pareil. Je ne suis pas plus bête qu'un autre, je vois bien qu'il y tient mordicus, mais je consens à être pendu si je comprends pourquoi. Vous avez une réponse ?

— Malheureusement non, dit-elle, secouant la tête avec véhémence, et pourtant ça ne lui ressemble vraiment pas.

— Tant pis. Dites-moi tout ce que vous vous rappelez sur l'époque où il a pris cette décision. Et commencez donc par la visite à Aspley du messager de l'évêque, ce Peter Clemence. Vous savez comme tout le monde — sinon vous seriez bien la seule — qu'il n'est jamais arrivé à l'étape suivante et que nul ne l'a revu depuis.

— Il paraît qu'on a retrouvé son cheval, répondit-elle en tournant vivement la tête vers lui. Près de la frontière du Cheshire. Vous ne pensez tout de même pas que ça puisse avoir un rapport avec les lubies de Meriet. Ce n'est pas possible ! Et cependant...

Avec son esprit vif et décidé, elle s'empressa d'additionner deux et deux.

— C'est la huitième nuit de septembre qu'il a dormi à Aspley. Il n'y avait rien de bizarre à ça, vous savez. Il est arrivé seul au début de la soirée. Oncle Léoric est sorti l'accueillir. J'ai pris son manteau quand il est entré et j'ai demandé aux servantes de lui préparer un lit.

Meriet, lui, s'est occupé de son cheval. Il s'entend toujours bien avec les chevaux. On s'est mis en frais pour lui faire fête. Il y avait encore de la musique dans la grande salle quand je suis allée me coucher. Le lendemain matin, il a déjeuné et oncle Léoric, avec Fremund et deux palefreniers, l'a accompagné un bout de chemin.

— Et à quoi ressemblait-il, ce clerc ?

— Il présentait très bien — et il le savait, dit-elle, partagée entre l'indulgence et un léger mépris. Un tout petit peu plus âgé que Nigel, je crois. Mais il avait vu du pays et il était très sûr de lui. Très beau, plein d'esprit et courtois avec ça ! ce qui n'était pas vraiment du goût de Nigel ! Vous avez vu Roswitha, vous commencez à la connaître. Eh bien, ce jeune homme était tout aussi sûr de ne laisser aucune femme indifférente. Ils étaient faits l'un pour l'autre, ces deux-là, et Nigel n'appréciait pas ça du tout. Mais il a tenu sa langue et il est resté poli. Du moins pendant que j'étais là. Meriet non plus n'a pas aimé leur petit jeu. Il est allé aux écuries dès qu'il a pu. Manifestement il préférait le cheval au cavalier.

— Roswitha aussi a passé la nuit ici ?

— Oh non ! Nigel l'a raccompagnée à la tombée du jour. Je les ai vus partir.

— Donc son frère n'était pas avec elle cette nuit-là ?

— Janyn ? Sûrement pas ! La compagnie des deux tourtereaux ne le passionne guère. Il se moque d'eux. Non, il est resté chez lui.

— Et le lendemain ?... Nigel n'a pas accompagné son père ? Meriet non plus ? Qu'est-ce qu'ils faisaient ce matin-là ?

Elle fronça les sourcils, essayant de se rappeler.

— Nigel a dû se rendre chez les Linde, très tôt je crois. Il est jaloux d'elle, mais il ne voit rien à lui reprocher. Il me semble qu'il a été absent presque toute la journée. Je dirais même qu'il n'est pas rentré souper. Quant à Meriet, je sais qu'il était avec nous lorsque maître Clemence est parti, mais après ça, je ne l'ai pas revu avant la fin de l'après-midi. Oncle Léoric a sorti ses chiens après le dîner avec Fremund, le chapelain et le maître de chenil. Je me rappelle que Meriet est rentré avec eux, mais il est parti de son côté. Il avait son arc, ça lui arrive souvent de s'en aller tout seul, surtout quand il n'est pas dans son assiette. Ils sont tous rentrés, donc. Je ne sais pas pourquoi, la soirée a été très calme. J'ai pensé que c'était dû au départ de l'invité. Il n'y avait plus besoin de se mettre en frais. Je ne crois pas que Meriet soit venu souper dans la grande salle ce soir-là. Je ne l'ai pas revu de toute la soirée.

— Et après ? Quand avez-vous entendu parler pour la première fois de son désir d'entrer dans les ordres ?

— C'est Fremund qui me l'a dit la nuit suivante. Comme je n'avais pas revu Meriet de toute la journée, il ne pouvait guère me l'apprendre lui-même. Mais je l'ai aperçu le lendemain. Il vaquait au château comme à l'ordinaire. Il n'avait pas l'air bizarre. Enfin, rien qui pût m'inquiéter. Il est venu m'aider à m'occuper des oies dans l'arrière-cour. Je lui ai dit ce que j'avais appris, qu'il devait être tombé sur la tête, et je lui ai demandé ce qui pouvait bien l'attirer dans une vie aussi dépourvue...

Elle posa la main sur le bras de Cadfael, s'assura d'un sourire qu'il comprenait et ne lui gardait pas rancune de ce jugement.

— Vous, c'est différent, vous avez déjà vécu, une autre forme de vie a pu vous apporter beaucoup. Mais lui, qu'a-t-il connu ? Il m'a regardée droit dans les yeux, raide comme la justice, et m'a dit qu'il savait ce qu'il faisait et que c'était ça qu'il voulait. Et puis il a mûri, ces temps-ci, et il s'est éloigné de moi. Il n'avait aucune raison de chercher à m'abuser ni de me ménager dans ses réponses. Je ne vois pas pourquoi il m'aurait raconté des histoires. C'est ce qu'il voulait. Admettons. Et c'est toujours le cas. Mais pourquoi, ça, il ne me l'a pas dit.

— C'est précisément ce qu'il n'a dit à personne,

constata sombrement Cadfael. Et il ne parlera qu'en cas de force majeure. Alors qu'allons-nous faire, jeune fille, de ce garçon qui cherche à se détruire, enfermé comme un oiseau dans sa cage ?

— Croyez-moi, on ne l'a pas encore perdu, affirma Isouda très décidée. Je le reverrai à l'occasion du mariage de Nigel en décembre et après cela Roswitha sera complètement hors de portée, car Nigel l'emmène dans le Nord, au château de Newark qu'oncle Léoric leur donne à administrer. Nigel y est allé à la mi-été, histoire de visiter ses terres et de se préparer. Janyn aussi était du voyage. Chaque mile comptera. Quand nous arriverons, je demanderai à vous voir, frère Cadfael. Maintenant que je vous ai parlé, je n'ai plus peur. Meriet est à moi, et je finirai bien par l'avoir. Ce n'est peut-être pas de moi qu'il rêve, mais ce sont de mauvais rêves et j'aime autant ne pas y figurer. Ça n'est pas d'un rêveur que je veux. Si vous l'aimez, empêchez-le de se faire tonsurer. Je me charge du reste.

« Si je l'aime — et si je t'aime aussi, petit lutin..., songea Cadfael qui revenait au couvent bien méditatif après l'avoir quittée. Parce que, après tout, tu es peut-être faite pour lui. Et il faut que je réfléchisse sérieusement à ce que tu m'as dit, pour Meriet autant que pour toi. »

Quant il fut rentré, il prit un peu de pain et de fromage et une mesure de bière ; à cause de cette famille où il se sentait si peu à l'aise, il avait sauté un repas. Une fois nourri, il alla demander audience à l'abbé en cette fin d'après-midi à la fois calme et actif où la plupart des moines étaient occupés au cloître, dans les jardins ou aux champs.

L'abbé l'attendait et écouta très attentivement le rapport complet qu'il lui adressa.

— Nous voilà donc chargés de veiller sur ce jeune homme qui a peut-être fait un choix malheureux, mais dont il refuse de démordre. Nous n'avons pas d'autre alternative que de le garder et de lui donner toutes ses chances pour réussir à se faire accepter parmi nous. Mais nous ne devons pas non plus négliger ses camarades et songer qu'ils ont vraiment peur de lui et des alarmes qu'il leur vaut pendant son sommeil. Nous avons encore devant nous les neuf jours de cachot qu'il lui reste à faire, cachot qu'il semble apprécier, d'ailleurs. Mais après cela, à quoi va-t-on bien pouvoir l'employer, de façon à lui permettre de trouver le chemin de la grâce tout en évitant qu'il ne sème la panique au dortoir ?

— J'ai bien réfléchi à cette question, répondit Cadfael. Ne pas le laisser au dortoir pourrait se révéler tout aussi bénéfique pour lui que pour ceux qui continueront à y dormir, car c'est un solitaire et s'il suit jusqu'au bout la voie qu'il a choisie, il finira ermite plutôt que moine. Et je ne serais pas surpris du tout si cette période d'incarcération lui avait permis de progresser spirituellement ; je suis sûr qu'il aura profité de cet espace réduit pour prier et méditer intensément, ce qui aurait été impossible dans un cadre plus vaste qu'il aurait dû partager avec de nombreux compagnons. Nous n'avons pas tous la même image de la fraternité.

— Sans aucun doute ! Mais dans notre maison, nous partageons tout ce que nous possédons. Et nous n'avons rien de cénobites qui se retirent au désert quand ça leur chante, objecta sèchement l'abbé. Et on ne peut pas non plus laisser ce garçon au cachot *ad vitam aeternam,* à moins que pour arriver à ce résultat il n'étrangle mes confesseurs et mes obédienciers les uns après les autres. Alors qu'avez-vous à me proposer ?

— Envoyez-le servir sous frère Mark à Saint-Gilles, suggéra Cadfael. Il ne sera pas plus au calme qu'ici, mais il sera en compagnie et au service de gens bien évidemment beaucoup plus mal lotis que lui, lépreux, mendiants, malades, infirmes et autres. Ça lui fera peut-être du bien. Qui sait si à leur contact il n'oubliera pas ses propres soucis ? Et puis il y a des avantages supplémentaires. Cette période où il s'absentera sera autant de temps de perdu pour son instruction, et son aptitude à prononcer ses vœux ; mais ce retard présente un atout dans la mesure où le garçon en est parfaitement incapable pour le moment. Qui plus est, frère Mark est le plus humble et le plus simple de nous tous, mais il a ce don très répandu parmi les saints innocents, celui de se frayer un chemin dans le cœur d'autrui. Avec le temps, Meriet finira peut-être par parler à Mark, ce qui ne peut que l'aider à retrouver la paix. Et puis si rien n'en sort, on aura au moins eu le temps de souffler.

Il entendait encore Isouda la conjurer : « Empêchez-le de se faire tonsurer. Je me charge du reste. »

— Il y a du vrai là-dedans, acquiesça Radulphe, après réflexion. Nos novices pourront se remettre de leurs émotions, et comme vous le dites, s'occuper de créatures bien moins fortunées que lui constitue peut-être le meilleur des remèdes. Je parlerai à frère Paul, et quand frère Meriet aura terminé son temps de pénitence, nous l'enverrons là-bas.

« Et si certains de nos bons apôtres considèrent que se faire expédier au lazaret pour y travailler est un châtiment supplémentaire, qu'ils s'en réjouissent », se dit Cadfael in petto, estimant avoir quelques raisons d'être satisfait. Car frère Jérôme ne pratiquait guère le pardon des offenses, et tout ce qui ajouterait à sa vengeance ne pourrait qu'atténuer son animosité envers son offenseur. Travailler un certain temps à l'hospice, à l'autre extrémité de la ville, pourrait également rendre service, et pas seulement à Meriet. Frère Mark, qui s'occupait des malades là-bas, avait été pour Cadfael un assistant très apprécié jusqu'à l'année précédente environ ; or il venait d'être privé du petit Bran, son favori, à qui il passait beaucoup de choses et qu'après leur mariage Jocelin et Iveta Lucy avaient emmené avec eux *. Sans un garçon à problèmes dont il aurait à s'occuper et se préoccuper, il se sentait un peu perdu. Il suffirait de glisser un mot à l'oreille de Mark concernant les antécédents plus que fâcheux de l'apprenti du diable, et il prendrait aussitôt fait et cause pour Meriet. Si Mark ne pouvait pas le décider à parler, personne n'y parviendrait. Mais, par la même occasion, il pourrait lui aussi aider sérieusement Mark. Autre avantage, c'est Cadfael qui était chargé de fournir les nombreux remèdes, pommades et autres lotions dont on avait grand besoin à Saint-Gilles où il se rendait environ toutes les trois semaines et parfois plus souvent pour remplir l'armoire à pharmacie. Ainsi aurait-il l'occasion de juger des éventuels progrès de Meriet.

Quand frère Paul sortit du parloir de l'abbé après vêpres, la perspective d'être débarrassé de Meriet pour beaucoup plus longtemps que prévu, même après que Meriet serait sorti de son cachot, le soulageait visiblement.

— Notre père abbé me dit que cette suggestion vient de toi. Je te félicite. Nous avons tous besoin d'un long repos et de recommencer à zéro. Remarque, les garçons se remettront sans peine de leurs émotions. Mais cet acte de violence, ça, ils ne le pardonneront pas aussi facilement.

— Comment se porte ton pénitent ? demanda Cadfael. As-tu été lui rendre visite depuis que j'y suis allé au début de la matinée ?

— Oui, bien sûr. Je ne suis pas convaincu de son repentir, répondit frère Paul, dubitatif. Mais au moins il se tient tranquille, on peut lui parler et il écoute patiemment mes sermons. Je n'ai d'ailleurs pas essayé de trop approfondir dans cette voie. Mais quel échec pour nous s'il est plus heureux dans sa cellule que parmi nous ! Je pense que la seule chose qui l'ennuie est de n'avoir rien à faire, aussi lui ai-je apporté les sermons

* Voir le Lépreux de Saint-Gilles (n° 2044), dans la même collection.

de saint Augustin et je lui ai aussi donné une meilleure lampe pour lui permettre de lire, ah! et puis un petit bureau qu'il puisse disposer près de son lit. Il vaut beaucoup mieux qu'il ait de quoi s'occuper l'esprit, et il se débrouille bien avec les livres. J'imagine que toi tu lui aurais plutôt donné un traité de Palladius sur l'agriculture, dit Paul, se risquant à plaisanter innocemment. Ça t'aurait fourni un prétexte pour te charger du cas et le prendre avec toi dans l'herbarium quand Oswin s'en ira...

A vrai dire, l'idée avait effleuré Cadfael, mais il valait mieux que le garçon aille se mettre pour de bon sous la tutelle de Mark.

— Je n'en ai pas redemandé l'autorisation, dit-il, mais il se pourrait que je lui rende visite avant d'aller me coucher. Ça me ferait plaisir. Je ne lui ai pas parlé de ma rencontre avec son père, et je n'ai pas l'intention de le faire maintenant. Mais il y a deux personnes là-bas qui lui ont envoyé des messages d'affection et j'ai promis de les lui transmettre.

Il y avait aussi quelqu'un qui ne l'avait pas fait, mais celle-là en savait peut-être plus long sur la question.

— Bien sûr, dit Paul. Vas-y donc avant complies. Il n'a pas volé ce qui lui arrive, mais il n'y a pas de raison de l'isoler. Le tenir complètement à l'écart ne me paraît pas la meilleure solution pour l'aider à prendre sa place parmi nous. Et en définitive, c'est le but que nous devons rechercher.

Ce n'était pas celui de Cadfael, mais il ne jugea ni utile ni opportun de le dire à Paul. Il y a une place réservée à chacun d'entre nous sous le soleil, mais il ne se faisait plus guère d'illusion : aussi fiévreusement qu'il demandât à y être admis, celle de Meriet n'était pas au cloître.

Le prisonnier avait allumé sa lampe et l'avait placée de façon à éclairer les pages de son saint Augustin à la tête de son petit lit. Il se retourna vivement mais tranquillement quand la porte s'ouvrit et, sachant qui venait d'entrer, il eut un sourire chaleureux. Il faisait très froid dans la cellule, Meriet portait sa robe et son scapulaire pour se tenir chaud et à en juger par la façon prudente dont il se tourna et s'arrêta brièvement en grimaçant pour écarter sa chemise d'un endroit sensible, ses blessures se cicatrisaient mais il en souffrait encore.

— J'ai plaisir à te voir t'occuper aussi sainement, remarqua Cadfael. Saint Augustin te réconfortera sûrement si tu fais aussi un petit effort pour prier. Est-ce que tu t'es servi de mon baume depuis ce matin ? Paul t'aurait aidé si tu lui avais demandé un coup de main.

— Il est gentil avec moi, dit Meriet qui ferma son livre et fit face à son visiteur ; il était évident qu'il pensait ce qu'il disait.

— Mais tu n'as pas condescendu à solliciter sa sympathie et à reconnaître que tu en avais besoin, bien sûr ! Allez, laisse-moi ôter ton scapulaire et enlever ta robe.

Ce vêtement, il n'avait pas encore pris l'habitude de s'y sentir à l'aise ; il ne le portait pas naturellement sauf quand il était en colère, car alors il oubliait qu'il l'avait sur le dos.

— Allonge-toi, que je t'examine un peu.

Meriet obéit et, présentant son dos, laissa Cadfael remonter sa chemise et passer de la pommade sur ses cicatrices pâlies où se voyaient encore çà et là quelques traces de sang séché.

— Je me demande pourquoi je vous obéis comme ça, grommela-t-il, se rebellant sans conviction. On croirait presque que vous n'êtes pas mon frère, mais mon père.

— D'après ce que je me suis laissé dire à ton sujet, il semble qu'obéir à ton père soit bien le cadet de tes soucis, rétorqua Cadfael tout en continuant à lui masser les épaules.

Meriet avait la tête dans ses bras ; il la releva

brusquement et darda sur son compagnon un œil bleu-vert flamboyant.

— Comment se fait-il que vous en sachiez autant sur mon compte ? Vous ne seriez pas allé parler à mon père, par hasard ? demanda-t-il, prêt à se hérisser comme un porc-épic et contractant les muscles de son dos. Qu'est-ce qu'ils essaient encore de faire ? En quoi a-t-on besoin ici de la parole de mon père ? C'est moi qui suis là ! Si je commets des erreurs, j'en subis les conséquences. Je ne laisse à personne le soin de régler mes dettes.

— Personne ne s'est proposé pour le faire à ta place, répliqua Cadfael sans s'énerver. Tu es ton propre maître, même si tu n'es guère capable de te maîtriser. Rien n'a changé sur ce point. Il se trouve simplement qu'on m'a demandé de te transmettre un ou deux messages qui ne retireront pas à Ta Seigneurie la liberté de faire son salut ou de se damner. Ton frère t'envoie son plus affectueux souvenir et m'a chargé de te dire qu'il t'aime autant qu'avant.

Meriet ne broncha pas. Seule sa peau brune frémissait très légèrement sous les doigts de Cadfael.

— Et dame Roswitha me charge de te dire qu'elle t'aime comme il se doit d'un amour fraternel.

Cadfael amollit entre ses doigts les plis raidis de la chemise là où ils avaient durci et rabattit le vêtement sur les marques de fouet qui disparaîtraient sans laisser de traces et qui se révéleraient à la longue probablement beaucoup moins dangereuses que cette jeune personne.

— Maintenant, si j'étais toi, je laisserais là ma lecture, j'éteindrais ma lampe et je dormirais.

Meriet gisait toujours à plat ventre et ne soufflait mot. Cadfael lui remonta la couverture jusqu'aux épaules et resta à regarder la silhouette muette et rigide allongée dans son lit.

Rigide, d'ailleurs, n'était pas exact. Les larges épaules se soulevaient convulsivement, les avant-bras crispés protégeaient son visage, qu'il ne voulait pas montrer.

Meriet pleurait à contrecœur. Mais sur qui pleurait-il ?
Sur Roswitha ? Nigel ? Ou sur son propre sort ?

Cadfael était partagé entre l'indulgence et l'exaspération.

— Mon petit, dit-il, tu as dix-neuf ans, tu n'as même
pas encore commencé à vivre et tu penses, au premier
coup dur, que Dieu t'a abandonné. Le désespoir est un
péché mortel, mais pire encore, c'est le comble de la
bêtise. Les gens dans ton cas sont légion et Dieu te
prête autant d'attention que précédemment. Tout ce
que tu dois faire pour t'en montrer digne est de prendre
ton mal en patience et de ne pas perdre courage.

A en juger par la tension et l'immobilité dont il faisait
preuve, et en dépit de son silence délibéré et de ses
larmes qu'il essayait rageusement de refouler, Meriet
écoutait attentivement.

— Et si tu veux tout savoir, ajouta Cadfael presque
malgré lui, et qui eut, du même coup, l'air d'autant plus
exaspéré, moi aussi, par la grâce de Dieu, j'ai un fils. Et
à part moi, nul ne s'en doute.

Et là-dessus, il moucha la lampe et, dans l'obscurité,
alla tambouriner à la porte pour qu'on le laisse sortir.

Quand Cadfael alla lui rendre visite, le matin suivant,
il eût été difficile de dire qui se montra le plus méfiant
et le plus réservé envers l'autre, car la veille, chacun
s'était abandonné nettement plus qu'il ne l'escomptait.
Le visage de Meriet était d'une austérité très étudiée et
ne laissait transparaître aucune faiblesse ; quant à
Cadfael, il se montra bourru et efficace et, après un
coup d'œil aux traces encore visibles de flagellation
pour son patient peu commode, déclara que le blessé
n'avait plus aucun besoin de ses soins, qu'il ne s'en
concentrerait que mieux sur sa lecture et profiterait
ainsi au maximum de son temps de pénitence pour son
édification spirituelle.

— Dois-je comprendre que vous vous lavez les

mains de ce qui peut m'arriver ? demanda Meriet sans y aller par quatre chemins.

— Ce que tu dois comprendre, c'est que je n'ai plus aucune raison de demander à venir te voir, alors que tu es censé réfléchir à tes péchés dans la solitude.

— Ne redouteriez-vous pas, par hasard, que je prenne quelque liberté à cause de ce que vous avez eu la bonté de me confier ? suggéra Meriet d'un ton sec, après avoir brièvement regardé de travers les pierres du mur. Je n'ai pas l'intention d'en parler à quiconque, vous savez, sauf à vous et sur votre invitation.

— Une telle pensée ne m'a jamais effleuré l'esprit, le rassura Cadfael, à la fois surpris et touché. Crois-tu que j'aurais abordé ce sujet avec un moulin à paroles, incapable de respecter une confidence ? Non, il se trouve simplement que je n'ai pas le droit de traîner par ici sans raison valable et, moi aussi comme toi, je dois m'en tenir à la règle.

La fragile pellicule de glace s'était déjà rompue.

— Eh bien, c'est dommage, s'écria Meriet, se détendant avec un sourire soudain dont Cadfael se rappela plus tard la douceur surprenante et l'extraordinaire tristesse. Je réfléchis beaucoup mieux sur mes péchés quand vous êtes là, à me réprimander. Dans la solitude, je me surprends à penser à quel point j'aimerais faire avaler ses sandales à frère Jérôme.

— Nous considérerons cela comme une sorte de confession, mais il vaudrait mieux que personne d'autre ne l'entendît, riposta Cadfael. Et je te donne pour pénitence de te débrouiller sans moi jusqu'à la fin de tes dix jours de mortification. Je me doute bien que tu es incorrigible et que ça ne vaut même plus le coup de prier pour toi, mais ça ne coûte rien d'essayer.

Il était à la porte quand Meriet l'appela anxieusement.

— Frère Cadfael... ?

Et quand il se fut retourné :

— Savez-vous ce qu'on va faire de moi après ?

— On ne te renverra pas de toute manière, répondit Cadfael, qui ne vit aucune raison de lui cacher les projets qu'on avait pour lui.

Il semblait bien que rien n'avait changé. Meriet fut calmé, rassuré, satisfait d'apprendre qu'il n'était pas question de le bannir de l'endroit qu'il avait choisi. C'était tout ce qu'il voulait entendre. Mais cela ne le rendit pas heureux.

Cadfael s'éloigna, découragé, et se montra bourru jusqu'à la fin de la journée avec tous ceux qui l'abordèrent.

CHAPITRE VII

Hugh revint bredouille des tourbières du Sud. Quand il fut de retour chez lui, il envoya une invitation à Cadfael, le priant à dîner pour le soir même. Cadfael avait un droit imprescriptible à ces visites occasionnelles puisque Gilles Beringar, qui était maintenant âgé de neuf mois, était son filleul, et qu'un parrain qui se respecte se doit de veiller au bien-être et aux progrès de celui dont il a la charge. Il n'était pas question de mettre en doute la parfaite condition physique et l'énergie inépuisable de ce charmant bambin, mais Hugh avait parfois des doutes sur ses tendances morales et, comme la plupart des pères, il détaillait les ingénieuses diableries de son fils avec un orgueil mêlé de respect.

Aline, ayant donné à ses hommes nourriture et boisson et ayant observé d'un œil exercé que son fils battait des paupières, le sortit en vitesse de la pièce et le confia à Constance, qui était l'esclave dévouée de l'enfant après avoir été la servante et l'amie fidèle de la mère depuis leur plus jeune âge. Hugh et Cadfael restèrent donc seuls un moment pour échanger les informations dont ils disposaient et qui se révélèrent fort minces.

— Les hommes des tourbières sont absolument sûrs qu'aucun d'entre eux n'a vu ne serait-ce que l'ombre d'un étranger, victime ou malfaiteur. Seulement, il n'y a pas à en sortir, le cheval est arrivé là-bas et l'homme ne devait pas être très loin derrière. Je persiste à croire qu'il est quelque part dans ces fichues tourbières et qu'on a bien peu de chances de le revoir ou d'entendre jamais parler de lui. J'ai envoyé quelqu'un au chanoine Eluard pour essayer de savoir ce que son messager avait sur lui. J'imagine qu'il était élégamment vêtu et qu'il avait l'habitude de porter des bijoux. Il n'en faut pas plus pour tenter un voleur de grand chemin. Mais si c'est ce qui s'est passé, le bandit en question venait sûrement du nord et sans doute pour la première fois. Nos recherches ont peut-être servi à décourager d'autres maraudeurs de s'aventurer de nouveau dans les parages. Au moins pour le moment. Il n'y a pas eu d'autres victimes de mauvaises rencontres dans le coin. Et, en vérité, qui ne risque pas sa vie en traversant les tourbières ? Il est indispensable de savoir où passer sans danger. Pour moi, il n'y a aucun doute : c'est ce qui est arrivé à Peter Clemence. J'ai laissé un sergent et deux hommes sur place, et les indigènes aussi ouvrent l'œil pour nous.

Cadfael ne pouvait qu'être d'accord. C'était l'explication la plus vraisemblable.

— Et cependant... vous savez comme moi que quand deux événements se succèdent, il ne s'ensuit pas nécessairement que le second découle du premier. Oui, mais l'esprit est ainsi fait qu'il ne peut s'empêcher d'établir un lien de cause à effet. Or il est bien arrivé deux choses aussi inattendues l'une que l'autre. Peter Clemence est venu et il est reparti — car il est bien reparti, pas moins de quatre personnes l'ont accompagné un bout de chemin pour lui dire cordialement au revoir — et, deux jours plus tard, le fils cadet de la maison déclare son intention d'entrer dans les ordres. En tout état de cause, ça n'a aucun rapport, mais je n'arrive pas à dissocier ces deux faits.

— Qu'est-ce que vous essayez de me faire entendre ?

114

demanda paisiblement Hugh. Que le garçon a peut-être quelque chose à voir dans la mort de cet homme et qu'il a voulu se réfugier dans un cloître ?

— Non ! répliqua Cadfael sans la moindre hésitation. Impossible de vous dire à quoi je pense, car pour le moment je ne vois que brouillard et confusion, mais quoi qu'il y ait derrière ce brouillard, je suis sûr que ça n'est pas ça. Je ne me risquerai pas à m'efforcer de deviner ses mobiles, mais je ne peux croire qu'il s'agisse de ce genre de chose.

Tout en parlant, et il n'avait pas le moindre doute là-dessus, il revoyait frère Wolstan, étendu tout sanglant dans l'herbe du verger, et le visage de Meriet se figer en un masque d'horreur.

— C'est bien joli, tout ça, et notez que j'ai toute confiance en ce que vous dites, mais j'aimerais bien garder ce curieux jeune homme à portée de la main, une main que je pourrais refermer à tout moment si le besoin s'en faisait sentir, dit Hugh sans ambages. Et vous m'apprenez qu'il doit aller à Saint-Gilles ? A l'orée même de la ville, tout près des landes et des bois !

— Ne vous mettez pas en peine, s'écria Cadfael, il ne s'enfuira pas. Il n'a nulle part où aller, car, qu'on le veuille ou non, il est vraiment fâché avec son père qui refusera de le reprendre chez lui. Mais surtout, il ne s'enfuira pas parce qu'il n'en a aucune envie. La seule chose qu'il brûle de faire sans attendre est de prononcer ses vœux définitifs, d'en finir avec tout ça, et de s'engager irrémédiablement.

— Ah bon ! c'est ça qu'il veut ? La prison à vie ? Sans espoir de retour ? s'étonna Hugh, penchant sur le côté sa tête brune, et esquissant un sourire triste et affectueux.

— Exactement, sans espoir de retour, soupira Cadfael. D'après ce que jai vu, il n'y a pour lui aucun moyen de s'échapper.

A la fin de son temps de pénitence, Meriet sortit de sa cellule. La lumière, pourtant tamisée de ce matin de novembre, lui fit cligner des yeux. Il fut présenté au chapitre, confronté à des visages austères et impassibles pour demander pardon de ses offenses et reconnaître qu'il avait mérité son châtiment. Au grand soulagement et à l'admiration de Cadfael il s'exécuta d'une façon parfaitement calme, digne, et d'une voix égale. La nourriture frugale qui lui avait été attribuée l'avait fait maigrir, et la douce couleur cuivrée de sa peau, due au soleil de l'été et qu'il avait à son arrivée, s'était muée en une teinte ivoirine, car il était naturellement assez pâle, sauf quand il se mettait en colère. A présent, il semblait de bonne composition, à moins qu'il n'ait si bien appris à se retirer en lui-même que la curiosité, la critique ou l'animosité ne parvenaient plus à le faire sortir de ses gonds.

— Je désire savoir ce que l'on attend de moi de façon à pouvoir m'y plier, dit-il. Je suis ici pour que l'on dispose de moi au mieux de mes capacités.

Enfin, une chose était sûre : il ne parlait pas à tort et à travers, car il n'avait laissé entendre à personne, pas même à frère Paul, que Cadfael lui avait dit à quoi il devait s'attendre. A en croire Isouda, il avait appris peu à peu à ne se fier qu'à son propre jugement depuis qu'il avait commencé à grandir, peut-être même avant, quand il avait commencé à souffrir dans son cœur d'enfant de se savoir moins aimé que Nigel. Ce chagrin l'avait poussé à faire les quatre cents coups afin que ceux qui le sous-estimaient lui accordent un peu plus d'attention. Évidemment, il n'avait réussi qu'à se rendre encore plus insupportable, encore moins digne d'affection.

« Et j'ai osé lui reprocher d'avoir succombé à la première souffrance, songea Cadfael avec remords, alors que toute la première moitié de sa vie n'a été que souffrance cuisante ! »

L'abbé fit preuve d'une bonté austère, reléguant

dans l'oubli les erreurs payées et expliquant au pénitent ce qu'on avait prévu pour lui.

— Vous resterez avec nous ce matin, annonça Radulphe, et vous prendrez votre repas de midi au réfectoire, parmi vos frères. Cet après-midi, frère Cadfael vous emmènera à l'hospice de Saint-Gilles, puisque lui-même doit s'y rendre pour ravitailler l'apothicaire.

Cela Cadfael l'ignorait encore, trois jours auparavant, mais c'était une heureuse indication quant à l'intérêt que l'abbé prenait à la chose. On ne signifiait pas au moine qui s'était intéressé de si près à ce jeune novice aussi troublé que troublant qu'il n'était pas question de poursuivre sa surveillance.

Au début de l'après-midi, ils sortirent par le portail, côte à côte, et se fondirent dans le trafic quotidien ordinaire de la grand-route, le long de la Première Enceinte. Il n'y avait guère d'agitation en cette douce journée de novembre, humide et mélancolique, mais toute activité humaine n'avait pas disparu, un gamin rentrait chez lui en gambadant, un chien sur les talons, un charretier amenait vers la ville un chargement de bois de taille, un vieillard s'appuyait sur son bâton, deux solides ménagères de la Première Enceinte revenaient vers Shrewsbury d'un bon pas, un des officiers de Hugh enfin se dirigeait vers le pont au petit trot tranquille de son cheval. Après les dix jours qu'il avait passés entre quatre murs de pierre à la lumière insuffisante d'une bougie, Meriet ouvrait de grands yeux sur tout ce qui l'entourait. Son visage était empreint d'un calme solennel, mais il dévorait avidement du regard les couleurs et le mouvement. Il y avait un demi-mile à peine entre le portail de l'abbaye et l'hospice de Saint-Gilles ; une fois passé le grand terrain de la foire aux chevaux on suivait une route droite qui longeait la Première Enceinte, puis les arbres et les jardins se faisaient plus nombreux, et l'on arrivait en pleine campagne. Bientôt le toit bas de l'hospice apparut avec la tour trapue de sa chapelle au sommet d'une petite éminence, à gauche de la grand-route, près d'une bifurcation.

Meriet examina les lieux tandis qu'ils s'approchaient, manifestant un intérêt certain mais dénué d'inquiétude. Il s'agissait simplement de l'endroit où on l'envoyait travailler.

— Combien de malades peut-on loger là-dedans ?

— On peut en accueillir jusqu'à vingt-cinq à la fois, mais c'est variable, certains d'entre eux vont de lazaret en lazaret, et ne restent jamais très longtemps au même endroit. D'autres, quand ils arrivent, sont trop malades pour aller plus loin. La mort diminue aussi leur nombre, mais il y a les nouveaux arrivants qui remplissent les vides. Tu n'as pas peur de l'infection ?

Meriet répondit « non » avec une telle indifférence que c'était presque comme s'il avait dit : « Je ne vois vraiment pas en quoi la maladie pourrait représenter une menace pour moi. »

— Votre frère Mark est responsable de tout ? se contenta-t-il de demander.

— Il y a un supérieur laïc, qui habite la Première Enceinte ; c'est un brave homme et un administrateur capable. Il y a aussi deux autres aides. Mais Mark s'occupe des patients. Tu pourras lui donner un coup de main, si tu y tiens, fit Cadfael, il est à peine plus âgé que toi, et il appréciera sûrement beaucoup ta compagnie. C'était mon bras droit et mon réconfort à l'herbarium, jusqu'à ce qu'il éprouve le besoin de venir ici et de se dévouer pour les malades et les chiens perdus. Je doute qu'il revienne jamais près de moi, car il a toujours quelqu'un ici qu'il ne peut abandonner, et qui, s'il s'en va, est remplacé par quelqu'un d'autre.

Il s'abstint prudemment de faire un éloge trop appuyé de son disciple favori ; mais cependant, quand ils eurent gravi la pente douce qui surélevait l'hôpital par rapport à la grand-route, franchi la palissade de roseau et le porche bas, Meriet découvrit avec surprise

118

frère Mark assis à son petit bureau à l'intérieur du bâtiment. Il faisait sa comptabilité et son grand front se plissait, tandis qu'il formait silencieusement ses chiffres avec ses lèvres au fur et à mesure qu'il les notait sur son morceau de vélin. Sa plume aurait eu besoin d'un bon coup de canif, il s'était arrangé pour se mettre de l'encre plein les doigts et en fourrageant dans sa tignasse hirsute d'un blond très pâle, il s'était aussi mis de l'encre sur les sourcils et le sommet du crâne. Il était petit, très mince, et son visage était très ordinaire. Lui aussi s'était trouvé livré à lui-même dès l'enfance. Quand ils passèrent la porte, il leva la tête et leur adressa un sourire d'une si désarmante douceur que Meriet qui se tenait soigneusement sur son quant-à-soi éprouva malgré lui un émerveillement candide, cependant que Cadfael faisait les présentations. Ainsi, ce petit bonhomme frêle, maigre comme un coucou, et un coucou affamé de surcroît, avait sous sa responsabilité au moins une vingtaine de malades, d'infirmes, de pauvres et autres vieillards dévorés de vermine !

— Je t'ai amené Frère Meriet, en même temps que cette besace pleine de remèdes, dit Cadfael. Il va rester un moment avec toi pour apprendre à travailler ici ; tu peux compter sur lui, il fera tout ce que tu lui demanderas. Trouve-lui donc un coin où dormir pendant que je remplis ton placard. Ensuite tu me diras si tu as besoin d'autre chose.

Il connaissait bien les lieux. Il laissa les deux jeunes gens s'étudier et chercher leurs mots sans hâte. Quant à lui, il alla déballer ses médicaments et regarnir les étagères. Il avait tout son temps ; il y avait quelque chose entre ces deux-là, aussi différents qu'ils puissent être — l'un était le fils d'un châtelain, qui possédait deux manoirs, et l'autre, orphelin, était d'origine paysanne —, qui lui avait soudain fait comprendre à quel point ils étaient proches. L'un comme l'autre avaient été méprisés et abandonnés à eux-mêmes, ils avaient en gros le même âge ; et avec cette chaleur et cette humilité chez l'un, cette générosité impulsive et passionnée chez l'autre, il ne voyait guère comment ils pourraient ne pas s'entendre.

Quand il eut vidé sa besace et noté ce qui n'avait pas encore été remplacé sur les étagères, il alla retrouver les jeunes gens, qu'il suivit d'assez près cependant que Mark montrait à son nouvel assistant l'hospice, la chapelle, le cimetière, et le petit verger abrité à l'arrière où les plus valides restaient assis pendant la plus grande partie de la journée afin de respirer le bon air. La maison était remplie d'indigents dépourvus de tout, hommes, femmes, enfants abandonnés ou orphelins, marqués par des maladies de peau, qu'un accident, la lèpre ou une infinité de maux avait rendus infirmes, il y avait aussi un certain nombre de mendiants dont la santé était assez bonne et à qui manquait seulement des terres, un métier, une place dans les ordres, les moyens de gagner leur pain. Cadfael se fit la réflexion que les choses se passent mieux au pays de Galles, non pas du fait des organisations charitables, mais grâce aux liens familiaux. Si un homme a une famille, personne n'a le droit de l'en séparer. Elle le reconnaît comme sien et l'aide. Jamais elle ne le laissera devenir un paria ou mourir dans le besoin. Cependant, même au pays de Galles, l'étranger, qui n'appartient pas au clan, se retrouve seul pour affronter les difficultés.

Il en allait ainsi pour les serfs en fuite, comme pour les colons dépossédés, et les ouvriers infirmes dont on se débarrasse quand ils ne peuvent plus travailler, et pour ces pauvres femmes humiliées, avec parfois des enfants traînant dans leurs jupes, et dont le père est loin, parfois blotti à six pieds sous terre.

Il les laissa à leurs occupations, et s'en alla tranquillement avec sa besace vide et sa foi renforcée. Inutile pour le moment de toucher un mot à Mark des antécédents de son nouveau compagnon, qu'ils essaient d'abord de se rejoindre dans un amour fraternel, si l'expression n'était pas totalement dénuée de sens. Que chacun se fasse d'abord une idée, sans aucun préjugé, sans sollicitation et, d'ici une semaine, on apprendrait peut-être quelque chose de positif sur Meriet, une information qui ne serait pas dictée par la pitié.

Quand il se retourna pour la dernière fois, il les vit dans le petit verger près des enfants qui jouaient, il y en avait quatre qui pouvaient courir, un autre qui sautillait sur une béquille, un autre enfin qui, à neuf ans, marchait à quatre pattes comme un petit chien, il avait perdu tous ses orteils à la suite d'une gangrène car, au cours d'un hiver rigoureux, il était resté dehors par un froid intense. Tout en faisant visiter l'endroit à Meriet, Mark tenait le plus petit par la main. Meriet n'était pas encore armé contre l'horreur, mais au moins elle ne lui répugnait pas. Il se pencha pour tendre la main au petit garçon, tournant autour de lui, s'apercevant qu'il était incapable de se soulever et qu'il ne faisait donc aucun effort dans ce sens. Sans essayer de le relever de force, Meriet se baissa soudain pour se mettre à son niveau, et resta accroupi, bouleversé, attentif, disponible.

C'était suffisant. Cadfael s'en alla satisfait de les laisser ensemble.

Il leur accorda quelques jours pour se débrouiller seuls, et puis il s'arrangea pour avoir un entretien avec frère Mark en prétextant qu'il devait aller voir un des mendiants qui souffrait d'un ulcère persistant. Il ne parla pas du tout de Meriet avant que Mark n'accompagne Cadfael au portail et ne fasse un bout de chemin avec lui en direction du mur de l'abbaye.

— Comment ton nouvel assistant se comporte-t-il ? demanda Cadfael, mine de rien, comme s'il s'était agi de n'importe quel autre débutant confronté à ces pénibles tâches.

— Très bien, s'écria Mark, en toute innocence. Si je le laissais faire, il travaillerait jusqu'à ce qu'il s'écroule.

(Ce qui n'avait rien d'étonnant, c'est une manière d'oublier ce à quoi on ne peut échapper.)

— Il est très gentil avec les enfants, qui le suivent partout et le prennent par la main dès qu'ils en ont l'occasion.

(Oui, ça non plus n'avait rien d'absurde. Les enfants ne lui poseraient pas de questions susceptibles de l'embarrasser, ils n'essaieraient pas non plus de voir s'il faisait le poids, à la manière des adultes. Non, ils lui accorderaient leur confiance et, s'ils l'appréciaient, s'attacheraient à lui. Il n'avait pas besoin d'être constamment sur ses gardes avec eux.)

— Les tâches les moins ragoûtantes, les infirmités les plus horribles ne le rebutent pas, poursuivit Mark, pourtant il n'y est pas habitué comme moi, et je sais qu'il en souffre.

— Il le faut, répliqua simplement Cadfael. S'il ne souffrait pas, il n'aurait nul besoin d'être ici, la seule charité ne suffit qu'à moitié à qui s'occupe des malades. Comment se conduit-il avec toi ? Lui arrive-t-il de te faire des confidences ?

— Jamais, dit Mark, avec un sourire, sans s'étonner qu'il en fût ainsi. Apparemment, il ne se sent pas le besoin de parler. Pas encore.

— Et toi, tu n'as rien envie de savoir à son sujet ?

— Je suis prêt à écouter tout ce que vous pensez que je *doive* savoir, l'assura Mark. Mais le plus important, il me semble que je le sais déjà, c'est-à-dire qu'il est par nature honnête et très droit, quelles que soient les difficultés graves qu'il ait pu rencontrer dans sa vie, de son propre chef ou du fait d'autres personnes — seulement, je voudrais qu'il soit plus heureux. J'aimerais tellement l'entendre rire.

— Bon, toi tu n'en as pas besoin, dit Cadfael, mais pour lui, voici ce que je sais et dont il vaudrait mieux que tu sois informé.

Et il lui raconta toute l'histoire.

— Ah, je comprends maintenant pourquoi il a tenu à installer sa paillasse au grenier, remarqua Mark quand il eut terminé. Il avait peur de troubler ou d'effrayer, dans son sommeil, ceux qui en ont déjà bien assez à supporter. Je me suis demandé si je n'allais pas l'accompagner, et puis je me suis dit qu'il valait mieux pas. Je savais bien qu'il devait avoir une bonne raison pour agir ainsi.

— Tu veux dire une bonne raison à tout ce qu'il fait ?
Cadfael était songeur.

— En tout cas, une bonne raison pour lui. Mais il pourrait bien manquer parfois de sagesse, reconnut Mark très sérieusement.

Frère Mark ne souffla mot à Meriet de ce qu'il avait appris, il n'essaya certainement pas de le rejoindre dans son exil volontaire au grenier au-dessus de la grange et s'abstint de tout commentaire sur un tel choix ; mais, les trois nuits suivantes, il quitta fort discrètement son propre lit alors que tout reposait, et il alla à pas de loup dans la grange pour écouter ce qui s'y passait. Mais il n'y entendit rien d'autre que le souffle calme d'un homme paisiblement endormi, le bruit léger accompagnant les soupirs occasionnels de Meriet se retournant dans son sommeil. Il y eut peut-être des soupirs plus profonds, parfois, comme s'il cherchait à se défaire d'un poids trop lourd, mais pas de hurlement. A Saint-Gilles, Meriet allait se coucher épuisé et, jusqu'à un certain point, satisfait, et il dormait d'un sommeil sans rêves.

Parmi les nombreux bienfaiteurs de la léproserie, la couronne tenait un rôle essentiel grâce à ses dons à l'abbaye et aux dépendances abbatiales. Il y avait aussi d'autres seigneurs qui, certains jours, autorisaient à cueillir les fruits sauvages ou à ramasser du bois mort. Aux abords de la Forêt Longue, le lazaret avait le droit d'aller faire des corvées de bois, tant pour se chauffer que pour édifier des palissades ou tout autre usage domestique, quatre jours par an, un en octobre, un en novembre, un autre en décembre, quand le temps le permettait, un autre enfin en février ou mars pour regarnir les réserves mises à mal par l'hiver.

Meriet était à l'hospice depuis exactement trois semaines quand, le trois décembre, le temps fut assez doux pour permettre une expédition en forêt ; il y avait un beau soleil matinal et la terre était agréablement sèche et suffisamment confortable sous les pieds. Il n'avait pas plu pendant plusieurs jours, et ça ne durerait peut-être pas. C'était une journée idéale pour ramasser du bois mort, sans que l'humidité ne le rende trop lourd et même le bois de taille empilé ne serait pas une mauvaise affaire non plus, étant donné les circonstances. Frère Mark respira à fond et déclara ce jour férié en tout état de cause. On s'adjoignit deux charrettes à bras suffisamment légères, un certain nombre de cordes tissées pour lier les fagots, on embarqua un grand seau de cuir plein de nourriture et on réunit tous les pensionnaires capables de se promener en forêt à une allure raisonnable. Il y en avait d'autres qui auraient bien aimé venir, mais ils auraient trop peiné en route, et il fallut les laisser à la maison.

De Saint-Gilles, la grand-route descendait vers le sud et croisait à main gauche le chemin que Cadfael avait pris pour se rendre à Aspley. Un peu après cette bifurcation, ils prirent à droite, à travers les taillis espacés qui bordaient la route, le long d'une belle allée spacieuse où l'on pouvait tirer les charrettes sans difficulté. L'enfant qui avait perdu ses orteils suivait les ramasseurs dans une des deux charrettes. Il ne pesait pas bien lourd. Et il était si heureux que ça valait bien ce léger effort. Quand ils s'arrêtèrent dans une clairière pour ramasser leur bois, ils le déposèrent à un endroit adouci par l'herbe et le laissèrent jouer pendant qu'eux travaillaient.

Meriet, au départ, était aussi grave qu'à l'accoutumée, mais comme la matinée s'avançait, lui aussi sortit de sa réserve pour profiter du soleil. Il respirait l'air de la forêt, dont il arpentait le tapis de verdure, et il semblait s'épanouir, comme une pousse desséchée après la pluie, tirant son énergie de la terre. Il se montra infatigable, personne ne ramassa plus de belles branches sèches que lui ; c'est lui aussi qui lia et chargea le plus de fagots et le plus vite. Quand le groupe s'arrêta pour se rassasier et se désaltérer, vidant le seau de cuir, ils s'étaient bien enfoncés dans la forêt, là où ils savaient que le ramassage serait particulièrement fructueux. Meriet mangea son pain, son fromage et son oignon, but sa bière et s'étendit à même la terre, comme du lierre rampant ; le petit infirme reposait contre lui. Ainsi, profondément enfoncé dans les dernières hautes herbes, il évoquait une plante dont les bourgeons commençaient à apparaître, qui dormait encore de son sommeil hivernal mais que la nouvelle année réveillerait bientôt.

Ils ne s'étaient pas avancés dans le sous-bois depuis dix minutes, après leur sieste, que Meriet s'arrêta pour regarder autour de lui, les rayons obliques du soleil qui traversaient le feuillage et les rochers bas, couverts de lichens, dressés sur la droite.

— Ah, mais je sais où on est ! Quand j'ai eu mon premier poney, je n'étais pas censé m'éloigner de la maison au-delà de la grand-route, vers l'ouest, à plus forte raison aussi loin vers le sud-ouest, en pleine forêt. Il y avait un vieux charbonnier qui avait un fourneau quelque part par là, pas bien loin, en tout cas. On l'a trouvé mort dans sa cabane, il y a un peu plus d'un an, il n'avait pas de fils pour lui succéder, et personne n'a voulu vivre aussi seul que lui. Qui sait s'il n'a pas laissé une ou deux cordes de bois de chauffe en prévision de l'hiver, qu'il n'a pas pu utiliser ? Si on allait y jeter un coup d'œil, Mark ? On aura peut-être la main heureuse.

C'était la première fois qu'il se laissait aller à parler de son enfance, même s'il s'agissait d'un souvenir bien innocent, c'était aussi la première fois qu'il montrait un certain enthousiasme. Mark accepta volontiers cette suggestion.

— Tu pourras retrouver le chemin ? On a déjà un beau chargement mais rien ne nous empêche d'en laisser la majeure partie au bord de la route et de revenir quand on aura déchargé le reste. On a toute la journée.

— Il me semble bien que c'est par là, déclara Meriet qui se dirigea tout confiant, vers la gauche, entre les arbres en allongeant le pas de façon à précéder ses compagnons. Ils n'ont qu'à marcher à leur pas, ajouta-t-il. Je vais partir en avant pour retrouver l'endroit. C'était dans une espèce de clairière et les fagots devaient être sous abri...

Sa voix et sa silhouette ne tardèrent pas à s'effacer parmi les arbres. Ils le perdirent de vue pendant quelques minutes puis ils l'entendirent les appeler d'un cri où se distinguait presque une nuance de joie que Mark ne lui soupçonnait pas.

Il le rejoignit là où les arbres moins touffus laissaient place à une petite clairière de quarante à cinquante pas de diamètre, au sol de terre battue et couvert de vieilles cendres. Au bord, tout près d'eux, les ruines d'une cabane grossière faite de planches, de fougères et de terre s'affaissaient sur le cadre vide de la porte, et à l'autre bout de cette arène, s'élevait une pile de fagots entassés, qu'on avait abandonnés là et dont la base était en partie envahie par l'herbe et la mousse. Sur ce terrain, il y avait assez de place pour deux foyers d'environ cinq pas de diamètre chacun, les traces en étaient encore bien visibles à travers les herbes folles dont les audacieuses pousses vertes envahissaient jusqu'aux cercles de cendres froides. Après avoir servi pour la dernière fois, le foyer le plus proche avait été nettoyé et on n'avait pas empilé d'autres bois, mais le cercle le plus éloigné présentait encore tout un empilement de bûches à moitié brûlées qui malgré les assauts de la végétation, avait conservé sa forme et s'affaissait doucement.

— Il a édifié son tas de bois, puis il y a mis le feu, dit

126

Meriet, le regard fixe. Mais il n'a pas eu le temps d'en faire un autre pendant que celui-ci brûlait, comme il l'avait toujours fait, ni même de s'occuper de celui qu'il avait allumé. Tu vois, il a dû y avoir du vent après sa mort, mais il n'y avait personne à proximité pour surveiller quand le feu s'est déclaré. D'un côté, il n'y a plus que des cendres, regarde, et de l'autre ça a seulement brûlé superficiellement. On ne trouvera pas beaucoup de charbon par ici, mais il y aura peut-être de quoi remplir le seau. Et puis il nous a laissé une bonne provision de bois, et bien sec, par-dessus le marché.

— Je ne connais pas grand-chose à tout ça, répondit Mark, intrigué. Comment peut-on allumer un aussi grand tas de bois sans le brûler complètement, de façon à pouvoir le réutiliser ?

— On commence par faire un grand bûcher au milieu, et tout autour on entasse des branches sèches, jusqu'à ce que le feu soit construit. Ensuite, il faut le couvrir avec une couche propre de feuilles, d'herbes ou de fougères pour empêcher la terre ou les cendres qui volent de l'étouffer. Après, pour l'allumer, quand tout est prêt, on s'arrange pour laisser une cheminée dans laquelle on laisse tomber les premières braises, puis de bonnes branches sèches, jusqu'à ce que ça brûle bien. Puis, on couvre l'orifice, et ça se consume à merveille, tout doucement, parfois pendant dix jours d'affilée. Si le vent se lève, il faut surveiller sans cesse, car s'il pénètre, tout part en fumée en un clin d'œil. S'il y a du danger, il s'agit de boucher les orifices. Il n'y avait plus personne ici pour accomplir ces tâches.

Ceux qui marchaient plus lentement apparaissaient à travers les arbres — Meriet, suivi de près par Mark, les conduisit jusqu'au foyer, le long de la pente douce.

— Eh bien, dis donc, tu t'y connais vraiment bien, constata Mark, avec un sourire. Où as-tu pu en apprendre autant ?

— C'était un vieux bonhomme grincheux, on ne

l'aimait pas beaucoup, répondit Meriet, se dirigeant vers les fagots entassés, mais il n'était pas grincheux avec moi. Il fut un temps où je venais souvent ici, jusqu'au jour où je l'ai aidé à passer le râteau dans un foyer qui avait entièrement brûlé, et je suis rentré au château, sale comme un peigne. J'ai reçu une sacrée volée et on m'a interdit de remonter mon poney jusqu'à ce que je promette de ne plus m'aventurer aussi loin vers l'ouest. Ça fait un bout de temps, je devais avoir dans les neuf ans.

Il détailla du regard la pile de bois avec un orgueil mêlé de plaisir, et fit rouler à terre la bûche la plus haute, effrayant du même coup une dizaine de petits animaux qui filèrent se cacher.

Une des charrettes à bras, déjà bien remplie, était restée dans la clairière où la petite troupe s'était reposée à midi. Deux des ramasseurs les plus solides amenèrent la seconde entre les arbres et toute la compagnie, ravie, se jeta sur les bûches et commença à les charger.

— Il y a sûrement du bois à demi-brûlé dans cette pile, dit Meriet, et peut-être aussi du charbon, si on cherche bien.

Il alla vivement dans la cabane écroulée d'où il ressortit un grand râteau avec lequel il farfouilla dans le tas de bois tout cabossé, résultat du dernier feu.

— C'est drôle, constata-t-il, en levant la tête et en plissant le nez, il y a encore une vieille odeur de brûlé. Je n'aurais jamais cru qu'elle pût durer aussi longtemps.

C'était vrai ; on se serait cru parmi les traces d'un incendie de forêt sur lequel la pluie se serait abattue avant que le vent ne le sèche. Mark aussi en fut frappé et vint rejoindre Meriet qui commençait à passer son grand râteau dans la couche de terre et de feuilles sur le côté du monticule exposé au vent. L'odeur de terre humide du tas de feuilles leur monta au visage tandis que le râteau délogeait et faisait rouler des bûches à demi consumées. Mark passa de l'autre côté, là où le monticule s'était creusé en un amas de cendres grises, battu par les intempéries, et le vent avait chassé jusqu'aux arbres une fine pellicule de poussière. A cet endroit, l'odeur de brûlé était plus forte et s'élevait en vagues, chaque fois que Mark remuait les débris du pied. De côté, on aurait juré que les quelques feuilles qui restaient encore sur les arbres s'étaient flétries, comme sous le coup d'une chaleur intense.

— Meriet ! Viens vite !

Entendant Mark l'appeler d'une voix basse mais pressante, Meriet leva la tête, le râteau planté dans le sol. Surpris mais sans inquiétude, il contourna le tas de cendres pour aller rejoindre Mark, mais au lieu de lâcher son râteau, il le traîna derrière lui sur le tas de bûches à demi brûlées qui dégringolèrent joyeusement dans l'herbe recouverte de cendre. Mark se dit que c'était la première fois qu'il voyait son nouvel assistant presque heureux ; il pouvait laisser libre cours à son énergie ; il ne pensait plus qu'à son travail du moment et avait oublié ses propres soucis.

— Qu'est-ce qu'il y a ? Qu'est-ce que tu as vu ?

En tombant, les bûches calcinées se désintégrèrent, projetant un nuage de poussière ocre. Quelque chose roula aux pieds de Meriet, et il ne s'agissait pas de bois. Noirci, craquelé, tout sec, un vague morceau de cuir apparut ; il lui fallut du temps pour comprendre qu'il s'agissait d'une botte de cheval avec une boucle ternie pour l'attacher au-dessus du cou-de-pied, et de cette botte sortait quelque chose de long et de rigide où brillaient des lueurs d'ivoire très blanc à travers de vagues restes de tissu calciné.

Pendant un long moment, Meriet resta à regarder fixement le spectacle sans comprendre, ses lèvres formaient encore le dernier mot de sa question, et son visage demeurait animé et gai. Puis Mark fut, lui aussi témoin de ce changement violent, terrifiant que Cadfael avait observé naguère. Les yeux noisette semblèrent devenir vides et sombres, et le masque fragile qui exprimait la joie de vivre parut se contracter et se figer d'horreur. Il émit un gémissement presque inaudible, comme un homme à l'agonie qui se racle la gorge, fit un pas en arrière, comme s'il était ivre, tituba sur le sol inégal, et s'effondra dans l'herbe en se recroquevillant sur lui-même.

CHAPITRE VIII

Il n'essaya qu'un bref instant d'échapper à cette vision insoutenable en se cachant la tête dans ses bras et en s'efforçant de se soustraire au spectacle qu'il avait malgré lui sous les yeux. Il ne s'était pas évanoui. Au moment où Mark se précipita pour l'aider, sans un cri, pour éviter d'affoler ses ouailles, affairées à démanteler le tas de bois, il avait déjà relevé la tête et enfonçait les poings dans le sol, l'air buté, pour se remettre debout. Mark le soutint en l'entourant de son bras, car il tremblait encore, même quand il fut sur pied.

— Tu as vu, dis? Tu as vu? souffla-t-il.

Ce qui restait du tas à demi brûlé les séparait des ramasseurs, et personne ne regardait dans leur direction.

— Oui, j'ai vu. Je sais! Il faut les éloigner de là, murmura Mark. Laisse cette pile telle quelle. Ne touche à rien, laisse le charbon. Il faut simplement ranger le bois et commencer à nous mettre en route. Tu te sens d'attaque pour partir? Tu pourras te conduire comme d'ordinaire, et leur faire bonne figure?

— Oui, ne t'inquiète pas, dit Meriet, qui se contracta et essuya de sa manche son front couvert d'une sueur glacée. J'y arriverai! Mais Mark, si tu as vu ce que j'ai vu, il faut qu'on *sache*...

— Toi et moi, nous savons, mais ça ne nous

concerne plus. C'est maintenant à la justice d'intervenir, et il faut tout leur laisser en l'état. Arrête de regarder par là. Moi aussi, j'ai vu, peut-être plus que toi. Je sais ce qu'il y a là-dedans. Mais la première chose à faire est de ramener nos amis à la maison sans leur gâcher leur journée. Maintenant, viens, on va s'occuper de charger la charrette. T'en sens-tu capable ?

Pour toute réponse, Meriet fit jouer les muscles de ses épaules, inspira profondément et se dégagea avec décision du bras mince qui l'entourait encore.

— Je suis prêt ! s'exclama-t-il, avec un gros effort pour paraître aussi gai et efficace que quand il avait appelé tout le monde près du tas de bois.

Et il traversa la petite clairière au sol égal pour s'occuper avec une énergie farouche d'entasser les bûches dans la charrette.

Mark lui emboîta le pas, attentif et résistant à la tentation de contrevenir à l'ordre qu'il avait lui-même donné, il ne tourna pas une seule fois la tête vers ce qu'ils avaient découvert sous un linceul de cendres. Mais tout en travaillant il observa soigneusement le bord du foyer, où il avait remarqué quelques détails qui lui avaient donné à réfléchir. Et il garda pour lui ce qu'il s'apprêtait à dire à Meriet au moment où le râteau de celui-ci avait provoqué l'avalanche.

Ils se débarrassèrent de leur chargement dont ils firent une pile si haute qu'il n'y avait plus de place pour ramener le petit infirme sur la charrette. Meriet le prit sur son dos, jusqu'à ce que les bras minces de l'enfant qui le tenait par le cou se relâchent : il s'était endormi. Aussitôt, il le porta contre lui pour que l'enfant puisse laisser reposer sa tête aux cheveux d'un blond très pâle sur l'épaule du jeune homme, cette charge n'était pas bien lourde et lui faisait chaud au cœur. Le poids invisible qui l'accablait pesait bien plus lourd et avait le froid de la glace, songea Mark, qui l'observait un peu malgré lui. Mais apparemment, Meriet restait ferme comme un roc. Il avait un moment cédé à la panique, cela ne se reproduirait sûrement pas.

A Saint-Gilles, Meriet porta l'enfant à l'intérieur et revint aider à monter la charrette sur la pente douce de la grange, où on entasserait le bois sous les auvents bas, avant de le scier et de le débiter quand le besoin s'en ferait sentir.

— Bon, je vais à Shrewsbury, dit Mark après s'être assuré que tous ses poussins étaient bien rentrés au poulailler, éreintés, mais ravis du succès de leur escapade.

— D'accord, répondit Meriet sans se laisser distraire de son travail. Il faut que quelqu'un se charge d'avertir qui de droit.

— Tu restes avec eux. Je reviens dès que possible.

— Je sais. Tu peux compter sur moi. Ils se sentent bien. Ils ont eu une bonne journée.

Frère Mark hésita en arrivant à la loge du portier de l'abbaye, car son instinct le poussait naturellement à aller d'abord voir Cadfael.

Il était évident que, maintenant, c'était aux représentants de la justice royale dans le comté qu'il devait faire un rapport, et sans tarder, mais d'un autre côté c'était Cadfael qui lui avait confié Meriet et, en son for intérieur, il était sûr et certain que cette macabre découverte dans le tas de charbon avait un rapport avec Meriet. Le choc inévitable que ce dernier avait éprouvé semblait excessif, et sa façon d'essayer d'y échapper montrait qu'il s'était senti concerné. Il n'avait pas imaginé une seule seconde ce qui l'attendait, mais il n'y avait aucun doute : il avait compris tout de suite de quoi il s'agissait.

Cependant que Mark, qui n'avait pas bougé, se demandait toujours sur quel pied danser, Cadfael, qu'on avait envoyé avant vêpres assister un vieillard qui souffrait sérieusement de la poitrine, arriva derrière lui et lui frappa joyeusement sur l'épaule. Se retournant,

Mark constata que le Ciel lui accordait la grâce de lui permettre de trouver une réponse à ses doutes. Plein de reconnaissance, il attrapa le moine par la manche.

— Ah, Cadfael! Accompagnez-moi chez Hugh Beringar. On a découvert quelque chose d'horrible dans la Forêt Longue, quelque chose qui est indubitablement de son ressort. Je me demandais justement comment vous joindre. Meriet était avec moi — et d'une certaine manière, ça le concerne...

Cadfael le dévisagea intensément, le prit par le bras et l'emmena promptement vers la ville.

— Viens avec moi et garde ton souffle pour l'instant. Inutile de raconter deux fois la même chose. Je suis rentré plus tôt que prévu et j'ai encore une ou deux heures devant moi, si nécessaire, pour Meriet et pour toi.

Ils se présentèrent donc ensemble à la maison près de Sainte-Marie, où Hugh avait installé sa famille. Heureusement il était rentré chez lui pour souper, et il avait terminé son travail de la journée. Il leur réserva un accueil chaleureux et il eut la présence d'esprit de ne proposer à frère Mark ni siège ni rafraîchissement avant qu'il n'ait eu le loisir d'exposer ce qui l'inquiétait et tout ce qui pesait sur son cœur sensible. Ce qu'il fit très consciencieusement, sans considérations inutiles. Il décrivit chaque fait en détail, l'un après l'autre, comme s'il choisissait des pierres sûres pour traverser une rivière dangereuse.

— Je lui avais demandé de venir car j'avais remarqué que, du côté du feu où je me trouvais, là où il avait complètement brûlé, le vent avait répandu des cendres fines jusque dans les arbres et que les branches les plus proches avaient été léchées par les flammes qui avaient flétri les feuilles. C'est ça que je voulais lui signaler parce que ce feu était tout récent. Il s'agissait de feuilles de l'année sans aucun doute, et si la cendre était encore grise, elle ne devait pas être bien vieille. Il n'a pas hésité à me rejoindre, mais il avait toujours son râteau et il le traînait derrière lui pour décapiter la pile, là où tout n'était pas parti en fumée. Il a fait rouler à terre du bois et des feuilles et tout s'est répandu à nos pieds, entre nous.

— Vous avez donc tout vu, remarqua Hugh doucement. Je vous écoute.

— C'était une botte de cheval, très élégante, dit Mark avec conviction, que le feu avait racornie et séchée. Mais elle était encore reconnaissable. Et dedans il y avait un tibia humain, dans les cendres d'un haut-de-chausses.

— En êtes-vous absolument sûr ? insista Hugh, l'observant avec sympathie.

— Certes oui. J'ai même aperçu l'articulation du genou sous la pile de bois là où elle s'était séparée du tibia, affirma Mark, très pâle, mais calme. Le feu s'est déclaré de l'autre côté, attisé par un vent violent, mais il l'a, si l'on peut dire, laissé intact, afin qu'il soit possible de l'enterrer chrétiennement. Nous pourrons au moins recueillir ses restes.

— Nous le ferons, très respectueusement, dit Hugh, si ce que vous dites est vrai. Continuez, vous avez encore des choses à nous dire. Frère Meriet a vu la même chose que vous. Et ensuite ?

— Ça lui a causé un véritable choc. Il nous a raconté qu'il était venu là enfant et qu'il avait souvent aidé le vieux charbonnier. Je suis persuadé qu'il ne se souvenait de rien de plus grave, quelques chose qu'il nous aurait caché. Je lui ai dit qu'il fallait d'abord ramener nos hôtes à la maison, sans les mettre au courant, et c'est ce qu'il a fait courageusement. Nous avons tout laissé en l'état ou, si on a dérangé quoi que ce soit, c'est involontairement. Demain matin, quand il fera clair, je vous emmènerai.

— Je crois plutôt que je demanderai ce service à Meriet Aspley, répliqua Hugh, très décidé. Bon, vous nous avez dit tout ce que vous savez. Alors maintenant, venez vous asseoir, vous allez manger quelque chose avec nous et on va discuter de tout ça.

Frère Mark accepta, heureux d'avoir soulagé sa conscience. Il accueillait avec reconnaissance la moindre marque de sympathie chez les plus humbles, mais il était tout aussi à l'aise chez les nobles car il n'avait jamais appris à être servile. Quand Aline lui apporta sa viande et sa boisson, sans oublier Cadfael, il montra simplement sa joie, comme les saints acceptent la charité, toujours étonnés et heureux, toujours sereins.

— Vous avez dit que vous aviez de bonnes raisons de croire, d'après l'état des cendres et les traces de feu sur les arbres, que cet incendie était récent et ne datait sûrement pas de l'an passé. C'est probable, mais avez-vous d'autres raisons de penser cela ?

— Certes, répondit Mark simplement, car bien que nous ayons eu la chance de rapporter toute une corde de bon bois de taille, il y avait encore non loin de là deux autres formes tout aplaties dans l'herbe, des taches plus vertes que celle que nous avons laissée, mais encore faciles à voir ; pour moi, elles ont dû apparaître quand on s'est servi du bois pour monter ce stère. Meriet m'a dit qu'il fallait laisser les bûches à l'air libre. Si elles étaient restées là plus d'un an, elles auraient peut-être trop séché pour qu'on puisse encore les utiliser. Il n'y avait personne pour surveiller les flammes, le bois trop sec a complètement brûlé et a provoqué une manière d'incendie. Vous en verrez les traces là où on avait entreposé le bois. Vous saurez mieux que moi dire depuis quand on l'a changé de place.

— Je n'en jurerais pas, répliqua Hugh avec un sourire, car votre esprit d'observation me semble excellent. Mais demain, nous aviserons. Il y a des gens capables d'être très précis dans ce domaine, en observant les insectes, les araignées et l'écorce le long du bois. En attendant, reposez-vous donc un moment, avant de repartir, car on ne peut rien faire de plus avant demain matin.

Frère Mark se rassit confortablement, soulagé, et, agréablement surpris, goûta le pâté de gibier qu'Aline lui avait apporté. Elle le croyait sous-alimenté, et à le voir si maigre, elle s'inquiéta à son sujet ; il est vrai qu'il sautait souvent un repas, par distraction, parce qu'il se souciait davantage de son prochain. Elle le soupçonna, à juste titre, de se conduire souvent en bon père de famille.

— Demain matin, je serai à Saint-Gilles tout de suite après prime, annonça Hugh, quand Mark se leva pour prendre congé et retourner s'occuper de ses ouailles. Vous pouvez dire à frère Meriet que j'aurai besoin de lui pour venir avec moi et me montrer l'endroit.

Normalement, cela ne devrait pas être de nature à troubler un innocent, puisqu'en définitive c'est à lui qu'on devait cette découverte, mais pour quelqu'un qui n'était pas entièrement innocent, ou qui tout au moins en savait peut-être un peu plus qu'il n'aurait dû, cela risquait de provoquer des cauchemars. Mark ne put rien trouver à redire à cette menace déguisée, car il devait bien reconnaître qu'il avait eu en gros les mêmes soupçons. Mais en partant il reprit de nouveau son argument le plus convaincant en faveur de Meriet.

— C'est lui qui nous a conduit à cet endroit, et pour les meilleures raisons du monde, il savait qu'on était à la recherche de combustible. S'il s'était douté de ce qu'on allait y trouver, il ne nous aurait pas permis d'en approcher.

— J'en tiendrai le plus grand compte, répondit gravement Hugh. Cependant, il me semble qu'il y avait quelque chose d'un peu anormal dans sa réaction quand il a découvert le cadavre, et vous vous en êtes rendu compte. Après tout vous avez pratiquement le même âge tous les deux, et votre expérience du crime et de la violence est aussi limitée que la sienne. Croyez-moi, je ne doute pas un instant que vous ayez été profondément troublé — mais pas comme lui toutefois. A supposer qu'il n'ait rien su de cet enterrement à la sauvette, cette découverte n'en a pas moins signifié pour lui quelque chose de plus, voire de plus inquiétant que pour vous. Admettons qu'il ait tout ignoré de la façon dont on s'était débarrassé du cadavre, ne pourrait-on, néanmoins, imaginer qu'il était au courant qu'il y avait un cadavre dont il était nécessaire de se défaire discrètement et qu'il a tout de suite compris de qui il s'agissait quand il l'a découvert?

— C'est possible, reconnut Mark. Il vous appartient de résoudre ce problème.

Sur ces mots, il prit congé et se mit en devoir, seul, de regagner Saint-Gilles.

— Allez donc savoir, dans l'état actuel des choses, qui peut bien être ce cadavre, dit Cadfael après le départ de Mark. Peut-être qu'il n'a rien à voir avec Meriet, Peter Clemence, ou le cheval qu'on a trouvé dans les tourbières. Un vivant qui disparaît, un cadavre qu'on trouve — il ne s'ensuit pas nécessairement qu'il s'agisse d'une seule et même personne. Il y a même toutes les raisons d'en douter. Voilà un cheval qu'on dégotte à plus de vingt miles au nord d'ici, une monture dont le cavalier a passé sa dernière nuit de repos a quatre miles au sud-est, et enfin ce foyer d'incendie, lui aussi à quatre miles d'ici, mais au sud-ouest. Je vous souhaite bien du plaisir pour raccorder tous ces éléments disparates et leur trouver un sens. Notre homme en quittant Aspley se dirigeait vers le nord, et, s'il y a une chose dont on est sûr, vu le nombre de témoins, c'est qu'il était bien vivant à ce moment-là. Alors voulez-vous me dire ce qu'il fabriquerait, à l'heure qu'il est, non pas au nord mais au sud d'Aspley? Quant au cheval il est à des miles au nord et, qui plus est, sur la route qu'il aurait dû prendre normalement, si l'on excepte un petit détour à la fin.

— Je ne sais pas, admit Hugh, mais je me sentirais

138

drôlement soulagé, s'il était avéré qu'il s'agissait d'un autre voyageur tué Dieu sait où par des voleurs, sans rien de commun avec Clemence qui, autant que je sache, doit reposer en ce moment au fond d'une tourbière. Mais avez-vous entendu parler de quelqu'un d'autre qui aurait disparu dans la région ? Autre chose, Cadfael, vous imaginez des voleurs qui ne lui prendraient pas ses bottes de cheval, pour ne rien dire de ses hauts-de-chausses ? Un homme nu n'a rien sur lui qui puisse profiter à ses assassins et rien non plus qui permette de l'identifier, deux excellentes raisons pour le dépouiller complètement. Ah, j'oubliais, il portait des bottes de cheval, ce qui veut dire qu'il ne devait pas avoir beaucoup à marcher ; quel homme normal les utiliserait à cet effet ?

Un cavalier sans cheval, un cheval sellé sans cavalier, était-ce chercher midi à quatorze heures que d'essayer de les mettre ensemble ?

— Inutile de se casser la tête, soupira Cadfael, avant que vous n'ayez été sur les lieux du crime et vu ce qu'il y a à y voir.

— *Nous,* mon vieil ami ! Je ne vous lâche pas, et je gage que l'abbé ne m'empêchera pas de vous prendre avec moi. Vous êtes bien plus savant que moi en matière de cadavre, vous savez depuis combien de temps ils sont morts, et de quoi. En outre, il voudra sûrement avoir un observateur pour tout ce qui concerne vos frères de Saint-Gilles, et personne mieux que vous ne saurait jouer ce rôle. Vous êtes déjà plongé dans cette histoire jusqu'au cou, alors maintenant, il va falloir vaincre ou mourir.

— Soit, par mortification ! dit Cadfael, non sans hypocrisie. Mais je me ferai une joie de vous accompagner. Quel que soit le démon qui s'est emparé du jeune Meriet, le mal a dû me gagner aussi, et il faut que je l'exorcise à tout prix.

Meriet les attendait quand ils passèrent le prendre le lendemain. Il y avait Hugh, Cadfael, un sergent et deux gens d'armes équipés de pics et de pioches et d'un tamis pour passer les cendres dans leur recherche d'os et d'indices. Dans la brume légère de ce matin paisible, Meriet observa tous ces préparatifs avec un calme absolu ; il était prêt à tout.

— Les outils sont toujours là-bas, dans la cabane, dit-il carrément. Mark vous aura sûrement dit que c'est là que j'ai trouvé le râteau — une fourche, c'est comme ça que le vieux l'appelait.

Il regarda Cadfael et les plis de sa bouche se détendirent très discrètement.

— Frère Mark m'a prévenu qu'on aurait peut-être besoin de moi. Je suis heureux que lui n'ait pas à y retourner, ajouta-t-il d'une voix tout aussi contrôlée que son visage.

Quoi qu'il arrive, on ne le prendrait pas par surprise.

On lui avait préparé un cheval, car le temps était précieux. Il sauta souplement en selle, c'était peut-être le seul plaisir que la journée lui apporterait, et il prit les devants pour guider les recherches. Il ne tourna pas la tête en passant devant la route qui menait chez lui, mais s'engagea dans l'autre sens, dans la grande allée et, en moins d'une demi-heure, il les amena à la petite clairière où avait vécu le charbonnier. Une brume légèrement bleuâtre montait de la terre, flottant doucement sur le bûcher détruit, quand Hugh et Cadfael firent le tour du foyer et s'arrêtèrent à l'endroit où, parmi les cendres, on avait découvert ce qui n'était pas une bûche.

La boucle ternie sur le cuir racorni était en argent. La botte qu'on voyait avait été aussi coûteuse que belle. Des fragments de tissu calcinés étaient encore attachés à l'os presque dénudé.

Hugh regarda depuis le pied jusqu'au genou et puis plus haut parmi le bois exposé, cherchant la rotule qui s'était détachée.

— Il devait être allongé comme ça, dans cette

direction. Celui qui l'a fourré là-dedans ne s'est pas servi d'un stère laissé à l'abandon, il en a construit un nouveau, et a mis le corps au milieu. Il s'agit de quelqu'un qui savait y faire, mais peut-être pas assez. Il conviendrait de fouiller dans tout ça attentivement. Cherchez donc dans la terre et les feuilles, dit-il à ses hommes. Mais quand on arrivera aux bûches, on les soulèvera une par une si elles sont entières. J'imagine qu'il ne reste pas beaucoup d'os, mais je veux le peu qui subsiste de lui.

Ils se mirent au travail, fouillant partout dans ce qui n'avait pas brûlé. Cadfael, lui, fit le tour du monticule pour voir la partie d'où le vent destructeur avait dû souffler. Très bas, au niveau du sol, un petit trou en forme de voûte apparut à la base du foyer. Il se baissa pour y regarder de plus près et passa la main parmi les feuilles qui l'obscurcissaient à moitié. Le creux continuait vers l'intérieur et il y pénétra jusqu'au coude. On l'avait fait en même temps que le foyer. Il se releva et alla rejoindre Hugh.

— Ils connaissaient la méthode, aucun doute là-dessus. On a laissé une ouverture du côté exposé au vent pour permettre une meilleure aération. Le bois était destiné à brûler complètement mais ils en ont trop fait. Ils ont dû couvrir l'ouverture jusqu'à ce que le feu soit bien parti, puis ils l'ont découverte et abandonnée telle quelle. Les flammes ont été trop violentes et le côté au vent n'a été que roussi alors que le reste s'est complètement consumé. Un bûcher pareil, il faut le surveiller nuit et jour.

Meriet se tenait à l'écart, près de l'endroit où l'on avait attaché les chevaux. Impassible, il observait les recherches. Il vit Hugh se rendre au bord de la clairière, là où l'on distinguait trois traces oblongues et pâlies dans l'herbe, indiquant l'endroit où on avait laissé le bois sécher. Deux d'entre elles étaient plus vertes que la troisième, comme Mark l'avait dit, là où l'herbe nouvelle était montée jusqu'à la lumière, en se superposant à celle de l'année passée. La dernière, qui avait donné toutes ses richesses aux hôtes de Saint-Gilles, était tout aplatie et d'un vert passé.

— Combien de temps faut-il pour que l'herbe arrive à une telle hauteur en cette saison ? demanda Hugh.

Cadfael réfléchit un moment, enfonçant le pied dans le tapis souple de l'herbe ancienne.

— Au moins huit à dix semaines. C'est difficile à dire. Et les cendres ont très bien pu rester là aussi longtemps. Mark avait vu juste. La chaleur est montée jusqu'aux arbres. Si le sol n'avait pas été aussi nu et aussi dur, le feu aurait pu les atteindre, mais il n'y avait pas assez de racines ni de détritus pour l'alimenter jusque-là.

Ils regagnèrent la couche de feuilles et de terre que l'on venait d'écarter ; les veines profondes des bûches apparaissaient ; bien que noircies elles avaient gardé leur forme. Le sergent et ses hommes reposèrent leurs outils pour se servir de leurs mains, soulevant les bûches une à une et les entassant là où elles ne gêneraient personne. Toujours silencieux et imperturbable, Meriet les regardait travailler lentement.

Après plus de deux heures d'efforts, le mort sortit de son cercueil de pièces et de morceaux. On l'avait déposé près de la cheminée centrale, du côté sous le vent, et le feu avait été si violent qu'à l'exception de quelques filaments tous ses vêtements avaient brûlé, mais il s'était propagé trop vite pour qu'il ne lui restât plus de chair sur les os, ni même de cheveux sur la tête. Ils écartèrent précautionneusement les débris de charbon et de bois à demi brûlé, mais ils ne purent garder le squelette intact. En s'écroulant, le tas de bois avait rompu les articulations qui s'étaient dispersées. Il leur fallut aligner les ossements du mieux possible. Ils les étendirent dans l'herbe jusqu'à ce qu'ils eussent reconstitué, non pas l'homme entier, mais presque tout, à l'exception des petits os des doigts et des poignets. On distinguait encore sur le crâne, au-dessus du visage

142

détruit et noirci, une vague trace de tonsure, entourée de quelques mèches de cheveux bruns, coupés court.

Il y avait encore d'autres choses à déposer près de lui. Le métal était très résistant. Les boucles d'argent de ses souliers, pour ternies qu'elles fussent, avaient gardé la forme qu'un bon artisan leur avait donnée. Il y avait la moitié toute tordue d'une ceinture en cuir ouvragé, avec une autre boucle d'argent aussi grande qu'élaborée et portant des traces d'incrustation d'argent dans le cuir. Il y avait aussi un morceau d'une chaîne d'argent brisée, maintenant ternie, d'où pendait une croix d'argent décorée, apparemment, de pierres dures, mais qui étaient à présent abimées par le feu et très encrassées. Un des gens d'armes, qui passait au tamis de la cendre fine près du corps, apporta pour qu'on l'examine une phalange et l'anneau qui ne tenait plus guère, car le feu avait dévoré la chair. Sur la bague, on remarquait une grosse pierre noire dont le dessin gravé, recouvert d'une épaisse couche de cendres, semblait représenter une croix décorative. Il y avait enfin, bien visible dans la cage thoracique effondrée et nettoyée par le feu, la tête de la flèche qui avait tué l'homme.

Hugh resta longtemps à regarder cette dépouille et ce qui avait causé sa mort. Le visage très sombre, il se tourna vers l'endroit où se tenait Meriet, raide et muet, près du bord de la fosse.

— Approchez-vous donc et venez voir si vous ne pouvez pas nous aider encore un peu ; en identifiant la victime par exemple. Allez, venez et dites-nous si vous le connaissez.

Meriet s'approcha, livide, jusqu'à l'endroit qu'on lui indiquait et regarda le macabre spectacle. Cadfael se recula de quelques pas, les yeux et les oreilles en alerte. Non seulement Hugh avait son travail à faire, mais ses nerfs avaient été mis à rude épreuve et il éprouvait une soif de revanche. Si sa façon de traiter Meriet ne manquait pas d'une certaine sauvagerie, il avait des excuses. Il ne restait plus guère de doute quant à l'identité du cadavre qu'ils avaient sous les yeux, et le lien qui l'unissait à Meriet se resserrait.

— Je vous ferai remarquer qu'il portait la tonsure, qu'il avait les cheveux bruns et que, pour autant qu'on puisse en juger, il devait être grand, ajouta-t-il avec une politesse froide. Quel âge lui donneriez-vous, Cadfael ?

— Il n'a aucune déformation due à la vieillesse. Il était sûrement jeune. Dans les trente ans, à première vue.

— Et il était prêtre, poursuivit Hugh, impitoyable.

— Avec l'anneau, la croix et la tonsure, aucune hésitation possible.

— Vous nous suivez dans notre raisonnement, frère Meriet ? A votre connaissance, quelqu'un correspondant à cette description a-t-il disparu dans les environs ?

Meriet continuait à fixer sans un mot les restes de ce qui avait été un homme. Dans son visage d'une pâleur d'ivoire, ses yeux s'ouvraient démesurément.

— Oui, oui, je vous suis. Je ne connais pas cet homme. Qui serait capable de le reconnaître ?

— Pas d'après son visage, je vous l'accorde. Par ses vêtements, peut-être. Cette croix, cet anneau, même ces boucles, vous vous les rappelleriez, si un prêtre d'environ cet âge-là, ainsi vêtu, vous avait été présenté ? Tenez, en tant qu'invité chez vous, par exemple ?

Meriet leva la tête, et un bref éclair de colère brilla dans ses prunelles.

— Je vous entends, répliqua-t-il. Nous avons bien reçu la visite d'un prêtre qui a passé la nuit au château de mon père, il y a quelques semaines, avant que je ne rentre à l'abbaye. Mais celui dont je vous parle est parti le lendemain matin et il se dirigeait vers le nord et non par ici. Comment pourrait-il se trouver là ? Et comment suis-je censé faire la différence entre un prêtre et un autre quand c'est tout ce qu'il en reste ? En seriez-vous capable ?

— Cette croix ne vous dit rien ? Ni cet anneau ? Si

144

vous êtes en mesure de me jurer qu'il ne s'agit pas de l'homme en question vous me rendriez un fier service, insinua Hugh.

— Je n'avais pas assez d'importance dans la maison de mon père pour qu'on me laissât approcher des hôtes de marque, dit Meriet d'un ton où l'amertume se mêlait à la froideur. Je me suis occupé de son cheval, je m'en suis déjà expliqué. Quant à ses bijoux, que voulez-vous que je vous dise ?

— Il y aura bien des gens qui sauront, riposta Hugh sévèrement. Pour ce qui est du cheval, j'ai vu de mes yeux en quelle amitié vous vous teniez mutuellement. Vous n'avez pas menti en affirmant que vous saviez vous y prendre avec les chevaux. S'il s'était révélé utile d'emmener cet animal à vingt miles du lieu où son cavalier a trouvé la mort, qui, mieux que vous, aurait pu s'en charger ? Monté ou tenu en main, il ne vous aurait causé aucun ennui.

— Je n'ai eu à m'occuper de lui qu'un soir et le matin suivant, rétorqua Meriet, et je ne l'ai revu que le jour où vous l'avez ramené à l'abbaye.

La colère lui était soudain montée au front, mais il gardait son sang-froid, et sa voix ne tremblait pas.

— Bon, essayons d'abord de savoir à qui on a affaire, soupira Hugh qui de nouveau fit le tour du monticule effondré en examinant de plus près la terre salie et piétinée dans l'espoir de découvrir encore un indice significatif.

Il considéra un moment ce qui restait de la ceinture de cuir qui avait entièrement brûlé, sauf la boucle ; le morceau calciné qui était encore visible était juste assez long pour atteindre la hanche gauche d'un homme.

— Cet individu, dont on ignore tout, portait une épée ou un poignard, voici la boucle du baudrier... un poignard, je dirais. Trop léger, trop élégant pour une épée. Mais où est-il passé ? Il devrait se trouver dans ce fouillis.

Ils repassèrent tout au crible une fois encore, mais ne

découvrirent ni métal ni vêtement. Quand il fut certain qu'ils ne tomberaient plus sur rien, Hugh rappela ses hommes. Ils déposèrent respectueusement les os qu'ils avaient exhumés, la croix et l'anneau dans un linge blanc et les ramenèrent à Saint-Gilles. Là, Meriet descendit de cheval mais resta sur place sans souffler mot pour savoir ce que le shérif-adjoint attendait de lui.

— Vous n'avez pas l'intention de quitter cet hospice ? demanda Hugh, le fixant d'un regard impartial. C'est votre abbé qui vous y a envoyé ?

— Oui, monsieur. A moins qu'on ne me rappelle à l'abbaye, je serai là, dit-il avec emphase, comme s'il voulait non seulement que la chose fût claire mais aussi insister sur le fait qu'il avait à son point de vue déjà prononcé ses vœux, et que donc, s'il restait, c'était autant par devoir que par sa propre volonté.

— Parfait ! Nous saurons où vous trouver en cas de besoin. Vous voilà libre de retourner à vos occupations, sous la haute autorité de votre abbé ; mais vous demeurerez aussi à ma disposition.

— C'était bien mon intention, messire.

Et s'inclinant, Meriet tourna les talons non sans une certaine dignité, pour remonter la pente douce menant au portail de la barrière de roseau.

— J'imagine que vous allez me battre froid pour avoir manqué de douceur envers votre protégé, soupira Hugh, en se dirigeant vers la Première Enceinte, accompagné de Cadfael. Je dois cependant reconnaître que vous avez admirablement su tenir votre langue.

— Pensez donc, rétorqua Cadfael, ça ne lui fait pas de mal de se faire tirer les oreilles. Et puis inutile de jouer les autruches, les soupçons se resserrent autour de lui comme des fils de la vierge sur les buissons en automne.

— *C'est* le corps de l'homme que nous cherchions, et il le sait très bien. Il l'a su dès qu'il a trouvé cette botte avec le pied à l'intérieur. Voilà ce qui lui a pratiquement fait perdre la tête et non le simple fait qu'un inconnu ait trouvé une mort horrible. Il n'ignorait pas — j'en suis à peu près sûr — que Peter Clemence était mort, tout comme je suis à peu près sûr qu'il n'avait aucune idée de la façon dont on s'était débarrassé du corps. Vous me suivez jusque-là ?

— Hélas oui, admit Cadfael, nous avons suivi le même raisonnement. Mais quelle ironie qu'il les conduise à cet endroit précis alors que, pour une fois, il ne pensait qu'à trouver de quoi aider ces malheureux à se chauffer cet hiver ! Un hiver qui ne doit pas être bien loin, si mon flair en ce domaine ne me trompe pas.

L'air, en effet, était devenu calme et froid, et le ciel, lourd de nuages plombés, pesait sur la terre. L'hiver avait pris son temps, mais maintenant il était tout proche.

— D'abord, il s'agit de trouver un nom à ce qui reste de cet homme, dit Hugh, revenant à ses préoccupations. Tout le monde l'a vu au manoir d'Aspley, pendant la soirée qu'ils ont passée avec lui. Ils doivent pouvoir reconnaître ces bijoux, même dans l'état où ils sont. Si je convoquais Léoric ici pour me parler de cette croix et de cet anneau, cela reviendrait à envoyer un chat parmi les pigeons. Quand passent les oies sauvages, on doit pouvoir récupérer une ou deux plumes.

— Possible, dit Cadfael très sérieux, n'empêche que je ne ferais pas ça. Inutile de donner la moindre indication à quiconque ; ne les alarmez pas. Moi, je me contenterais de leur révéler qu'on a découvert un cadavre. Si vous en dites trop, le coupable va se sauver et se mettre hors d'atteinte. S'il pense qu'il ne risque rien, il ne se méfiera pas. Vous n'avez pas oublié que le mariage de l'aîné a été fixé au vingt et un de ce mois et, deux jours avant, toute la tribu, les voisins, les amis et la suite se réuniront dans les salles de l'hôtellerie. Ce qui vous permettra d'avoir tout le monde sous la main. A ce moment nous serons peut-être en mesure de démêler le vrai du faux. Et quant à prouver qu'il s'agit bien de Peter Clemence — non pas que j'aie le moindre doute là-dessus — ne m'avez-vous pas dit que le chanoine Eluard a l'intention de repasser par ici, quand il descendra sur Lincoln tandis que le roi reviendra à Westminster ?

— Exact. C'est en effet ce qu'il a dit. Il est impatient d'avoir des nouvelles à donner à l'évêque à Winchester, mais je doute qu'elles lui fassent plaisir.

— Si Étienne a l'intention de passer Noël à Londres, le chanoine pourrait très bien être parmi nous avant l'arrivée de la noce. Il connaissait bien Clemence, ils étaient tous deux attachés à la personne de l'évêque. Il devrait être notre meilleur témoin.

— Deux semaines de plus ou de moins ne feront ni chaud ni froid à Peter Clemence à présent, acquiesça Hugh avec un sourire amer. Mais dites-moi, Cadfael, avez-vous remarqué ce qu'il y a de plus curieux dans cette histoire ? On ne lui a rien volé, tout a brûlé avec lui. Et pourtant il a fallu deux hommes au moins pour bâtir ce bûcher. On dirait que quelqu'un était là, qui avait autorité pour empêcher qu'on le dépouille. Et ceux à qui il commandait avaient suffisamment peur de lui, ou le respectaient tout au moins, plus qu'ils ne convoitaient la croix et l'anneau.

Il y avait du vrai là-dedans. Celui, quel qu'il fût, qui avait organisé les funérailles de Peter Clemence avait tout fait pour qu'on attribuât cette mort à des bandits ou à des voleurs de grands chemins. S'il avait espéré écarter ainsi les soupçons de sa famille ou de lui-même, eh bien, c'était raté. Cette scrupuleuse honnêteté avait eu plus d'importance à ses yeux que sa sécurité. Il était capable de tuer, s'il n'y avait pas d'autre solution, mais pas de dépouiller les défunts.

CHAPITRE IX

Le gel arriva cette nuit-là, annonçant une semaine de temps très rude. Il n'y eut pas de neige, mais un vent d'est mordant parcourut les collines, les oiseaux sauvages s'aventurèrent près des maisons des hommes pour se procurer un peu de nourriture et les renards aussi, quittant leurs bois, vinrent rôder à un mile de la ville. C'est aussi ce que fit un prédateur humain inconnu, qui avait volé une poule ou deux, échappées du poulailler, et s'était même risqué, à l'occasion, dans une cuisine pour y dérober une miche de pain. On commença à venir se plaindre au prévôt de la cité de larcins commis dans les magasins des jardins, hors les murs, et au château, on entendit parler de volailles mystérieusement envolées à la limite de la Première Enceinte, ce dont on ne pouvait accuser ni les renards ni les autres nuisibles. Un des forestiers de la Forêt Longue alla jusqu'à parler d'un cerf disparu le mois précédent et dont l'état, quand on le retrouva, prouvait que le maraudeur possédait un bon couteau. Le froid amenait donc un individu qui vivait comme un sauvage à se rapprocher de la ville, où il aurait une chance de passer ses nuits dans la chaleur relative d'une étable ou d'une grange, et non dans ces bois sinistres.

Le roi Étienne avait, cet automne-là, retenu auprès de lui son shérif du Shropshire, après les comptes ordinaires de la Saint-Michel, et l'avait emmené avec lui parmi ceux qui s'en allaient à Lincoln essayer de s'attirer les bonnes grâces du comte de Chester et de Guillaume de Roumare. Donc c'est à Hugh que revint le privilège de s'occuper de ce voleur de basse-cour et des autres infractions à l'ordre et à la justice royale.

— Voilà qui m'arrange ! s'exclama Hugh, cela me laisse toute latitude de me consacrer à l'affaire Clemence sans que l'on vienne s'en mêler.

Il se rendait bien compte qu'il n'aurait pas trop de temps pour la tirer au clair tout seul, car le roi entendait être rentré à Westminster pour Noël, et le shérif pourrait donc regagner son comté dans les prochains jours. Il semblait que les activités du sauvage se limitaient au bord oriental de la forêt, qui avait déjà éveillé l'intérêt de Hugh pour de tout autres raisons.

Dans un pays déchiré par la guerre civile, et par conséquent fort empêché de faire respecter la loi et l'ordre, on tenait pour responsable de ce qu'on ne pouvait expliquer les hors-la-loi qui avaient pris le maquis. Néanmoins, il faut reconnaître que les explications les plus simples sont parfois les meilleures. En l'occurrence, Hugh n'y croyait absolument pas. Il fut donc bien surpris quand un de ses sergents amena triomphalement dans les geôles du château le voleur qui avait si ingénieusement profité de la naïveté de certains habitants de la Première Enceinte. Non pas à cause du bonhomme en question, qui répondait très exactement à l'image qu'on pouvait se faire de lui, mais à cause du poignard et du fourreau qu'il portait et qu'on utilisa comme preuves de ses forfaits. Il y avait même des traces de sang séché, appartenant sans doute à quelque volaille infortunée, dans la rainure de la lame.

Il s'agissait d'un poignard très élégant, avec des pierres précieuses grossièrement taillées incrustées dans sa garde, mais qui la rendaient très agréable à tenir ; le fourreau métallique, recouvert de cuir ouvragé, avait été noirci et décoloré par le feu et, à partir de son extrémité, une bonne moitié du cuir manquait. Un morceau d'une fine courroie de cuir y demeurait encore. Hugh avait vu la boucle, ou une autre très semblable, à laquelle cette courroie aurait dû s'attacher.

Dans la pénombre du poste de garde, il indiqua d'un mouvement de tête l'antichambre de la grande salle.

— Amenez-le là-dedans, ordonna-t-il. Il y a un bon feu et un banc pour s'asseoir. Ôtez-lui ses chaînes, ajouta-t-il, après avoir jeté un coup d'œil à ce qui avait jadis été un homme solide. Qu'il s'installe près du feu. Surveillez-le, si vous voulez, mais je doute qu'il se montre bien dangereux.

Le prisonnier aurait pu être impressionnant si les privations n'avaient pas réduit presque à néant sa chair et ses muscles, ne lui laissant que sa puissante ossature. En outre, au plus fort de l'hiver il ne portait que des haillons. Il ne devait pas être bien vieux, ses yeux et sa tignasse blond pâle n'appartenaient pas à un homme âgé, et même s'il ne lui restait plus que la peau sur les os, ses mouvements dénotaient la vigueur de la jeunesse. Près du feu, où il se réchauffait après un froid intense, il reprenait vie et retrouvait presque son allure naturelle. Mais ses yeux bleus, dans son visage aux joues creuses, se posaient, terrorisés, sur Hugh. Il était comme un animal sauvage pris au piège et qui se raidit en attendant le trait qui le tuera. Il frottait sans cesse ses poignets, tout juste libérés de leurs chaînes.

— Comment t'appelles-tu ? demanda Hugh, si aimablement que le malheureux resta sans voix, craignant de comprendre ce que signifiait cette intonation.

— Eh bien, quel est ton nom ? répéta Hugh, patiemment.

— Harald, messire, je m'appelle Harald.

Avec sa grande carcasse, il avait une voix d'outre-tombe, profonde, mais sèche et lointaine. Il toussait, ce qui le forçait à s'interrompre péniblement. Il portait le nom d'un roi dont les anciens se souvenaient encore, et qui, comme lui, avait été blond.

— Dis-moi, Harald, où as-tu trouvé cet objet ? C'était l'arme d'un riche, tu le sais. Regarde comme elle est bien faite, et ce travail d'orfèvre. Alors, où l'as-tu trouvée ?

— Je ne l'ai pas volée, protesta le malheureux tout tremblant. Je le jure. On n'en voulait plus, on l'avait jetée...

— Où l'as-tu trouvée ? répéta Hugh, d'un ton plus sec.

— Dans la forêt, monsieur. Là où on brûle le charbon, répondit-il, décrivant en clignant des yeux l'endroit en détail, pour écarter de lui tout soupçon. Il y avait un feu éteint, je vais parfois y chercher du bois, mais j'avais peur de rester si près de la route. Le poignard traînait dans les cendres, on l'avait perdu ou jeté. Personne n'en voulait et, moi, j'avais besoin d'un couteau... Ce n'était pas du vol... Je n'ai jamais volé que pour ne pas mourir de faim, monsieur, je vous le jure ! s'écria-t-il, tremblant de peur, devant l'air impassible de Hugh.

Il n'était pas très doué comme voleur, par-dessus le marché, puisqu'il était à peine parvenu à survivre. Hugh le dévisagea, intéressé et détaché à la fois, et, non sans indulgence, s'enquit :

— Depuis combien de temps vis-tu comme ça ?

— A peu près quatre mois, monsieur. Mais je n'ai jamais fait de mal à personne, et je n'ai volé que de quoi manger. J'avais besoin d'un couteau pour chasser...

Qu'importe, le roi n'est pas à un cerf près, se dit Hugh. Ce pauvre diable en a plus besoin qu'Etienne, qui dans un de ses bons jours lui en aurait volontiers fait cadeau.

— C'est une vie de chien, en hiver, constata-t-il tout haut. Reste donc un peu ici, avec nous, Harald. Tu auras de la nourriture tous les jours, mais je ne garantis pas le gibier. Enfermez-le, ordonna-t-il au sergent. Donnez-lui des couvertures et veillez à ce qu'il ait à manger, mais pas trop au début, il pourrait bien succomber d'indigestion.

C'était déjà arrivé à d'autres misérables qui, l'hiver précédent, avaient fui le sac de Worcester. Affamés en route, ils s'étaient jeté sur la nourriture à la première occasion — et ils en étaient morts...

— Et traitez-le bien ! ordonna-t-il au sergent. Il est à bout de forces, et j'aurai besoin de lui. Compris ?

Le sergent se dit qu'il s'agissait du meurtrier qu'on recherchait, qu'il devait durer jusqu'à son procès afin d'être pendu dans les règles. Il grimaça un sourire et abattit sa lourde patte sur l'épaule maigrichonne de Harald.

— J'y veillerai, messire.

Prisonnier et geôlier s'éloignèrent d'un même pas. Harald, il s'agissait sûrement d'un vilain en fuite, allait se retrouver entre quatre murs, probablement à juste titre ; il serait plus au chaud qu'en forêt et il aurait ses trois repas par jour, peut-être pas gastronomiques, mais servis à domicile. C'était toujours ça.

Hugh termina son travail quotidien au château, puis s'en alla rejoindre Cadfael à son atelier ; son ami préparait un breuvage aromatique destiné à adoucir la gorge des vieillards dès l'arrivée des premiers froids. Hugh s'installa confortablement sur son banc favori et s'appuya contre le mur de bois. Il accepta une coupe du meilleur vin de Cadfael, celui qu'il réservait aux hôtes qu'il appréciait.

« Bon, nous avons notre assassin bien au chaud sous les verrous », annonça-t-il, impassible, et il raconta ce qui venait de se passer. Cadfael écoutait de toutes ses oreilles, bien qu'il semblât se concentrer totalement sur sa préparation.

— Sottise ! s'exclama-t-il enfin, méprisant, écartant du foyer sa mixture qui chauffait trop fort.

— Bien sûr, sottise, acquiesça Hugh, avec conviction. Un misérable qui n'a rien à se mettre sur le dos, complètement inconnu, qui tuerait un homme en lui laissant tous ses bijoux, pour ne pas parler de ses vêtements ? Ils devaient être à peu près de la même taille, il l'aurait complètement dépouillé de ses habits, trop heureux d'une pareille aubaine. Et il aurait fourré notre clerc dans ce bûcher qu'il aurait construit tout seul ? A supposer, pour commencer, qu'il y connaisse quelque chose, ce dont je doute... Non, c'est parfaitement invraisemblable. Il a trouvé ce poignard exactement comme il nous l'a dit. On a simplement affaire à un pauvre hère qu'un seigneur à la main trop lourde a poussé à s'enfuir. Et qui est trop froussard ou trop sûr que son patron ne lui laissera jamais la paix pour se risquer à venir chercher du travail en ville. Ça fait quatre mois qu'il vit dans ces conditions, en essayant de ne pas crever de faim.

— Vous ne devriez pas avoir de mal à en avoir le cœur net, dit Cadfael, toujours penché sur sa préparation, qui commençait cependant à chauffer moins fort dans son chaudron. Qu'attendez-vous de moi, au juste ?

— Mon bonhomme tousse, et il a une vilaine blessure à l'avant-bras, il a dû se faire mordre par un chien en fauchant une poule. Si vous veniez le soigner, vous pourriez essayer de le faire un peu raconter sa vie, d'où il vient, qui est son maître, ce qu'il fait ordinairement. On a toujours besoin de bons artisans, en ville, vous le savez ; on en a déjà embauché plusieurs et tout le monde y a trouvé son compte. Ce pourrait très bien être le cas avec lui.

— Avec le plus grand plaisir, répliqua Cadfael, se tournant vers son ami, qu'il fixa avec acuité. Mais lui, qu'a-t-il à vous offrir en échange de son gîte et de son couvert, voire même de bons vêtements, c'est-à-dire, si vous étiez de la même taille, ce qui selon vos dires n'est pas le cas ? Ma tête à couper que Peter Clemence avait une bonne main de plus que vous.

— Il n'y a guère de doute là-dessus, admit Hugh, avec un petit sourire en coin. Remarquez qu'en largeur j'en vaux bien deux comme lui, pour le moment. Enfin, vous jugerez par vous-même. Mais soyez gentil de chercher dans vos relations si personne n'aurait de vêtements usagés qui lui iraient. Maintenant, que peut-il faire pour moi ? D'abord ne pas mourir de faim, et puis mon sergent s'est déjà mis en tête, et il le raconte à qui veut bien l'entendre, qu'on a trouvé notre homme, et je suis tranquille, il n'oubliera pas de mentionner le poignard. Inutile donc d'effrayer ce pauvre diable plus que nécessaire, nos accusations suffisent largement. Mais si le bruit se répand à l'extérieur et d'une bouche autorisée que le meurtrier est sous les verrous, ce sera tant mieux. Tout le monde pourra respirer plus librement — y compris le meurtrier. Et comme vous dites, un homme qui ne se méfie pas peut commettre une erreur fatale.

Cadfael réfléchit un moment et approuva. C'était la solution idéale, un hors-la-loi, étranger de surcroît, dont personne ne se souciait, responsable d'un forfait commis sur le plan local. Et il restait encore une semaine avant l'arrivée des membres de la noce. Chacun aurait alors retrouvé sa tranquillité d'esprit.

— Quant à votre tête de mule, là-bas, à Saint-Gilles, complice ou non, il sait ce qui est arrivé à Peter Clemence, dit Hugh avec le plus grand sérieux.

— Il le sait, reconnut Cadfael, tout aussi sérieux, ou croit le savoir.

Ce même après-midi, il repassa par la ville pour se rendre au château, mandaté par l'abbé sur la requête de Hugh, afin de soigner prisonniers et criminels. Il trouva le jeune Harald dans une cellule au moins sèche, avec un banc de pierre pour s'étendre et des couvertures pour le rendre moins dur et se protéger du froid, attention qui venait sûrement de Hugh. En entendant la porte s'ouvrir, bruit qui troubla sa solitude, il fut pris d'une panique muette, mais l'arrivée de ce bénédictin l'apaisa et le surprit à la fois. Quand le moine lui demanda de lui montrer ses blessures, ce fut la stupéfaction complète, cependant il reprit espoir. Après avoir vécu longtemps dans une solitude où le son d'une voix ne pouvait que signifier une menace, le fugitif reconnaissant retrouva sa langue un peu maladroitement et finit par s'abandonner à un flot de paroles tels de longs sanglots, qui le vida et l'épuisa. Quand Cadfael le quitta, il s'allongea et tomba dans un grand sommeil noir.

— Notre homme, raconta Cadfael qui se rendit aussitôt chez Hugh, se prétend maréchal-ferrant et très compétent, qui plus est. Voilà qui a toutes les chances d'être vrai, c'est la seule source de fierté qui lui reste. Est-ce susceptible de vous intéresser ? J'ai pansé sa morsure avec de la lotion de langue-de-chien et j'ai aussi soigné les autres coupures et égratignures que j'ai vues. Il devrait s'en tirer sans dommage. Pendant un jour ou deux, donnez-lui souvent à manger, mais pas trop à la fois ; ou il va se rendre malade. Il vient du sud, quelque part vers Gretton. Il paraît que l'intendant de son seigneur a pris sa sœur contre sa volonté et qu'il a essayé de la venger. Mais il n'était pas très doué pour le meurtre et le ravisseur s'en est tiré avec une simple égratignure. Peut-être est-il meilleur maréchal que spadassin. Son maître voulait sa peau et il s'est sauvé. Qui pourrait lui en faire grief ?

— C'est un vilain ? demanda Hugh avec un soupir.

— Sans doute.

— Et recherché mort ou vif, probablement. Eh bien, ils en seront pour leurs frais s'ils le poursuivent jusqu'au château de Shrewsbury, où on peut le garder au chaud sans problème. Vous l'avez cru ?

— Au point où il en est, que gagnerait-il à mentir ? A supposer qu'il sache mentir, il m'a donné l'impression d'être quelqu'un de simple qui parle sincèrement. En outre, mon habit signifie quelque chose pour lui.

Nous avons encore notre réputation, Hugh, Dieu veuille que nous la méritions.

— Il est en prison certes, mais dans une ville libre, remarqua Hugh, avec satisfaction. Et celui qui voudrait venir le chercher ici, sur un domaine royal, ne manquerait pas de culot. Son maître n'a qu'à se dire qu'il a été arrêté pour meurtre, et grand bien lui fasse. On va répandre le bruit que le criminel a été pris, et on verra bien ce qui en sortira.

La nouvelle s'ébruita rapidement, de bouche à oreille, ceux qui habitaient en ville étaient très fiers d'en savoir plus que ceux du dehors et ceux qui venaient faire leur marché dans le centre ou sur la Première Enceinte rapportaient les informations dans les villages et les manoirs éloignés. Comme la disparition de Peter Clemence avait été colportée sur les ailes du vent, et comme on avait appris plus tard de la même façon que son corps avait été découvert en forêt, on murmura partout que son assassin avait déjà été découvert, et qu'il était en prison au château ; on l'avait trouvé en possession du poignard de la victime et accusé de l'avoir tuée. Il n'y avait plus lieu d'évoquer ce mystère dans les tavernes ou au coin des rues, et il n'y avait plus d'événements sensationnels à espérer. La ville dut se contenter de ce qu'elle avait, mais l'exploita au maximum. Quant aux manoirs isolés autant qu'éloignés, il leur fallut attendre une semaine ou plus avant que la nouvelle ne leur parvînt.

Le plus surprenant est que trois jours s'écoulèrent avant qu'elle n'atteignît Saint-Gilles. Isolé comme l'était l'hospice, puisque ses occupants n'avaient pas le droit de s'approcher de la ville, par crainte de la contagion, ces derniers semblaient pourtant toujours s'arranger pour avoir vent des derniers potins dès qu'on en parlait dans les rues. Cette fois, en revanche, le système fit long feu. Frère Cadfael, très inquiet, s'était longuement demandé l'effet que cette nouvelle serait susceptible de produire sur Meriet. Mais il n'y avait rien d'autre à faire que d'attendre et voir venir Il était inutile d'aller exprès raconter tout cela au jeune homme, il valait bien mieux laisser les commérages lui parvenir d'eux-mêmes et qu'il soit traité comme les autres.

Ce ne fut donc pas avant le troisième jour, quand deux serviteurs laïcs vinrent apporter à l'hôpital sa ration habituelle de pain en provenance de la boulangerie de l'abbaye, que Meriet eut l'occasion d'apprendre l'arrestation de Harald, assassin et vilain en rupture de ban. Par chance, ce fut lui qui reçut le grand panier et entreposa le pain au magasin avec l'aide des deux aides-boulangers, dont les bavardages compensèrent son silence.

— Vous allez avoir de plus en plus de vagabonds qui viendront s'abriter ici, mon frère, si ce froid s'installe pour de bon. Du grand gel et le retour du vent d'est, ça n'est pas un temps à mettre un chien dehors.

Meriet, poli mais laconique, reconnut que l'hiver ne rendait pas la vie facile aux pauvres.

— Remarquez qu'ils sont loin d'être tous honnêtes et méritants, ricana l'autre avec un haussement d'épaules. Qui sait qui vous recueillez parfois ? Les fripouilles, les vagabonds, ça n'est pas ça qui manque, et qui saura les distinguer des honnêtes gens ?

— Tiens, il y en a un qui aurait pu débarquer chez vous la semaine dernière et dont vous vous seriez volontiers passé, ajouta son camarade. Il aurait très bien pu vous couper la gorge pendant la nuit et se sauver avec vos valeurs. Mais maintenant, vous n'avez plus à vous faire de soucis, c'est déjà ça, car il est sous clé au château de Shrewsbury où il attend d'être jugé pour meurtre.

— Et pour avoir tué un prêtre, s'il vous plaît ! Il paiera ça de sa tête, d'accord, mais pour un prêtre, ce n'est pas cher payé.

Meriet se retourna, très attentif, et s'immobilisa, fixant les deux hommes d'un regard sombre.

— Il a tué un prêtre, dites-vous ? Quel prêtre ? Mais de qui parlez-vous, enfin ?

— Comment, vous ne connaissez pas la nouvelle ? Mais du chapelain de l'évêque de Winchester, qu'on a trouvé dans la Forêt Longue. Un sauvage qui volait dans les maisons des faubourgs de la ville l'a tué. C'est ça que je vous disais, avec l'hiver qui se fait plus rude maintenant, il aurait bien pu venir mendier à votre porte, tout tremblant, et, avec le poignard du prêtre, caché sous ses vêtements, il vous aurait saigné comme un poulet.

— Attendez, je ne vous suis pas, répondit lentement Meriet. Vous dites qu'un homme s'est fait prendre pour ce crime, qu'on l'a arrêté et accusé ?

— On l'a pris, accusé, mis sous les verrous, c'est comme s'il était déjà pendu, dit joyeusement son informateur. C'est de lui qu'il s'agissait et vous n'avez plus à vous faire de soucis, mon frère.

— Mais qui est cet homme ? Comment tout cela est-il arrivé ? insista Meriet.

Ils le lui apprirent à tour de rôle, puis en chœur, ravis de tomber sur quelqu'un qui ne connaissait rien de cette histoire.

— Il aurait perdu son temps à nier, car il avait sur lui le poignard de la victime. D'après lui il l'a trouvé sur le bûcher du charbonnier là-bas, et il faut dire que c'est une explication très vraisemblable.

— A quoi ressemble-t-il, ce garçon ? C'est quelqu'un d'ici ? Connaissez-vous son nom ? demanda Meriet d'une voix basse, le regard perdu au loin.

Non, ils ne le connaissaient pas, mais ils purent le décrire.

— Il ne vient pas de par ici, il s'était enfui et vivait dans les bois, à moitié mort de faim, il jure qu'il n'a jamais fait pire que de voler un peu de pain ou un œuf pour ne pas succomber à la famine, mais les forestiers prétendent qu'il a tué un cerf naguère. Il est maigre comme un clou, vêtu de haillons, c'est un cas désespéré...

Ils reprirent leur panier et s'en allèrent. Toute la journée Meriet vaqua à ses occupations dans un silence total et morne. Un cas désespéré — oui, ça en avait tout l'air. Et pratiquement la corde au cou! Un fuyard affamé, qui vivait comme un sauvage, et maigre à faire peur...

Il ne souffla mot à frère Mark, mais l'un des gamins, particulièrement malin et curieux, avait laissé traîner une oreille près de la porte de la cuisine et entendu la conversation, qu'il s'empressa de rapporter à toute la maisonnée avec un enthousiasme très naturel. Bien que fort protégée, la vie à Saint-Gilles était parfois ennuyeuse, et quand un événement sensationnel venait rompre la monotonie de l'existence, personne ne s'en portait plus mal. L'histoire arriva aux oreilles de frère Mark. Il se demanda s'il devait en parler ou non, tout en observant le visage figé, glacial de Meriet, son regard sans expression. A la fin, il décida de l'aborder.

— Tu as entendu, on a arrêté un homme pour l'assassinat de Peter Clemence.

— Oui, dit Meriet d'une voix sans timbre, et son regard noisette semblait le transpercer et fixer l'horizon.

— S'il n'est pas coupable, il ne lui arrivera rien de mal, déclara Mark avec conviction.

Mais Meriet n'avait rien à répondre, et Mark ne jugea pas utile d'ajouter quoi que ce fût. Cependant, à partir de ce moment, il étudia attentivement son ami, sans avoir trop l'air d'y toucher, et s'inquiéta de voir à quel point il s'était retiré en lui-même, comme si ce qu'il venait d'apprendre l'empoisonnait lentement.

Dans l'obscurité de la nuit, Mark ne put trouver le sommeil. A présent, il s'était écoulé un certain temps depuis qu'il était allé à pas de loup vers la grange, pour écouter attentivement au pied de l'escalier très raide qui menait au grenier, réconforté par le silence qui indiquait que Meriet reposait paisiblement. Cette nuit-là, il refit le même pèlerinage. Il ignorait la cause et la nature véritables de ce qui troublait Meriet, mais il savait que cela l'affectait au plus profond de lui-même. Il se leva calmement, sans faire de bruit pour ne pas déranger ses voisins, et se dirigea vers la grange.

Le froid paraissait moins intense, une atmosphère calme et légèrement brumeuse remplaçait l'éclat très net des étoiles lors des nuits précédentes. Dans le grenier, il devait faire relativement bon, et les odeurs familières de la paille, du bois et du grain flottaient dans l'air. Mais il régnait aussi une immense solitude pour le dormeur qui s'était privé de compagnons de peur de les effrayer dans son sommeil. Récemment encore, Mark s'était demandé s'il n'allait pas demander à Meriet de venir rejoindre ses semblables, démarche délicate car ce garçon ombrageux risquait de comprendre qu'on l'avait épié durant la nuit, même avec la meilleure intention du monde, et Mark n'était pas vraiment parvenu à se décider.

Il trouva son chemin dans l'obscurité complète jusqu'au pied de l'escalier abrupt, une véritable échelle sans garde-fou. Il resta là, retenant son souffle, respirant à pleins poumons l'odeur omniprésente du foin. Au-dessus de sa tête, régnait un silence trop profond, interrompu par d'imperceptibles mouvements. Il pensa d'abord que Meriet ne dormait pas paisiblement, qu'il se retournait pour trouver une position lui permettant de sombrer enfin dans le sommeil. Puis il se rendit compte que c'était la voix de son camarade qui lui parvenait, déformée par la distance, mais très reconnaissable. On ne distinguait pas ce qu'il disait, ou plutôt murmurait, mais qui n'en était pas moins terrible, car on le sentait déchiré entre deux besoins aussi exigeants l'un que l'autre. Comme une âme en peine tirée à quatre chevaux, et qui souffre le martyre. Et cependant

161

le son était si faible qu'il dut tendre l'oreille pour suivre.

Mark restait immobile, se demandant, désolé, s'il allait monter réveiller le dormeur, à supposer qu'il sommeillât, ou rester près de lui et refuser de le quitter s'il était éveillé. Il y a un temps pour ne s'occuper que de ses propres affaires et un temps pour foncer même dans des endroits interdits, bannière au vent, et exiger qu'on vous ouvre la porte. Seulement voilà, il ne savait pas si on en était à cette extrémité. Mark se mit à prier, non pas avec des mots mais comme s'il allumait un cierge en son cœur, telle une flamme qui s'élevait très haut pour porter ses pensées, entièrement consacrées à Meriet.

Au-dessus de lui, dans l'obscurité, il perçut un pas dans la balle fine de paille sèche comme une souris qui, la nuit venue, montre le bout de son nez. Là-haut, on marchait doucement. Dans la pénombre, à l'étage, qu'éclairait la lumière des étoiles, Mark, en levant la tête, vit la nuit bouger et onduler. Quelque chose de doux et pâle apparut dans l'ouverture de la trappe et chercha à tâtons le barreau supérieur de l'échelle ; un pied nu, bientôt suivi de son frère jumeau descendit. Une voix claire mais lointaine, qui sortait à grand-peine du plus profond de son corps, penché au sommet de l'escalier, se fit entendre.

— Non, je ne peux pas accepter une chose pareille.

Il se rapprochait car il avait besoin d'aide. Frère Mark eut un soupir de gratitude et chuchota, dans l'obscurité qui l'entourait :

— Meriet ! Je suis là !

Il avait parlé très bas, mais il n'en fallut pas plus.

Le pied qui cherchait un appui sur l'un des barreaux suivants hésita et se posa dans le vide. Il y eut un petit cri angoissé aussi faible que le gémissement d'un oiseau, puis plus réveillé, bien vivant, indigné, affolé. Le corps de Meriet glissa sur le côté, et s'affaissa à moitié dans les bras de Mark, qui les tendait à l'aveuglette, et à moitié sur le plancher de la grange avec un bruit sourd. Mark tenta désespérément de le retenir, déséquilibré par le poids de son compagnon, et le déposa à terre aussi doucement qu'il le put, palpant les membres emmêlés, aux muscles relâchés. Puis il y eut un grand silence seulement troublé par sa respiration haletante.

Très inquiet, il tâta le corps immobile, et posa son oreille contre sa poitrine pour vérifier si Meriet respirait, si le cœur battait normalement. Il toucha une joue lisse, une mèche épaisse de cheveux noirs et il sentit sous ses doigts, qu'il retira vivement, le contact chaud et poisseux du sang. « Meriet ! » s'exclama-t-il, mais en lui parlant à l'oreille, il comprit que son ami était trop loin pour l'entendre.

Mark courut chercher de l'aide et de la lumière, non sans prendre des précautions pour éviter de réveiller tout le dortoir, se contentant de tirer très doucement de leur sommeil deux de ses pensionnaires parmi les plus solides et les plus serviables. Comme ils dormaient près de la porte, il put leur demander de le suivre sans déranger les autres. A eux tous ils amenèrent une lanterne et examinèrent Meriet, étendu sur le plancher même de la grange. Il était toujours évanoui. Mark lui avait en partie évité un contact trop brutal avec le sol, mais sa tête avait porté contre le bord tranchant du dernier barreau et il avait une longue estafilade en travers de la tempe droite qui se perdait dans ses cheveux et saignait abondamment. En outre, sa cheville droite dessinait un angle bizarre.

— C'est ma faute, c'est ma faute ! murmurait Mark, profondément malheureux, essayant de voir s'il n'y avait rien de cassé. Je lui ai fait peur en le réveillant. Je ne savais pas qu'il dormait, je croyais qu'il descendait me rejoindre de son propre chef.

Meriet gisait, inconscient, et se laissait examiner sans réagir. Apparemment, il n'avait pas de fractures mais il pourrait bien y avoir des entorses, et sa blessure à la tête saignait d'une façon inquiétante. Pour le déplacer, aussi peu que ce fût, ils descendirent sa paillasse de la soupente, et l'installèrent au rez-de-chaussée de la grange, là où il se trouvait, en sorte que les autres membres de la maison ne risquent pas de le déranger. On nettoya et pansa sa coupure à la tête et on le déposa doucement sur son lit, avec une couverture supplémentaire pour qu'il ne prenne pas froid car sa blessure et le choc subi avaient fait baisser sa température. Pendant tout ce temps son visage, sous le bandage qui l'entourait, demeura lointain, calme et pâle comme Mark ne l'avait encore jamais vu ; pendant quelques heures au moins, il serait à l'abri des soucis qui le rongeaient.

— Bon, ça ira, retournez vous reposer, dit Mark à ses assistants inquiets. On ne peut rien faire de plus pour le moment. Moi, je vais rester près de lui. Si j'ai besoin de vous, je vous appellerai.

Il arrangea la lampe de façon à ce qu'elle brûle régulièrement et passa le reste de la nuit au chevet du blessé. Meriet ne broncha pas jusqu'au petit matin, son souffle se fit nettement plus régulier et devint plus calme quand il passa de l'évanouissement au sommeil, mais son visage demeura exsangue. Ce ne fut qu'après prime qu'il commença à bouger les lèvres et à battre des paupières comme s'il voulait ouvrir les yeux mais n'en avait pas la force. Mark lui baigna le front et lui humidifia la bouche avec de l'eau mélangée à du vin.

— Reste tranquille, dit-il, effleurant de la main la joue de Meriet. C'est moi, Mark. Ne t'inquiète pas, tu n'as rien à craindre, je suis là.

Il ne s'était pas rendu compte de ce que cette phrase sous-entendait. Il lui promettait une complète sécurité, mais qu'est-ce qui lui permettait d'affirmer une chose pareille ? Cependant ces mots lui avaient échappé sans qu'il y réfléchisse.

Les lourdes paupières tentèrent de se soulever, luttant un moment contre le poids inconnu qui les maintenait fermées, puis en s'ouvrant elles révélèrent une flamme dans les yeux verts désespérés. Meriet fut parcouru d'un grand frisson.

— Il faut que j'y aille... Il faut que je leur dise... Laisse-moi me lever ! balbutia-t-il.

L'effort qu'il esquissa fut facilement stoppé par la main que Mark lui posa sur la poitrine. Il se rallongea, impuissant, tremblant.

— Il faut que j'y aille ! Aide-moi !

— Tu n'as pas besoin d'aller nulle part, murmura Mark, penché sur lui. Si tu veux faire dire quoi que ce soit à quelqu'un, ne bouge pas, tu n'as qu'à me le demander. Tu sais que tu peux avoir confiance en moi. Tu as fait une mauvaise chute, et tu as besoin de repos.

— Mark... C'est toi ? (Et il sortit des couvertures une main hésitante que Mark prit dans la sienne.) Oui, c'est bien toi, reprit Meriet avec un soupir. Mark — l'homme qu'ils ont arrêté... Tu sais, celui qui a tué le secrétaire de l'évêque. Il faut que je leur dise... Je dois absolument voir Hugh Beringar...

— Raconte-moi, dit Mark, je m'occuperai du reste. Je veillerai à me charger de la tâche que tu me confieras, et toi tu pourras te reposer. Alors, que veux-tu que je dise à Hugh Beringar ?

Mais, au fond de lui-même, il connaissait déjà la réponse.

— Dis-lui qu'il doit libérer ce pauvre diable... Dis-lui qu'il est innocent de ce meurtre, et que, moi, je *sais* ! Dis-lui enfin que je confesse mon péché mortel... Et que c'est moi qui ai tué Peter Clemence, ordonna Meriet, dont les grands yeux vert émeraude étaient fixés sur le visage attentif de Mark. Je l'ai abattu dans les bois, à un peu plus de trois miles d'Aspley. Dis-lui que je regrette de déshonorer ainsi la maison de mon père.

Il était faible, hébété et frissonnait sous l'effet du choc différé ; les larmes lui jaillirent des yeux, le surprenant par leur flot inattendu. Il serra et tordit la main qu'il tenait.

165

— Jure-moi que tu lui diras exactement...

— Je te le jure et j'irai lui porter ton message en personne, promit Mark, se penchant très bas pour que Meriet qui y voyait mal puisse le voir et le croire. Je lui répéterai ce que tu m'as dit mot pour mot. Mais si tu voulais, avant que je ne parte, tu ferais quelque chose de bien et d'utile pour toi et pour moi. Ensuite, tu pourrais dormir en paix.

— De quoi s'agit-il ? s'étonna-t-il.

Mark le lui dit avec douceur et fermeté. Avant d'avoir bien compris, Meriet avait déjà retiré sa main, soulevé du lit son corps meurtri, et détourné le visage.

— Non ! dit-il dans un grand gémissement angoissé. C'est hors de question ! non...

Mark continua à parler, le poussant calmement à suivre ses conseils, ne s'arrêtant que devant un nouveau refus qui fut exprimé avec encore plus d'affolement.

— Ne crie pas ! dit-il, pour le calmer. Inutile de t'agiter à ce point. Même sans cela, je me charge d'exécuter tes volontés. Alors, reste tranquille et dors.

Meriet le crut instantanément ; son corps crispé par le refus se détendit. Il tourna de nouveau vers Mark sa tête bandée ; la lumière pourtant faible de la grange lui fit plisser les yeux et froncer les sourcils. Frère Mark éteignit la lanterne et remonta les couvertures. Puis il embrassa son patient et pénitent et alla porter le message.

Frère Mark remonta toute la Première Enceinte, traversa le pont de pierre qui menait à la ville, échangeant un mot aimable avec tous ceux qu'il rencontrait, demanda si Hugh Beringar était chez lui, près de Sainte-Marie, et continua sans s'en faire, du même pas, quand on lui dit que le shérif-adjoint avait regagné le château. C'était par pure bonté d'âme que frère Cadfael se trouvait là aussi, car il venait juste de soigner pour la seconde fois la morsure à l'avant-bras du prisonnier. La faim et le froid ne favorisent en général

166

pas les guérisons rapides, mais les blessures de Harald montraient déjà des signes de cicatrisation. Il avait également un peu plus de chair sur sa longue ossature puissante et ses joues creuses commençaient à se remplir, comme il sied à la jeunesse. De bons murs de pierre, un sommeil que rien ne troublait, des couvertures chaudes et trois repas par jour, c'était le paradis pour lui.

Sur les remparts de pierre de la petite salle de garde, dans la faible lumière que répandait ce matin blafard, la petite silhouette de Mark paraissait plus frêle encore, mais il n'avait rien perdu de sa dignité grave. Hugh l'accueillit avec une certaine surprise car il ne s'attendait absolument pas à le rencontrer là. Il le fit entrer dans l'antichambre, où brûlait un bon feu et où des torches répandaient une lumière plus vive qu'en plein jour, d'ailleurs le soleil n'y pénétrait que très rarement.

— Je suis porteur d'un message de la part de frère Meriet à Hugh Beringar, annonça Mark, allant droit au but. J'ai promis de vous le transmettre mot à mot, puisqu'il est dans l'incapacité de s'en charger lui-même, comme il le désirait. Frère Meriet n'a appris qu'hier, comme nous tous à Saint-Gilles, que vous déteniez un homme en prison pour le meurtre de Peter Clemence. La nuit dernière, après s'être retiré pour dormir, Meriet, qui a eu un sommeil extrêmement agité, a fait une crise de somnambulisme au cours de laquelle il est tombé du grenier, et maintenant il est couché, blessé à la tête avec de nombreuses meurtrissures, mais il est revenu à lui, et je pense que si on s'en occupe bien comme il sied, il s'en tirera sans mal. Cependant, si frère Cadfael voulait venir l'examiner, je me sentirais grandement soulagé.

— Bien volontiers, mon petit ! répondit Cadfael très inquiet. Qu'est-ce qui justifie cette crise de somnambulisme ? Pendant ses crises, ici, il n'a jamais quitté son lit. Et ceux à qui ça arrive sont adroits et s'aventurent là où un homme éveillé ne se risquerait pas.

— C'est probablement ce qui se serait passé, reconnut Mark, très confus, si je ne l'avais appelé d'en bas. Je croyais qu'il était réveillé et qu'il venait me demander mon aide ou un réconfort... Quand je l'ai appelé, il a hésité, et il est tombé en poussant un grand cri. Mais maintenant qu'il est lucide, je sais où il voulait se rendre jusque dans son sommeil et dans quel but. Car il s'est confié à moi, et je suis ici pour tout vous dire.

— Quand tu es parti, il ne risquait rien ? demanda Cadfael, anxieux, mais un peu honteux de mettre en doute les dispositions prises par Mark.

— Il est sous la garde de deux bonnes âmes, mais je pense qu'il va dormir. Il a soulagé sa conscience avec moi et c'est à mon tour de parler, dit frère Mark, qui manifestait la simplicité et la droiture d'un prêtre et se dressait, fragile, entre Cadfael et Hugh. Il me charge de dire à Hugh Beringar qu'il doit libérer son prisonnier, car cet homme n'est en rien responsable du meurtre dont il est accusé. Il m'a prié de préciser qu'il parle en toute connaissance de cause, et qu'il confesse son péché mortel, c'est lui en effet qui a tué Peter Clemence. Meriet prétend l'avoir abattu dans les bois à un peu plus de trois miles d'Aspley. Il me prie enfin d'ajouter qu'il regrette de déshonorer ainsi la maison de son père.

Il leur faisait face, immobile, les yeux grands ouverts, le visage franc, comme à l'ordinaire, et eux aussi le dévisageaient, l'air tendu, méditatif. Tout se terminait si simplement ! Le fils passionné de nature et prompt à l'action tue, et le père, droit, austère, jaloux de l'honneur de sa maison, laisse au coupable le choix entre le déshonneur public qui anéantira la maison de ses ancêtres et l'entrée au couvent, châtiment à vie. Le fils, pour sa part, préfère son purgatoire personnel à une mort honteuse ou à la ruine de sa famille. Cela n'avait rien d'invraisemblable ! Cela pouvait tout expliquer.

— Seulement voilà, dit Mark, plein de la confiance

exaltée des anges et des archanges, et de la simplicité des enfants, il n'y a pas un mot de vrai dans tout ça.

— Je ne vous ferai pas l'injure de douter de ce que vous dites, murmura Hugh après un long moment de silence propice à la réflexion, j'aimerais seulement savoir si vous avez simplement confiance en frère Meriet — et vous avez peut-être d'excellentes raisons à cela — ou si vous avez des preuves de ce que vous avancez ? Comment savez-vous qu'il ment ?

— Je le sais parce que je le connais bien, répondit Mark fermement, mais j'ai essayé de ne pas en tenir compte. Si je prétends qu'il n'est pas du genre à tuer un homme dans une embuscade, mais plutôt à aller le trouver pour l'affronter face à face, j'exprimerai ce que je crois de tout mon cœur. Mais je suis né humble, je ne connais rien de ce code de l'honneur, je ne saurais donc en parler correctement. Non, je l'ai mis à l'épreuve. Quand il m'a raconté tout ce que je vous ai dit, je lui ai demandé, pour le salut de son âme, de me laisser appeler notre chapelain à qui, en tant que malade, il se confesserait et demanderait l'absolution. Et il s'y est refusé, dit Mark avec un grand sourire. Cette seule idée l'a troublé, et il s'est détourné. Quand j'ai insisté il s'est beaucoup agité. Il peut nous mentir, à vous, à moi, et même à la justice si la cause lui paraît en valoir la peine, mais il ne mentira pas à son confesseur, et donc à Dieu, affirma Mark.

CHAPITRE X

Hugh passa un bon moment à réfléchir, la mine sombre.

— Pour le moment, que ce soit la vérité ou non, ce jeune homme s'en tiendra à sa version des faits. Il est au lit, la tête en piteux état. Il y a de bonnes raisons pour qu'il n'en bouge pas dans l'immédiat, et ce, d'autant plus qu'il sera persuadé que nous le croyons, puisque pour des raisons qui lui sont personnelles, c'est ce qu'il souhaite. Veillez bien sur lui, Mark, et laissez-le croire qu'il a réussi à nous faire avaler n'importe quoi. Dites-lui qu'il ne s'en fasse pas pour notre prisonnier, il n'est accusé de rien, et il ne risque rien non plus. Mais il faut que personne ne sache à l'extérieur que nous détenons un innocent qu'il n'y a aucune raison de pendre. Meriet a le droit de savoir. Mais lui seulement. Pour le commun des mortels, le meurtrier est sous bonne garde.

Une tromperie en avait amené une autre, chacune avec les meilleures intentions du monde. Et si frère Mark avait le sentiment que le mensonge ne devrait pas avoir sa place dans la recherche de la vérité, il était forcé d'admettre que les voies du Seigneur sont impénétrables, et il se rendait compte que même le mensonge peut conduire à la vérité. Il laisserait Meriet penser que ses épreuves étaient terminées, sa confession prise pour argent comptant, qu'il pouvait dormir sur ses deux oreilles, sans espoir, sans rêves, sans crainte, mais avec la morne satisfaction de son sacrifice volontaire et l'espérance de se retrouver plus tard dans un monde meilleur, encore inconnu.

— Je veillerai à ce que lui seul soit mis au courant, dit Mark. Et je me porte garant qu'il sera à votre disposition quand vous aurez besoin de lui.

— Parfait ! Retournez donc auprès de votre patient. Cadfael et moi vous rejoindrons d'ici peu.

Mark s'en alla satisfait et retourna d'où il venait par la ville et la Première Enceinte. Quand il fut parti, Hugh fixa longuement Cadfael qu'il interrogea d'un regard méditatif.

— C'est une histoire qui se tient assez bien, et dont une bonne partie est probablement vraie, dit Cadfael. Je serais même d'accord avec Mark, et ne crois pas que ce garçon soit un assassin. Mais que tirer de nos observations ? Celui qui a fait construire ce feu et qui l'a fait brûler avait assez de puissance pour que ses hommes lui obéissent et ne le trahissent pas. Il a donc de bons serviteurs, on le craint, peut-être même qu'on l'apprécie. C'est quelqu'un qui ne se permet pas de détrousser les morts et qui ne le permet pas non plus à ses gens. Ceux qui travaillent pour lui le respectent et exécutent ses ordres. Léoric Aspley correspond à ce genre d'homme, et je le vois très bien se conduire ainsi s'il pensait que son fils avait tendu une embuscade à quelqu'un qu'il avait accueilli sous son toit et ensuite a tué son hôte. C'est un geste qu'il ne pardonnerait pas. Il n'éviterait au meurtrier le châtiment qu'il mérite que pour protéger l'honneur de sa famille et pour qu'il ait toute sa vie pour se repentir.

Il revoyait encore le père et le fils arriver sous la pluie, l'un sévère, froid, hostile, qui s'en allait sans embrasser son enfant, contrairement à ce qui se produit d'ordinaire, l'autre soumis et respectueux, ce qui ne correspondait pas à sa personnalité, très probablement,

172

à la fois révoltée et résignée. Il désirait ardemment abréger son temps de probation et se faire enfermer sans espoir de retour, mais dans son sommeil, il luttait comme un beau diable pour retrouver la liberté. Oui, tout cela était assez vraisemblable. Mais Mark était absolument certain que Meriet avait menti.

— Le tableau est complet, murmura Hugh en secouant la tête. Il a toujours dit que c'était lui qui avait tenu à prendre l'habit, ce qui pourrait bien être vrai, et parfaitement compréhensible, s'il n'avait eu d'autre choix que le couvent ou la potence. Le meurtre a eu lieu peu après que Clemence ait quitté Aspley. On a emmené le cheval loin dans le nord et on l'a abandonné là, pour éviter qu'on cherche le corps près des lieux du crime. Maintenant j'ignore tout ce que sait ce garçon, mais lui, de son côté, ignorait qu'il conduisait les ramasseurs de bois à l'endroit précis où se trouvait le cadavre, là où son père avait laissé le travail inachevé. Là-dessus, j'aurais tendance à croire Mark sur parole et, mon Dieu, j'inclinerais aussi à le croire sur parole pour tout le reste! Mais si Meriet n'a pas tué ce bonhomme, pourquoi diantre est-il prêt à se laisser condamner? Et de son propre chef, qui plus est!

— Je ne vois qu'une seule réponse possible, dit Cadfael : pour protéger quelqu'un d'autre.

— Qu'est-ce que vous essayez de me dire? Qu'il connaît le meurtrier?

— Ou qu'il croit le connaître, répondit Cadfael. Car il y a une série de secrets et de malentendus qui séparent ces gens-là. Il me semble que si Aspley s'est conduit ainsi avec son fils, c'est qu'il pense être absolument sûr de sa culpabilité. Quant à Meriet, s'il s'est sacrifié en acceptant une existence pour laquelle il n'est absolument pas fait, et s'il est prêt à présent à mourir d'une façon ignominieuse, c'est qu'il doit être tout aussi persuadé que cet être qu'il aime et cherche à protéger est coupable. Mais si Léoric a commis cette erreur monstrueuse, est-ce que Meriet ne pourrait pas s'être trompé également ?

— Et si, après tout, on s'était tous trompés ? soupira Hugh. Bon, allons voir votre somnambule de pénitent pour commencer et, qui sait ? s'il a envie de se confesser et qu'il lui faut mentir à cet effet, il laissera peut-être échapper quelque chose d'utile. Je dois reconnaître à sa décharge qu'il n'a pas cherché à laisser un innocent payer à sa place ou à la place de quelqu'un qui lui est plus cher que lui-même. Harald aura au moins servi à le faire sortir de son silence, et vite encore.

Meriet dormait quand ils arrivèrent à Saint-Gilles. Cadfael s'immobilisa près de la paillasse dans la grange, et contempla ce visage, étrangement paisible, enfantin, exorcisé de son démon. Meriet respirait très doucement et très régulièrement. Cadfael aurait pu se croire en face d'un malheureux pêcheur qui, ayant fait sa confession, se sentait donc purifié avec l'impression que tout était devenu plus simple désormais. Mais il refusait expressément de répéter ses aveux à un prêtre. Mark avait là un argument des plus solides.

— Laissez-le se reposer, dit Hugh, alors que Mark, bien qu'à contrecœur, leur aurait permis de réveiller le dormeur. Il n'y a pas le feu.

Et ils attendirent pendant près d'une heure que Meriet commençât à bouger et à ouvrir les yeux. Même alors Hugh aurait accepté qu'on s'occupât de lui, qu'on l'alimentât et lui donnât à boire avant de consentir à s'asseoir à son chevet et écouter ce qu'il avait à dire. Cadfael l'avait examiné, n'avait rien diagnostiqué d'assez grave que quelques jours de repos ne guériraient pas, bien que le jeune homme se fût tordu la cheville et le pied dans sa chute. Il aurait simplement du mal à s'appuyer sur sa jambe douloureuse pendant un certain temps. Le choc à la tête lui avait sérieusement embrouillé les idées et il aurait un peu de peine à se rappeler ce qui s'était passé ces derniers jours ; cependant il avait gardé en mémoire quelque chose de plus ancien dont il désirait s'entretenir avec la justice. La coupure en travers de sa tempe serait bientôt cicatrisée et déjà elle ne saignait plus.

Ses yeux grands ouverts, dans la lumière diffuse de la grange, brillaient d'un intense éclat vert sombre. Il s'exprimait d'une voix faible mais décidée, et il répéta lentement mais avec insistance ce qu'il avait dit précédemment à Mark. Il voulait absolument se montrer convaincant, très désireux de s'attarder patiemment sur les détails. En l'écoutant, Cadfael dut admettre, effaré, que Meriet était parfaitement convaincant. Sans doute était-ce aussi l'opinion de Hugh.

Lentement, sans parti pris, il interrogea le blessé.

— Donc, vous avez assisté au départ de votre victime, en présence de votre père, et vous n'avez pas bronché. Puis vous êtes parti avec votre arc. A pied ou à cheval ?

— A cheval, répondit Meriet, du tac au tac.

Car s'il était parti à pied, comment aurait-il pu aller assez vite et précéder le cavalier après que son escorte l'ait quitté pour rentrer à la maison ? Cadfael se rappela ce qu'Isouda avait dit : Meriet était rentré tard ce soir-là, en compagnie de son père et de ses compagnons, mais il n'était pas sorti en même temps qu'eux. Elle n'avait pas précisé si, à son retour, il était à cheval ou non : cela valait la peine de vérifier ce détail.

— Vous aviez l'intention de le tuer ? poursuivit Hugh doucement. Ou cette idée vous est-elle venue après coup ? Car enfin qu'est-ce que maître Clemence avait bien pu vous faire pour que vous ayez décidé de l'assassiner ?

— Il était allé beaucoup trop loin avec la fiancée de mon frère, répondit Meriet. Ce prêtre qui jouait les galants — ça ne m'a pas plu du tout ni cette certitude qu'il avait de nous être supérieur. Cette espèce de va-nu-pieds qui n'avait pour lui que son savoir et le seul nom de son protecteur pour lui tenir lieu de noblesse et de terres, alors que nos origines remontent à la nuit des temps. J'ai décidé de venger mon frère...

— Qui, lui, n'a nullement cherché à obtenir réparation, dit Hugh.

— Il était parti chez les Linde, chez Roswitha... Il l'avait raccompagnée chez elle la nuit précédente, et je suis sûr qu'il s'est disputé avec elle à ce sujet. Il est parti tôt, sans même assister au départ de notre invité. Il voulait sûrement se raccommoder avec elle... Il n'est pas rentré avant la fin de l'après-midi, longtemps après que tout ça fut terminé, conclut Meriet à haute et intelligible voix.

Cadfael se fit la réflexion que cela corroborait ce qu'avait dit Isouda. Après que tout fut terminé, Meriet rentrait au château avec un meurtre sur la conscience pour ne réapparaître qu'après avoir décidé de son propre chef de demander à pouvoir entrer dans les ordres, avec l'intention bien arrêtée de s'y tenir *mordicus* et de se déclarer oblat de l'abbaye, en sachant pertinemment ce qu'il faisait. C'est exactement ce qu'il avait dit à sa jeune compagne, qui ne s'en laissait pas compter, dans le calme le plus parfait. Il avait fait ce qu'il avait l'intention de faire.

— Mais vous, Meriet, vous avez devancé maître Clemence. Vous vouliez le tuer ?

— Je n'y avais pas vraiment pensé, fit Meriet, hésitant pour la première fois. Je suis parti seul, j'étais fou de rage.

— Vous êtes parti comme l'éclair, constata Hugh, sans laisser souffler son interlocuteur, puisque vous avez été plus vite que votre hôte et d'une manière détournée, car, comme vous le dites vous-même, vous avez réussi à l'intercepter.

Meriet se tendit et se raidit dans son lit, fixant son tourmenteur de ses grands yeux. Il crispa les mâchoires.

— Je me suis dépêché, oui, mais je n'avais pas d'idée derrière la tête, j'étais bien à couvert quand je me suis aperçu qu'il s'avançait dans ma direction, sans se presser. J'ai bandé mon arc et j'ai tiré. Il est tombé...

Des gouttes de sueur apparurent sur son front blême, sous les bandages. Il ferma les yeux.

— Ça suffit, murmura doucement Cadfael, à l'oreille de Hugh. Il a son compte.

— Non ! protesta Meriet d'une voix forte. Finissons-en une fois pour toutes. Il était mort quand je me suis penché sur lui. Je l'avais tué. C'est ainsi que mon père m'a pris, la main dans le sac. Ce sont les chiens — il avait emmené ses chiens avec lui — qui ont flairé ma trace et l'ont guidé jusqu'à moi. C'est pour moi qu'il a gardé le silence sur ce que j'ai fait, et aussi pour que son nom ne soit pas traîné dans la boue, tout en sachant qu'il violait la loi, pour éviter de m'envoyer à l'échafaud. Mais je n'ai pas cherché à fuir mes responsabilités, puisque je suis la cause de tout cela. Lui n'a pas voulu me pardonner. Il m'a promis de couvrir mon déshonneur si j'étais disposé à m'exiler de ce monde en m'enfermant au cloître. Personne ne m'a rien dit de ce qui s'est passé après. Tout ce que je sais, c'est que j'ai accepté mon châtiment de plein gré. J'ai même espéré... et j'ai essayé... Mais ne tenez aucun compte de ce qui fut fait pour moi, et laissez-moi payer tout ce que je dois.

Il pensait en avoir terminé et il poussa un grand soupir de soulagement. Hugh soupira lui aussi et fit mine de se lever.

— Au fait, Meriet, quelle heure était-il quand votre père vous a surpris à l'improviste ? demanda-t-il, mine de rien.

— Trois heures de l'après-midi, à peu près, répondit Meriet, indifférent, fonçant tête baissée dans le piège.

— Et maître Clemence s'est mis en route après prime ? Pour faire ces quelques trois miles, il a dû muser en chemin, constata Hugh avec une douceur trompeuse.

Meriet qui, sous l'effet de la fatigue, avait à demi

fermé les yeux pour se détendre un peu, les rouvrit complètement, consterné. Il dut faire un effort surhumain pour maîtriser sa voix et les traits de son visage, mais il y parvint, et rassemblant toute son énergie, il parvint à trouver une réponse crédible.

— J'ai un peu abrégé mon récit dans ma hâte d'en finir. Quand j'ai tiré ma flèche, on était peut-être au milieu de la matinée, guère plus tard. Mais je me suis sauvé, abandonnant le corps ; puis j'ai erré dans les bois, horrifié par ce que j'avais fait. A la fin, pourtant, je suis revenu. Il m'a semblé préférable de dissimuler le mort sous les buissons épais le long du chemin, comme ça je pourrais revenir l'enterrer nuitamment. Je ne regrette rien, finit par dire Meriet, avec tant de simplicité qu'il devait y avoir du vrai dans ces derniers mots.

Seulement il n'avait bien entendu jamais tué personne. Il était tombé sur un cadavre baignant dans son sang, tout comme il s'était arrêté net, complètement effaré, en voyant frère Wolstan gisant au pied du pommier.

« A trois miles d'Aspley, oui, ça je le crois, se dit Cadfael, mais au beau milieu de l'après-midi d'automne, alors que son père était sorti avec ses faucons et ses chiens. »

— Je ne regrette rien, répéta Meriet, tout doucement. C'est très bien que je me sois fait prendre ainsi, et c'est encore mieux que je vous ai tout révélé maintenant.

Hugh se leva et resta à le regarder, le visage impénétrable.

— Très bien ! Il vaut mieux que vous ne bougiez pas pour le moment. Rien ne s'oppose à ce que frère Mark continue à s'occuper de vous. Frère Cadfael m'a dit que vous auriez besoin de béquilles pendant quelques jours encore si vous tentiez de vous déplacer. Vous serez suffisamment en sécurité là où vous êtes.

— Je vous donnerais volontiers ma parole, dit

Meriet tristement, mais je doute que vous l'acceptiez. Mark, lui, le fera, et je me soumettrai à son autorité. Mais l'autre homme, dites, vous me promettez de l'élargir ?

— Ne vous mettez pas en peine pour lui, il n'est accusé de rien, sauf de menus larcins commis pour éviter de mourir de faim, ce qui n'a rien de pendable. Mais si j'étais vous, c'est à mon propre cas que je m'intéresserais, dit gravement Hugh. Je vous demande instamment de faire venir un prêtre, qu'il puisse vous entendre en confession.

— Le bourreau et vous-même pourrez m'en tenir lieu, dit Meriet, qui réussit toutefois à lui adresser un sourire crispé et douloureux.

— Comment peut-il ainsi mélanger la vérité et le mensonge dans la même phrase ? remarqua Hugh, à la fois résigné et exaspéré, rentrant en ville par la Première Enceinte. Ce qu'il a dit à propos de son père est très probablement vrai, il a bien été pris sur le fait et à la fois protégé et condamné. C'est comme ça que vous avez hérité d'un novice mi-volontaire, mi-réticent. Ça explique aussi tous les ennuis qu'il vous a valus, et son vacarme nocturne. Mais ça n'explique pas qui a tué Peter Clemence car je suis à peu près sûr que ça n'est pas Meriet. Il n'avait même pas pensé à cette erreur flagrante à propos de l'heure du meurtre jusqu'à ce que je lui mette le nez dessus. Et si l'on tient compte du choc que ça lui a causé, il s'en est joliment bien tiré pour improviser une réponse. Mais beaucoup trop tard. Cette erreur est largement suffisante par elle-même. Mais maintenant que faire ? Supposons qu'on répande le bruit que le jeune Aspley a reconnu être coupable du meurtre et qu'il a déjà pratiquement la corde au cou ? S'il se sacrifie vraiment pour quelqu'un d'autre, croyez-vous ce quelqu'un capable de s'avancer, de défaire le nœud et de le passer autour de son propre cou, comme Meriet l'a fait pour lui ?

— Non, répondit Cadfael avec conviction, mais sans enthousiasme. S'il l'a abandonné à cet enfer sans lever le petit doigt pour l'aider à échapper à la potence, il ne bronchera pas maintenant. Que Dieu me pardonne si je suis injuste envers lui, mais on ne peut guère se fier à ce genre d'homme. En outre, vous vous seriez engagé jusqu'à faire mentir la justice pour des prunes, en infligeant encore une épreuve à ce garçon. Non. Puisqu'il nous reste un peu de temps, attendons... D'ici deux ou trois jours, la nouvelle aura atteint l'abbaye et on pourra peut-être amener Léoric Aspley à répondre de ses actes, mais comme il est vraiment convaincu de la culpabilité de Meriet, il ne pourra guère nous aider à découvrir le véritable meurtrier. Ne faites rien pour le forcer à s'expliquer avant que la cérémonie n'ait eu lieu, Hugh. Et jusqu'à ce moment, permettez-moi de me charger de lui. J'ai quelques petites idées concernant le père et le fils.

— Ne vous gênez pas pour moi et grand bien vous fasse, car du train où vont les choses, que le diable m'emporte, je ne saurais pas quoi faire de lui. S'il a mal agi, c'est plus envers l'Église qu'envers la loi que je représente. Priver un mort d'un enterrement chrétien et des rites auxquels il a droit, ce n'est pas vraiment de mon ressort. Aspley est un des protecteurs de l'abbaye, et je laisserai volontiers l'abbé le juger. Celui que je veux, moi, c'est l'assassin. Vous, je sais ce que vous prétendez, enfoncer dans le crâne de ce vieux tyran qu'il connaît si mal son fils que vous, au bout de quelques semaines pendant lesquelles vous avez sympathisé, le connaissez mieux que son propre père et que vous lui accordez votre confiance. J'espère que vous y parviendrez. Quant à moi, Cadfael, je vais vous dire ce qui m'ennuie le plus. C'est que je ne vois vraiment pas qui, dans la région, les Aspley, les Linde, les Foriet, ou encore le pape, pouvait souhaiter la mort de Peter Clemence. Le tuer parce qu'il en avait pris un peu trop à son aise avec la petite Linde ? Sottise ! L'homme s'en allait, personne ne le connaissait vraiment bien, nul n'avait à le revoir et, apparemment, le seul souci du fiancé était de se réconcilier avec son amie à qui il avait parlé un rien sèchement. Comment de telles peccadilles pourraient-elles justifier un meurtre ? Il aurait fallu que le criminel fût complètement fou. Vous m'avez dit que la jeune fille bat des cils devant chacun de ses admirateurs, mais personne n'en a encore perdu la vie pour autant. Non, il y a autre chose, sinon tout cela n'a aucun sens, mais que je sois pendu si je sais de quoi il s'agit !

Cadfael aussi s'était interrogé là-dessus. Quelques mots un peu vifs échangés, un soir, à cause d'une jeune fille envers qui on s'est montré un peu trop galant, mais non irrespectueux, il n'y a pas de quoi fouetter un chat dans une famille jusque-là sans histoire. Non, on ne commet pas un meurtre pour une raison pareille. Et personne n'avait suggéré que la situation s'était envenimée avec Peter Clemence. Ses parents éloignés le connaissaient plutôt mal, et les voisins pas du tout. Si on trouve un nouveau venu agaçant, mais si l'on sait qu'il ne restera qu'un soir, on le supporte patiemment, on lui adresse un sourire et un petit geste de la main quand il s'en va et puis l'on pousse un « ouf » de soulagement. Nul n'irait lui tendre une embuscade au milieu des bois pour le tirer comme un lapin.

Mais si ce n'était pas l'homme lui-même qui était en cause, pourquoi diantre avait-il été assassiné ? A cause de sa mission ? Il n'avait pas dit de quoi il s'agissait, tout au moins en présence d'Isouda. Et quand bien même il l'aurait fait, qu'y avait-il là-dedans pour justifier qu'on l'arrête à tout prix ? Ce n'était qu'un déplacement diplomatique auprès de deux seigneurs du Nord dont l'évêque de Winchester souhaitait s'assurer l'appui dans ses efforts pour ramener la paix. Mission que le chanoine Eluard avait depuis menée à bien, avec un succès total puisqu'il avait pu emmener le roi sur place pour signer un traité et que maintenant il était reparti vers le sud avec Sa Majesté qui pourrait passer Noël dans une totale satisfaction. Il n'y avait rien à objecter à tout cela. Les grands hommes aussi dressent des plans et peuvent, à une certaine époque, apprécier une visite qui ne les aurait pas enthousiasmé en d'autres temps, mais cette fois on voyait que les tractations s'étaient bien passées et Noël s'annonçait sans problème.

Il fallait en revenir à l'homme ; mais il était inoffensif, un simple parent éloigné qui prenait ses aises et se faisait un peu valoir au château d'un cousin avant de reprendre sa route.

Il n'était donc pas question de querelle de personne. Alors, que restait-il comme explication ? Une coïncidence malheureuse, comme il s'en produit en voyage, un voleur doublé d'un assassin qui traîne dans des endroits déserts, prêt à abattre le premier cavalier qui passe et à lui casser la tête pour lui voler ses vêtements ? Et s'il y a en plus un cheval splendide et des bijoux, c'est cocagne. Oui, mais ça ne collait pas, car rien n'avait été volé à Peter Clemence, pas même une boucle d'argent ou une croix rehaussée de pierreries. Personne n'avait rien gagné matériellement à la mort du messager, même le cheval avait été lâché dans les tourbières sans qu'on touchât seulement à sa bride.

— M'en suis-je posé des questions, sur ce cheval ! soupira Hugh, comme s'il avait suivi les pensées de Cadfael.

— Et moi donc. La nuit où vous l'avez ramené à l'abbaye, Meriet l'a réclamé dans son sommeil. Est-ce qu'on vous l'a dit ? « Barbarie, Barbarie ! », et il a sifflé pour l'appeler. Les novices ont dit que c'était le diable qui lui répondait en sifflant. Je me demande si l'animal est venu, là dans les bois, ou si, plus tard, Léoric a dû envoyer ses hommes après lui. Je crois qu'il aurait obéi à Meriet. Quand celui-ci a trouvé le cadavre, il a dû penser au cheval presque tout de suite et il l'a appelé.

— Peut-être que les chiens ont entendu sa voix avant

de le reconnaître à l'odeur, et qu'ils ont guidé son père droit sur lui, suggéra Hugh, d'un ton désabusé.

— Un instant, je viens de penser à quelque chose. Meriet vous a répondu avec beaucoup de courage quand vous lui avez fait clairement comprendre qu'il s'était trompé sur l'heure du crime. Mais je ne crois pas qu'il se soit rendu compte de ce que cela impliquait. Regardez, s'il était simplement tombé sur un cadavre abandonné dans la forêt, sans rien qui puisse suggérer un coupable quelconque, qu'est-ce qu'il se serait dit ? Que Peter Clemence n'avait pas eu le temps d'aller bien loin avant d'être tué. Mais alors, comment aurait-il pu savoir, ou deviner qui était le meurtrier ? Seulement si par hasard il est tombé sur un autre malheureux, piégé comme lui, penché sur le cadavre ou en train d'essayer de le tirer à couvert, quelqu'un qui lui est cher, et dont il est proche, il ne s'est pas rendu compte, et ignore encore maintenant que cette autre personne est arrivée à cet endroit de la forêt tout comme lui, six bonnes heures trop tard pour être le criminel.

Le dix-huitième jour de décembre, le chanoine Eluard entra à Shrewsbury, très satisfait de lui-même, car il avait réussi à persuader son roi de faire une visite dont les résultats s'étaient révélés particulièrement heureux avant de le raccompagner jusque-là dans le Sud. Ensuite Étienne repartirait pour Londres et le chanoine se dirigerait vers l'ouest pour essayer de savoir ce qui était arrivé à Peter Clemence. Chester et Lincoln, tous deux comtes de grand renom, avaient fort bien reçu Étienne, l'avaient assuré de leur indéfectible loyauté, en échange de quoi le roi leur avait accordé force dons en terres et en titres. Il avait gardé pour lui-même le château de Lincoln, avec une puissante garnison, mais la ville et le comté attendaient leur nouveau seigneur. L'atmosphère à Lincoln avait été à la fête et à la détente, un temps doux pour décembre y avait contribué. Noël, dans le Nord-Est, s'annonçait donc sous les meilleurs auspices.

Hugh descendit du château pour accueillir le chanoine et échanger avec lui les dernières nouvelles ; mais ce fut un échange mal équilibré. Il avait apporté avec lui ce qui restait de la bride et des bijoux de Peter Clemence, nettoyés de leur couche de crasse et de cendres, mais décorés par les traces du feu. Les ossements du mort reposaient maintenant dans un cercueil doublé de plomb dans la chapelle mortuaire de l'abbaye, mais le cercueil n'était pas encore scellé. Le chanoine le fit ouvrir et regarda ce qu'il y avait à l'intérieur, le visage tendu, sans broncher pour autant.

— Couvrez-le, dit-il en se détournant.

Il n'y avait rien là qui pût servir à l'identifier. Il en alla tout autrement de la croix et de l'anneau.

— Cela, je le reconnais. Je l'ai souvent vu les porter, déclara Eluard, tenant la croix dans sa main.

Il y avait, courant sur l'argent du bijou, une vague lueur terne mais les pierres n'avaient rien perdu de leur éclat.

— C'est bien à Clemence, ajouta le chanoine, d'un ton lourd. Ce sera une fort triste nouvelle pour mon évêque. Vous détenez quelqu'un de soupçonné de ce crime, paraît-il ?

— Nous avons certes un homme en prison, répondit Hugh, et on a laissé la nouvelle se répandre un peu partout que c'était l'assassin, mais, de vous à moi, il n'est accusé de rien et il y a peu de chances qu'il le soit jamais. Tout ce qu'on a à lui reprocher est d'avoir volé par-ci par-là parce qu'il avait faim, et c'est seulement pour ça qu'il est encore sous les verrous. Pour ma part, je suis sûr qu'il n'a rien d'un criminel.

Il exposa ses recherches mais ne souffla mot de la confession de Meriet.

— Si vous avez l'intention de rester deux ou trois jours parmi nous avant de reprendre votre route, il est probable qu'on aura d'autres nouvelles à vous donner, reprit-il, tout en se demandant ce qui lui prenait de faire une telle promesse, mais c'était dit et il était trop tard pour y revenir.

Cadfael s'occuperait de Léoric Aspley dès l'arrivée de ce dernier et la réunion imminente de tous ceux qui avait approché Peter Clemence au cours de ses dernières heures évoquait pour Hugh ces nuages bas qui s'amoncellent avant que l'orage n'éclate et que la pluie ne se mette à tomber. Et si la pluie se refusait à venir, il faudrait, une fois la cérémonie terminée, forcer Léoric Aspley à dire tout ce qu'il savait, en tenant compte de chaque petit détail comme ces six heures dont on ignorait tout et le fait que Peter Clemence n'ait parcouru que trois miles avant de trouver la mort.

— Nul ne peut faire revenir les morts, dit le chanoine, le visage sombre. Mais il me paraît juste que le meurtrier soit amené à rendre compte. Et je l'espère fermement.

— Donc vous serez là pendant plusieurs jours ? Vous n'êtes pas pressé d'aller rejoindre le roi ?

— Je vais à Winchester et non à Westminster. Et cela vaut la peine d'attendre un peu pour avoir quelque chose à dire à mon évêque concernant cette triste histoire. J'avoue aussi avoir besoin de quelque repos, je n'ai plus vingt ans. Tiens au fait, votre supérieur vous laisse encore vous occuper seul des affaires du comte. Le roi Étienne souhaite le garder auprès de lui jusque après Noël. Ils iront directement à Londres.

Pour Hugh, ce n'était pas une mauvaise nouvelle du tout. Cette enquête qu'il avait commencée, il entendait bien la mener jusqu'à son terme, et quand deux personnes, aussi impatientes l'une que l'autre se consacrent à la même tâche, le travail n'en avance que plus vite.

— Vous êtes satisfait de votre visite, dit-il. Voilà au moins quelque chose qui se sera heureusement déroulé.

— Cela valait certes ce long déplacement, reconnut Eluard, rasséréné. Le roi n'a plus de souci à se faire en ce qui concerne le Nord. Guillaume et Ranulf à eux deux le contrôlent complètement, et il faudrait être bien téméraire pour venir tenter d'y semer le désordre. Le gouverneur du château royal de Lincoln est du dernier bien avec les deux comtes et leurs épouses. Et les messages que je rapporte à l'évêque sont fort courtois. Oui, cela valait la peine de parcourir tout ce chemin pour obtenir un tel résultat.

Le jour suivant, les invités de la noce arrivèrent, en assez simple appareil, et occupèrent les appartements qu'on leur avait préparés dans l'hôtellerie de l'abbaye. Il y avait là les Aspley, les Linde, l'héritière de Foriet, et des légions d'invités venus de tous les manoirs voisins en bordure de la forêt. A l'exception de la salle commune et du dortoir, réservés aux colporteurs pèlerins et autres oiseaux de passage, tous les lieux furent occupés par la noce. Le chanoine Eluard, l'invité du prieur, manifesta un intérêt bienveillant à cette joyeuse compagnie, du haut de sa situation privilégiée. Robert, le prieur, consentit à quelques apparitions très dignes et aimables, dans la cour et le cloître ; c'est toujours à l'approche d'une cérémonie qu'il avait le plus d'allure, quand il y avait des gens importants et un public aristocratique pour l'apprécier et l'admirer. Frère Jérôme jouait encore plus qu'à l'ordinaire les mouches du coche, harcelant les novices et les serviteurs laïcs.

Dans l'écurie, l'activité était à son comble, et toutes les stalles étaient occupées. Les moines qui avaient des membres de leur famille parmi les invités avaient reçu l'autorisation de les voir au parloir. On s'agitait beaucoup, on s'intéressait à tout dans les cours et les jardins, d'autant plus que, malgré le froid intense, le temps était très beau et il faisait clair jusqu'au début de la soirée.

Cadfael s'installa au coin du cloître avec frère Paul et regarda les invités qui arrivaient à l'abbaye vêtus de leurs plus beaux habits de voyage avec, sur leur cheval de bât, leurs vêtements les plus élégants. Les Linde apparurent les premiers. Wulfric Linde avait une quarantaine d'années ; il était gros, flasque, avec un visage aimable et mou, et Cadfael ne put s'empêcher de se demander à quoi sa défunte femme avait bien pu ressembler pour que ce couple ait engendré d'aussi beaux enfants. Sa fille montait un joli palefroi isabelle ; elle souriait, consciente de tous les regards posés sur elle qui, pour sa part, avait les yeux modestement baissés et cette apparence trompeuse donnait un prix presque excessif aux rapides coups d'œil qu'elle lançait parfois à droite et à gauche. Chaudement emmitouflée dans un beau manteau bleu dont n'émergeait que l'ovale de son visage rose, elle parvenait à se mettre en valeur et elle savait — oh oui, pour savoir, elle savait — qu'il y avait au moins vingt hommes à la dévorer du regard en toute innocence, se demandant quelles merveilles elle leur dissimulait. Les femmes de tous âges, pratiques et décidées, entraient et sortaient, prêtes à se plaindre, à réclamer, à demander un coup de main, à donner un coup de main, sans faire d'histoires et sans attendre de récompense. Roswitha rayonnait, parfaitement consciente de son pouvoir et ravie du trouble qu'elle provoquait autour d'elle. Les novices de frère Paul auraient peut-être des rêves étranges cette nuit.

La suivant de près, et difficile à reconnaître pendant un moment, Isouda Foriet apparut, montant un grand cheval plein de feu. Elle n'avait pas les pieds nus cette fois, et elle avait fait toilette. Sa monture était belle, ses cheveux tenus par une résille frappaient par leur flamboyante couleur aussi rousse que des feuilles d'automne. Elle avait rejeté son capuchon sur les épaules et son dos lisse se dressait comme un peuplier. Isouda chevauchait avec un naturel parfait, aussi bien qu'un garçon, tel celui qui se trouvait à ses côtés par exemple, et qui tenait la bride de sa monture d'une main légère. Ils étaient voisins, tous deux hériteraient d'un château, il n'y aurait rien d'étonnant à ce que le tuteur d'Isouda et le père de Janyn envisageassent de les marier. Ils avaient à peu près le même âge, ils appartenaient au même milieu, se connaissaient depuis toujours, que pouvait-on souhaiter de mieux ? Oui, mais ces deux-là continuaient à bavarder et à se chamailler comme s'ils étaient frère et sœur, très à l'aise l'un envers l'autre. Et puis Isouda avait d'autres projets.

Ici comme ailleurs, Janyn affichait un air léger d'agréable candeur et souriait, tout heureux de voir un spectacle nouveau. D'un long regard circulaire, il passa en revue les visages des badauds ; quand il reconnut frère Cadfael, sa mine avenante s'éclaira et il le salua d'une profonde inclinaison de sa tête blonde.

— Il te connaît, dit Paul en remarquant le geste.

— C'est le frère de la fiancée, son frère jumeau. Je l'ai rencontré quand je suis allé voir le père de Meriet. Les deux familles sont proches voisines.

— Quel dommage que frère Meriet ne se sente pas assez bien pour être parmi nous, compatit Paul ; je suis sûr qu'il aurait aimé assister au mariage de son frère et lui donner sa bénédiction. Il ne peut toujours pas marcher ?

Tous ceux qui avaient tenté l'impossible pour l'aider savaient simplement que Meriet s'était blessé en tombant, qu'il était au lit avec une entorse et qu'il n'avait toujours pas récupéré.

— Il se traîne sur une béquille, expliqua Cadfael. Cela m'ennuierait qu'il nous rejoigne. Dans un ou deux jours, on verra s'il va mieux et s'il peut sans risque être des nôtres.

D'un bond Janyn sauta à terre et vint tenir l'étrier d'Isouda qui se préparait à descendre. Elle lui posa, confiante, une main sur l'épaule et toucha le sol, légère comme une plume. Ils rirent tous les deux et allèrent retrouver les autres qui s'étaient déjà regroupés. Ensuite s'avancèrent les Aspley. Ainsi que Cadfael s'y était attendu, Léoric avait l'air raide comme la justice et aussi intransigeant ; sur son cheval il évoquait un haut pilier d'église ; cet homme honorable, irritable, intolérant assumait scrupuleusement ses responsabilités et ne plaisantait pas avec ses privilèges. Ses serviteurs le considéraient comme un demi-dieu en qui ils mettaient toute leur confiance, espérant être digne de la sienne ; et ses fils, comme un dieu. Il eut été difficile de deviner ce qu'il avait représenté pour sa défunte épouse, ou les sentiments qu'elle avait éprouvés pour son cadet. Le superbe Nigel, suivant de très près son père, évoquait sur sa haute selle un oiseau à peine posé ; il était grand, solide et beau. Chacun de ses mouvements faisait honneur à ses géniteurs et à son nom. Les jeunes moines murmuraient sur son passage éperdus d'admiration, et on les comprenait sans peine.

— Difficile, après une pareille réussite, d'arriver en seconde position, dit Paul qui comprenait bien les jeunes et leurs tourments secrets.

— Tu peux le dire, approuva Cadfael, morose.

Suivaient les parents, les voisins, les hobereaux et leurs épouses, très sûrs d'eux-mêmes, qui régnaient, mais en despotes, sur leurs minuscules royaumes qu'ils s'entendaient à défendre contre les convoitises d'autrui. Toute la compagnie descendit de cheval, les palefreniers emmenèrent chevaux et poneys, et petit à petit la grande cour, pleine de couleurs et d'une animation inhabituelle, revint au calme et à la régularité qui lui étaient propres. L'heure des vêpres approchait.

Après le souper, frère Cadfael se rendit à son atelier de l'herbarium pour y prendre des herbes séchées dont frère Petrus, le cuisinier de l'abbé, aurait besoin pour le dîner du lendemain ; en effet, les Linde et les Aspley devaient dîner avec Eluard de Winchester à la table de l'abbé. Le gel s'était de nouveau installé pour la nuit, l'air était sec et calme, et le ciel étoilé ; les sons les plus ténus résonnaient comme des cloches dans l'obscurité pure. Les pas qui le suivaient sur le chemin de terre glacée bordé de haies emmêlées, étaient très légers, mais il les entendit quand même ; il s'agissait de quelqu'un de petit, se déplaçant silencieusement, qui gardait ses distances et tendait attentivement une oreille pour se laisser guider par les pas de Cadfael tout en s'assurant, de l'autre, que nul ne les suivait. Quand ce dernier eut ouvert la porte de sa cabane et après qu'il fut entré, son suiveur marqua une pause, lui donnant le temps de battre le briquet et d'allumer sa petite lampe. Puis une silhouette apparut dans l'encadrement de la porte, emmitouflée dans un manteau sombre, les cheveux lâchés sur les épaules comme lors de la première rencontre. Le froid piquant lui avait rosi les joues et la flamme de la lampe faisait jouer des étoiles dans ses yeux.

— Entrez, Isouda, dit calmement Cadfael, faisant bruire les bouquets d'herbes sèches qui pendaient des poutres, au-dessus de sa tête. J'espérais bien trouver une occasion pour vous parler. J'aurais dû savoir que vous la provoqueriez vous-même.

— Mais il ne faut pas que je m'attarde, dit-elle, avant de fermer la porte derrière elle. Je suis censée allumer un cierge et dire des prières pour l'âme de mon père.

— Alors, n'est-ce pas ce que vous devriez vraiment faire ? riposta Cadfael, avec un sourire. Venez, asseyez-vous et mettez-vous à l'aise pendant le peu de temps dont vous disposez. Et demandez-moi tout ce que vous voulez savoir.

— Je l'ai mis, mon cierge, répliqua-t-elle en s'installant sur le banc le long du mur. Tout le monde peut le voir brûler. Mais mon père était un homme excellent et Dieu prendra soin de son âme sans que je m'en mêle. Maintenant, j'aimerais apprendre ce qui est vraiment arrivé à Meriet.

— Vous avez sûrement appris qu'il avait fait une mauvaise chute et qu'il avait encore beaucoup de peine à marcher.

— C'est ce que nous a dit frère Paul. Mais il a ajouté que ça s'arrangerait bientôt. C'est exact ? Il va vraiment s'en remettre ?

— Mais oui, soyez sans crainte. Il s'est déchiré le cuir chevelu, mais ça, c'est déjà fini ; quant à son entorse, il a encore besoin d'un peu de repos, ensuite il pourra recommencer à courir comme un lapin. Il est en de bonnes mains, frère Mark s'occupe de lui, et c'est un ami sûr. Dites-moi, comment son père a-t-il réagi en apprenant son accident ?

— Il est resté de marbre, évidemment. Il a dit qu'il était désolé d'une telle nouvelle, mais avec tant de froideur que personne n'a été dupe. Pourtant, il se fait du souci.

— Il n'a pas demandé à le voir ?

L'obstination masculine provoqua chez la jeune fille une grimace de dédain.

— Pas de danger ! Il l'a confié à Dieu, et Dieu n'a qu'à se débrouiller. Il ne va pas s'approcher de lui ! Mais je suis venue vous demander si vous pourriez m'emmener le voir, *moi* ?

Cadfael resta un long moment à la regarder, le visage grave, puis il s'assit et lui raconta tout ce qui s'était passé, ce qu'il savait ou devinait seulement. Elle était fine mouche, courageuse et décidée, en outre elle s'était fixée un but et elle était prête à se battre pour l'atteindre. Dubitative, elle se mordit les lèvres en apprenant que Meriet avait avoué son crime et elle rayonna de fierté à l'idée qu'elle était la seule personne, et c'était un privilège, à avoir été mise au courant à l'exception de lui-même, de Mark et de Hugh. Cadfael ajouta, ce qui la rassurerait probablement, qu'on n'avait pas cru son ami.

— Il est complètement fou ! s'exclama-t-elle sans ambages. Dieu soit loué ! vous lisez en lui comme dans un livre. Et son imbécile de père a avalé ça ? Mais, il n'a jamais rien compris à son fils, ni ne s'est jamais senti proche de lui depuis le jour de sa naissance. C'est pourtant un homme droit, je l'admets, qui n'accepterait jamais de faire de tort à personne. Il a dû avoir des raisons sérieuses pour croire une chose pareille. Et Meriet, une raison tout aussi grave pour ne pas le détromper — même s'il peut évidemment lui garder rancune d'être prêt à soupçonner le pire de son propre fils. Vous savez, frère Cadfael, je ne m'étais encore jamais rendu compte à quel point ces deux-là se ressemblent, aussi orgueilleux, têtus et solitaires l'un que l'autre, ne parlant à personne des ennuis qui peuvent leur arriver et refusant de se confier à quiconque, proche, ami, ou parent. J'aimerais leur taper dessus à tous les deux. Seulement ça ne servirait à rien si on n'a pas à leur donner de réponses qui leur cloueraient le bec, ce ne serait que pénitence.

— On vous la trouvera, votre réponse, affirma Cadfael, et même si vous faites ce que vous dites, on ne vous tonsurera ni l'un ni l'autre, c'est promis. D'accord, je vous emmènerai voir Meriet demain, mais après le dîner, car avant j'ai bien l'intention de conduire votre oncle au même endroit, que ça lui plaise ou non. Dites-moi, connaîtriez-vous par hasard ses projets pour demain ? Car il leur reste à tous une journée à occuper avant le mariage.

— Ils veulent assister à la grand-messe, dit-elle, reprenant espoir, puis les femmes s'occuperont des robes, choisiront les décorations et feront les quelques retouches nécessaires aux vêtements des mariés. Nigel devra se tenir à l'écart jusqu'à ce que nous allions dîner avec monsieur l'abbé. Je crois qu'il a l'intention de se rendre en ville avec Janyn pour leurs derniers achats. Oncle Léoric resterait donc seul après la messe. Vous devriez pouvoir le coincer, si vous vous y prenez bien.

— J'y veillerai, promit Cadfael. Et après le dîner chez l'abbé, si vous vous arrangez pour être seule, je vous conduirai auprès de Meriet.

Elle se leva, tout heureuse, quand elle jugea qu'il était grand temps de partir. Elle se mit vaillamment en route, sûre d'elle-même, de sa bonne étoile et de l'affection que lui portaient les puissances célestes. Quant à Cadfael, il alla porter les herbes qu'il avait choisies à frère Petrus qui se demandait déjà quelles merveilles il allait préparer pour le lendemain midi.

Après la grand-messe, le matin du douzième jour de décembre, les femmes se retirèrent dans leurs appartements pour choisir soigneusement les vêtements qui convenaient pour dîner en compagnie de l'abbé. Le fils de Léoric gagna la ville à pied, avec son meilleur ami, les invités partirent chacun de leur côté pour voir des gens qu'ils avaient rarement l'occasion de rencontrer, faire des emplettes pour leur manoir à la campagne, puisqu'ils étaient à deux pas des échopes, ou mettre la dernière main à leurs parures du lendemain. Dans l'air glacé, Léoric traversa les jardins d'un pas vif, contourna les viviers et les champs, descendit vers la Meole, recouverte d'une pellicule de glace fine comme de la dentelle, et disparut tout soudain. Cadfael avait attendu, pour lui donner le temps d'être seul, puisque c'était manifestement ce qu'il voulait, puis il le perdit de vue pour le retrouver dans la chapelle mortuaire où le cercueil de Peter Clemence, maintenant fermé et recouvert d'une riche tenture, attendait que l'évêque de Winchester fît connaître ses intentions. Deux beaux cierges neufs brûlaient sur un chandelier à deux branches à la tête et au pied du catafalque. Léoric Aspley s'était agenouillé sur les dalles de la nef. Ses lèvres bougeaient : il priait, silencieux et méthodique, et ses yeux grands ouverts fixaient la bière sans se détourner. Cadfael, à ce moment, comprit que l'affaire s'engageait bien. Les cierges auraient pu n'être qu'un geste envers un parent défunt, même éloigné, mais ce visage tendu, douloureux était la marque secrète d'une culpabilité qu'il n'avait pas encore confessée et qui confirmait le rôle joué dans ce refus d'enterrer le mort ; quant à la raison, il ne fallait pas la chercher loin.

Cadfael se retira en silence, et attendit la sortie de Léoric. Quand il réapparut à la lumière, il cligna des yeux, découvrant en face de lui un moine robuste, plutôt petit, au visage couleur de noisette bien mûre, qui s'avança pour lui barrer le chemin et lui adressa la parole d'un ton sévère, tel l'ange de la vengeance.

— Il faut que je vous parle de toute urgence, monsieur. Je vous supplie de me suivre. On a besoin de vous. Votre fils est en danger de mort.

Ces propos l'atteignirent soudainement, à l'improviste, avec la brutalité d un coup de lance. Les deux jeunes gens étaient partis depuis une demi-heure, un assassin avait eu le temps de frapper, un voleur de jouer du couteau, n'importe quelle catastrophe avait pu arriver. Léoric leva la tête, effrayé et murmura, haletant « mon fils »...

C'est seulement à ce moment qu'il reconnut le moine qui était venu à Aspley, à la demande de l'abbé. Cadfael lut le soupçon et l'hostilité dans ses yeux arrogants, profondément enfoncés dans leurs orbites et il devança toutes les questions de son adversaire.

— Il est grand temps de vous rappeler que vous avez deux fils, dit-il. En laisserez-vous un mourir sans réconfort ?

CHAPITRE XI

Léoric l'accompagna. Il marchait à grands pas, impatient, soupçonneux, intransigeant, mais il suivait le moine. Quand celui-ci lui proposa simplement de faire demi-tour s'il le désirait, d'aller se réconcilier avec Dieu, de prier pour son fils, Léoric crispa les mâchoires et continua à marcher.

Lorsque le chemin monta la pente herbeuse menant à Saint-Gilles il s'arrêta, mais ce fut plutôt pour examiner l'endroit où Meriet servait dans la souffrance que par peur d'être contaminé par les malades tout proches. Cadfael l'amena à la grange où se trouvait encore la paillasse de Meriet. Ce dernier y était assis pour le moment, avec dans sa main droite le solide gourdin qu'il utilisait pour vaquer partout dans l'hospice, et sur la poignée duquel il avait posé la tête. Il avait dû faire tout ce qu'il pouvait pour se rendre utile depuis prime et Mark lui avait sans doute intimé l'ordre de se reposer jusqu'au repas de midi. Il ne s'aperçut pas immédiatement de la présence des visiteurs, il régnait dans la grange une lumière douce et tamisée où passaient des ombres diverses. Le garçon semblait avoir vieilli de dix ans depuis le moment où, quelque trois mois auparavant, Léoric avait amené devant l'abbé ce jeune postulant soumis et silencieux.

Son père resta un moment à le regarder dans la

lumière oblique. Son visage fermé exprimait la colère, mais dans son regard effaré, passait une certaine souffrance mêlée d'indignation car on l'avait ainsi conduit auprès de quelqu'un qui n'avait nullement l'air d'être à l'article de la mort, mais donnait plutôt l'impression de s'être résigné à accepter calmement son sort.

— Entrez et allez lui parler, souffla Cadfael à Léoric.

Il y eut un moment dangereux où Léoric se demanda s'il n'allait pas tourner les talons, envoyer au diable Vauvert le guide qui l'avait trompé et repartir par où il était venu. Il jeta un regard noir par-dessus son épaule et fit mine de se diriger vers la porte. Mais les quelques mots prononcés par Cadfael ou cette ébauche de mouvement avaient attiré l'attention de Meriet. Il leva la tête et vit son père. Une grimace très étrange où se mêlaient la stupéfaction, la souffrance et une affection qu'il ne pouvait s'empêcher d'éprouver déforma ses traits. Il voulut se lever respectueusement mais, dans sa hâte, prit mal son élan. Sa béquille lui échappa et glissa à terre avec un bruit sourd. Lorsqu'il tenta de la récupérer, la douleur l'arrêta.

Léoric le devança. En trois grandes enjambées impatientes, il traversa la pièce, ramena son fils à sa paillasse, en lui posant la main sur l'épaule avec brusquerie, et lui tendit sa béquille, tout en semblant plus exaspéré par la maladresse du garçon que compatissant à ses malheurs.

— Assieds-toi, dit-il d'une voix bourrue. Inutile de t'agiter. On m'a dit que tu es tombé et que tu te déplaces avec difficulté.

— Ce n'est pas très grave, répliqua Meriet, en le regardant droit dans les yeux. Je serai très bientôt sur pied. Je suis très touché que vous vous soyez déplacé pour moi, je ne m'attendais pas à votre visite. Voulez-vous vous asseoir, monsieur ?

Certes non, Léoric était trop perturbé et trop nerveux ; il examina l'aménagement de la grange, ne jetant que de rapides coups d'œil à son fils.

— Cette vie, que tu as toi-même décidé de choisir, tu as eu du mal à t'y adapter, à ce qu'il paraît. Mais maintenant que tu as mis la main à la charrue, il n'est plus question de t'arrêter en chemin. N'espère pas que je consente à te reprendre au château, dit-il d'une voix sévère. Mais il avait l'air soucieux.

— L'idée ne m'a jamais effleuré et j'ai bien l'intention d'aller jusqu'au bout, répliqua sèchement Meriet. Mais peut-être a-t-on omis de vous dire que j'ai confessé mon crime et que, désormais, vous n'avez plus besoin de me protéger.

— Qu'est-ce que tu racontes ?...

Léoric ne comprenait pas. Il se passa la main sur les yeux, fixa son enfant et secoua la tête. Le calme implacable de son fils était plus incompréhensible que toute protestation passionnée.

— Je regrette de vous avoir donné tant de soucis et causé tant de peine pour rien, dit le jeune homme. Mais il fallait que je parle. Il allait y avoir une erreur judiciaire, un autre homme avait été arrêté pour ce meurtre, un malheureux qui vivait dans la forêt et qui avait volé un peu de nourriture par-ci par-là. Vous n'étiez pas au courant ? Lui, au moins, je pouvais le faire relâcher. Hugh Beringar m'a assuré qu'il ne lui arriverait rien. Vous n'auriez pas voulu que je me lave les mains de cette situation ? Donnez-moi pour le moins votre bénédiction pour cela.

Léoric garda le silence pendant plusieurs minutes, frémissant de tout son grand corps comme s'il luttait contre ses propres démons ; puis il s'assit enfin près de son fils, sur la paillasse qui grinça, et sa main se crispa sur celle de Meriet. Il avait gardé ce visage de marbre, son geste ressemblait plus à un coup qu'à une caresse et sa voix, quand il fut de nouveau capable de parler, resta sèche et dure. Cadfael s'éloigna pourtant sur la pointe des pieds et tira la porte derrière lui. Il s'en écarta et alla s'asseoir sous le porche, mais il n'était pas assez loin pour ne pas entendre les deux voix à l'intérieur ; à défaut de leurs paroles et ainsi placé, il pouvait surveiller l'entrée. Il pensait bien qu'on n'aurait plus besoin de lui, cependant Léoric, plein d'une rage impuissante, élevait parfois le ton et une ou deux fois Meriet manifesta âprement son obstination. Cela n'avait guère d'importance, ils n'auraient su que dire s'ils n'avaient pas eu de raison de s'affronter.

« Après cela, pensa Cadfael, il pourra toujours jouer les indifférents et faire montre de froideur, je ne serai pas dupe. »

Il rentra quand il estima qu'il était temps car il avait encore pas mal de choses à dire à Léoric avant que ce dernier n'allât dîner avec l'abbé. La dispute et les mots violents cessèrent à son approche, et il ne leur resta plus que quelques platitudes à échanger avant de se séparer.

— Vous voudrez bien dire à Nigel et Roswitha que je prierai pour qu'ils jouissent d'un bonheur éternel. J'aurais aimé pouvoir assister à leur mariage, déclara Meriet d'un ton ferme, mais vu les circonstances, cela me semble difficile.

— On s'occupe bien de toi ? Tu es sûr ? demanda Léoric maladroitement, baissant les yeux vers lui.

— N'ayez aucun souci à cet égard, répondit Meriet épuisé, mais souriant, et ce pâle sourire rayonnait de douceur et de tendresse. J'ai d'excellents amis pour m'entourer. Frère Cadfael vous le confirmera.

Cette fois, quand ils se séparèrent, ce ne fut pas tout à fait comme précédemment. Cadfael s'en étonna. Léoric fit mine de partir, revint sur ses pas, luttant un moment contre son inflexible orgueil, puis très vite, il se pencha gauchement et déposa sur la joue tendue de Meriet un baiser qui tenait un peu du soufflet. Le sang monta au visage du jeune homme tandis que Léoric se redressait, tournait les talons et quittait la grange à grandes enjambées.

Il se dirigea vers le portail, raide et muet, le regard

tourné vers l'intérieur plus que vers l'horizon, si bien que quand il se cogna violemment l'épaule et la hanche contre l'encadrement de la porte, il y prêta à peine attention.

— Attendez! s'exclama Cadfael. Accompagnez-moi à l'église. Nous avons des informations à échanger et il nous reste du temps.

Dans la nef unique de la petite chapelle de l'hôpital, il faisait sombre et froid, le silence régnait, impressionnant. Léoric tordit ses mains jointes aux veines apparentes et, redoutable dans sa colère froide, se tourna vers son guide.

— Bien joué, mon frère! Vous m'avez menti pour me conduire ici! Mon fils était en danger de mort, prétendiez-vous.

— Sans aucun doute, renvoya Cadfael. Ne vous a-t-il pas dit lui-même à quel point il sentait que sa fin était proche? C'est aussi vrai pour vous et moi. Depuis notre naissance la mort est en nous. Et nous allons vers elle dès notre premier jour. Ce qui compte, c'est la façon dont nous ferons ce voyage. Vous l'avez entendu. Il s'est reconnu coupable du meurtre de Peter Clemence. Pourquoi ne nous en avez-vous pas parlé, au lieu d'attendre que Meriet se décide? Car seuls frère Mark, Hugh Beringar ou moi-même, pouvions vous en informer; personne d'autre n'est au courant. Meriet est persuadé d'être surveillé comme un criminel en sursis et que cette grange est sa prison. Maintenant Aspley, laissez-moi vous dire que ça n'est pas du tout le cas — nous sommes trois à avoir entendu ses aveux, et nous sommes tous trois fermement convaincus qu'il a menti. Vous, son père, êtes donc le quatrième, et vous seul le croyez coupable.

Léoric secouait violemment la tête avec une sorte de désespoir.

— Je voudrais pouvoir partager vos convictions, mais ce n'est pas possible. Pourquoi dites-vous donc qu'il ment? Sur quelles preuves fondez-vous vos affirmations, et comment pouvez-vous les opposer à ce que je sais ?

— Très bien, je vous donnerai une seule preuve, répliqua Cadfael, et je vous l'échange contre toutes vos certitudes. Dès qu'il a entendu dire que quelqu'un d'autre avait été arrêté, Meriet a avoué sa culpabilité devant la justice, ce qui met son corps en danger. Mais il a absolument refusé et il refuse toujours de répéter sa confession à un prêtre et de demander pénitence et absolution pour un péché qu'il n'a pas commis. Voilà pourquoi je le crois innocent. Maintenant, si vous le pouvez, donnez-moi une seule raison aussi valable de le croire coupable.

Léoric, tourmenté autant qu'angoissé, continua à exprimer son incrédulité.

— Je vous le jure devant Dieu, je voudrais que vous ayez raison et moi tort, mais je sais ce que j'ai vu et entendu. Je ne pourrai jamais l'oublier. Maintenant que je suis obligé de le révéler au grand jour, puisqu'il y a un innocent qui risque sa vie, et que Meriet, ce qui est tout à son honneur, a soulagé sa conscience, pourquoi ne m'en ouvrirais-je pas d'abord à vous ? Mon invité avait bien tranquillement repris sa route. C'était un matin comme tous les autres. Je suis sorti pour faire prendre de l'exercice à mon faucon et à mes chiens ; trois personnes m'accompagnaient, mon chapelain, mon grand veneur et un palefrenier. Tous trois sont honnêtes et appuieront mes dires. Il y a une zone importante de forêt touffue à trois miles au nord de chez nous. Ce sont les chiens qui ont entendu la voix de Meriet, car il n'était pas bien loin, et puis je me suis rapproché et je l'ai reconnu. Il appelait Barbarie, le cheval que montait Peter Clemence, à grand renfort de voix et de coups de sifflet. Ce sont peut-être ces coups de sifflet que les chiens ont d'abord perçus et ils se sont précipités vers lui, mais sans aboyer. Quand nous l'avons rejoint, il avait récupéré l'animal — on vous aura sûrement dit qu'il savait parler aux chevaux.

Lorsque nous lui sommes tombés dessus, il tenait le cadavre par les aisselles et le tirait à couvert, sous des buissons épais à l'écart du chemin. Peter avait une flèche en pleine poitrine et Meriet portait son arc et son carquois sur l'épaule. Qu'est-ce qu'il vous faut de plus ? Quand j'ai poussé un cri, qu'a-t-il fait ? Il n'a pas dit un mot pour se défendre. Quand je lui ai intimé l'ordre de revenir avec nous et que je l'ai enfermé dans sa chambre pour pouvoir réfléchir à cette effroyable situation, il n'a pas seulement ouvert la bouche pour protester, il m'a obéi aveuglément. Quand je lui ai dit que je couvrirais son péché mortel et que je ne l'enverrais pas à la potence, mais sous certaines conditions, il a accepté de vivre et de disparaître. Je ne puis m'empêcher de croire qu'il a fait ce choix par respect pour notre nom, mais aussi pour sauver sa peau.

— Il a certes choisi, approuva Cadfael, et il a fait bien plus qu'accepter car il a dit à Isouda ce qu'il nous a dit plus tard à tous, à savoir qu'il était venu parmi nous de son plein gré, parce qu'il le désirait. Il n'a jamais suggéré qu'on l'y avait forcé. Mais continuez, dites-moi ce que vous avez fait ensuite.

— J'ai fait ce que je lui avais promis ; j'ai ordonné de conduire le cheval loin vers le nord, là où Clemence aurait dû passer, et puis on l'a lâché dans les tourbières. On croirait peut-être que son cavalier s'y était perdu. Quant au cadavre, nous l'avons emmené en secret, avec tout ce qui lui appartenait, mon chapelain a lu l'office des défunts très respectueusement, avant que nous ne le placions sur un bûcher nouvellement érigé près de la cabane du vieux charbonnier. Et nous y avons mis le feu. Ce fut un acte bien coupable, qui me pèse lourd sur la conscience, mais je l'ai commis et j'en répondrai. Je ne regretterai pas d'être puni par là où j'ai péché.

— Votre fils a pris grand soin de prendre sur lui, en même temps que ce crime, tout ce que vous avez fait pour le dissimuler, répliqua Cadfael d'une voix dure. Mais il n'acceptera jamais de mentir à son confesseur, car c'est un péché mortel, comme de dissimuler la vérité.

— Mais pourquoi ? demanda Léoric avec véhémence. Pourquoi aurait-il ainsi souscrit à tout, s'il avait une réponse à me donner ? Pourquoi ?

— Parce que vous n'auriez pas été capable de la supporter, cette réponse, et qu'elle lui était tout aussi insupportable. Par amour, sûrement, ajouta frère Cadfael. Je doute qu'on lui ait donné suffisamment d'affection durant toute sa vie, mais ceux qui en ont été le plus privés sont en général capables de mieux aimer que les autres, et souvent ils le prouvent.

— Mais, je l'ai aimé, protesta Léoric, se tortillant, furieux. C'est lui qui a toujours montré un caractère si difficile, et un tel esprit de contradiction...

— Cet esprit de contradiction est parfois le seul moyen d'attirer l'attention, remarqua tristement Cadfael, quand l'obéissance et les bonnes dispositions n'y suffisent pas. Mais laissons cela. Vous voulez des explications ? En voici. L'endroit où vous l'avez trouvé n'était à guère plus de trois miles de votre château, soit à environ quarante minutes de cheval. Et vous l'avez trouvé en plein milieu de l'après-midi. Depuis combien de temps Clemence gisait-il mort à cet endroit ? Et voilà soudain que Meriet se met en tête de cacher le cadavre, et qu'il siffle le cheval laissé libre par la chute de son cavalier. Même s'il s'était enfui terrorisé, et qu'il avait erré dans les bois, affolé par ce qu'il avait perpétré, est-ce qu'il ne se serait pas occupé du cheval avant de se sauver à toutes jambes ? Il l'aurait fouetté pour qu'il disparaisse ou il l'aurait monté pour l'emmener au diable. Qu'est-ce qu'il pouvait avoir en tête en essayant d'attraper ce cheval et de cacher le cadavre alors qu'il s'était écoulé tant de temps depuis le meurtre ? Vous avez déjà pensé à tout cela, j'imagine.

— Je me suis dit, comme vous l'avez suggéré vous-même, qu'il s'était enfui terrorisé par ce qu'il venait de faire et qu'il était revenu plus tard dans la journée pour tenter de dissimuler son forfait, répliqua Léoric, dont le débit avait ralenti et qui fixait maintenant Cadfael avec une sorte d'intensité.

— C'est ce qu'il a dit, il y a peu de temps, mais il lui a fallu un sacré effort pour imaginer cela, car on l'a pris de court.

— Mais alors, souffla Léoric à présent partagé entre l'espoir et l'effarement et craignant d'espérer trop vite, qu'est-ce qui a pu le pousser à revendiquer ce crime horrible ? Comment a-t-il pu nous faire une telle injure à lui-même et à moi ?

— Sans doute parce qu'il craignait de vous causer un tort encore plus grand. Et aussi parce qu'il aimait quelqu'un dont il avait des raisons de douter, comme vous avez douté de lui. Meriet a d'immenses réserves d'amour à donner, dit gravement Cadfael, et vous ne l'avez jamais laissé vous en donner beaucoup. Il l'a donc donné ailleurs, là où on ne le repoussait pas, même si on ne le considérait pas à sa juste valeur. Dois-je vous rappeler une fois encore que vous avez deux fils ?

— Non ! cria Léoric d'un ton étouffé, plein de rage et d'indignation et, se redressant dans sa colère, il domina Cadfael de la tête et des épaules. Je refuse de prêter l'oreille à ces propos ! Vous allez trop loin ! Ce n'est pas possible !

— Impossible oui, s'il s'agit de votre héritier préféré, mais tout à fait vraisemblable pour son frère ? Dans ce bas monde, nul homme n'est infaillible et tout est possible.

— Mais puisque je vous affirme que je l'ai vu se donner un mal de chien pour dissimuler ce cadavre ! S'il était tombé dessus innocemment, par hasard, il n'aurait pas éprouvé le besoin de le cacher, ce mort, il aurait au contraire rameuté la garde !

— Sauf s'il était tombé innocemment sur quelqu'un de cher, un frère ou un ami, lui-même penché sur cette tâche macabre. Vous ne croyez que ce que vous voyez.

Pourquoi Meriet n'en aurait-il pas fait autant ? Vous avez mis votre âme en grand péril en gardant le silence sur ce dont vous le croyiez coupable. Il a très bien pu agir de même pour quelqu'un d'autre. Vous lui avez promis le secret sans condition mais, le prix, c'est Meriet qui allait le payer. Et Meriet n'a pas bronché. Il a accepté de son plein gré, et il ne s'agissait pas simplement de consentir à ce que vous lui imposiez, non, il y tenait, lui aussi, et il s'est efforcé de s'en réjouir parce que son sacrifice garantissait la liberté de quelqu'un qu'il aimait. Et à votre avis, y a-t-il quelqu'un au monde qu'il aime autant qu'il aime son frère ?

— C'est de la folie ! protesta Léoric, haletant comme un homme qui a couru jusqu'à la limite de ses forces. Nigel a passé toute la journée chez les Linde, Roswitha vous le confirmera, et Janyn aussi. Il fallait qu'il se réconcilie avec la petite, il est parti tôt le matin, et il est rentré tard dans la soirée. Il ignorait tout ce qui s'était passé ce jour-là. Il a été effaré quand on le lui a appris.

— Avec un bon cheval, il ne faut pas des heures pour se rendre de chez les Linde à cet endroit de la forêt, dit Cadfael, impitoyable. Supposez que Meriet l'ait trouvé couvert de sang, affairé sur le corps de Clemence et qu'il lui ait dit : « File, sauve-toi d'ici, laisse-moi m'occuper de tout ça ; va, et qu'on te voie ailleurs toute la journée. Je ferai ce qu'il faut. » Qu'en pensez-vous ?

— Vous croyez vraiment que Nigel a tué cet homme ? demanda Léoric, d'une voix basse, rauque, tendue. Un tel crime contre les lois de l'hospitalité, la famille et sa propre nature ?

— Non, fit Cadfael. Je dis seulement qu'il n'y a rien d'impossible à ce que Meriet l'ait trouvé ainsi, tout comme vous l'avez trouvé, lui. Pourquoi Meriet n'aurait-il pas, lui aussi, été convaincu par une preuve aussi évidente ? N'avait-il pas les meilleures raisons du monde de croire son frère coupable, de craindre qu'il le fût, ou, ce qui semble plus terrible encore, de redouter qu'on pût l'accuser à tort ? Car mettez-vous bien ça dans la tête, s'il vous a été possible de vous tromper au point d'accorder immédiatement foi à ce que vous avez vu, c'est aussi le cas de Meriet. Ces six heures inexpliquées continuent à me trotter par la tête, et je ne vois encore aucune explication à donner.

— Est-ce possible ? murmura Léoric, ébranlé, ne sachant que croire. Ai-je pu être aussi injuste envers lui ? Et quant aux actes que j'ai commis, ne vaudrait-il pas mieux que j'aille tout raconter à Hugh Beringar ? Il saura quoi faire. Mon Dieu, comment allons-nous pouvoir réparer tous les torts que nous avons causés !

— La première chose est d'aller dîner chez l'abbé, lui rappela Cadfael, et de vous montrer aussi agréable convive qu'à l'ordinaire. Et demain, vous marierez votre fils comme prévu. A présent nous y voyons encore confusément, comme dans un miroir embué, et il nous faut attendre que la lumière soit. Pensez à ce que je vous ai dit, mais n'en soufflez mot à personne. Il est encore trop tôt. Laissez les fiancés tranquilles le jour de leur mariage.

Malgré tout, il savait, en son for intérieur, que la paix ne régnerait pas.

Isouda vint le retrouver dans son atelier, à l'herbarium. Il la regarda attentivement, oublia ses soucis, et sourit. Elle portait encore les beaux vêtements sévères qu'elle avait jugé bon de mettre pour se rendre à l'invitation d'un abbé. Surprenant le sourire de Cadfael, et la lueur dans son regard, elle se détendit, lui adressa un sourire coquin, ouvrit grand son manteau et repoussa sa capuche pour se faire admirer.

— Suis-je comme il faut, à votre avis ?

Ses cheveux, trop courts pour être nattés, étaient attachés sur son front par une résille brodée, exactement semblable à celle que Meriet avait dissimulée dans son lit, au dortoir, et, sous cette coiffe légère, ils formaient une toison épaisse qui bouclait sur son cou. Sa robe était un surplis d'un bleu profond qui la moulait étroitement jusqu'aux hanches pour tomber ensuite en plis souples, par-dessus une cotte à longues manches et à col haut de laine rose pâle. On eût dit une adulte ; ces couleurs, la coupe de ses vêtements n'étaient pas du tout celles qu'on se serait attendu à voir chez une sauvageonne, qui, une fois n'est pas coutume, avait reçu l'autorisation de dîner avec les grands. Son maintien (elle se tenait très droite, très sûre d'elle-même), avait acquis une dignité seigneuriale que soulignait son élégance, et sa démarche, quand elle était entrée, était celle d'une princesse. Son collier ras du cou, fait de lourdes pierres naturelles, polies mais non taillées, servait admirablement à attirer l'attention sur son beau port de tête. Elle ne portait pas d'autres parures.

— Vous correspondriez tout à fait à mes goûts, si j'étais un petit jeune qui attend une amie d'enfance, admit simplement Cadfael. Êtes-vous aussi peu prête à le voir qu'il doit l'être, lui ? Je me pose la question.

Isouda secoua la tête. Les boucles brunes se mirent à danser, avant de se reposer sur ses épaules en un mouvement très différent.

— Non ! j'ai réfléchi à tout ce que vous m'avez dit, et je connais Meriet comme si je l'avais fait. Ni lui ni vous n'avez besoin de vous inquiéter. Je m'en sortirai parfaitement.

— Alors, avant de partir, fit Cadfael, il vaudrait mieux que je vous mette au courant de tout ce que j'ai appris entre-temps.

Et, prenant un siège, il lui raconta tout. Elle l'écouta jusqu'au bout, attentivement, mais elle n'en fut nullement troublée.

— Dites, frère Cadfael, au point où en sont les choses, pourquoi ne pourrait-il pas assister au mariage de son frère ? Je sais, il n'éprouverait aucun plaisir, du moins pour le moment, à apprendre qu'il est innocent et qu'il n'a réussi à tromper personne. Ça ne ferait que lui causer une souffrance terrible pour celui qu'il s'efforce de protéger. Mais vous le connaissez à préet la peine de devoir surmonter le chagrin qui en sent. S'il a donné sa parole, il la tiendra, et il est assez naïf, Dieu sait ! pour croire que les autres sont aussi honnêtes que lui, et qu'ils respecteront sa parole aussi simplement qu'il la donne. Il apprécierait si Hugh Beringar autorisait même un criminel en rupture d'échafaud à assister au mariage de son frère.

— Il n'arriverait pas à marcher aussi loin, objecta Cadfael, que cette idée, cependant, tentait sérieusement.

— Ce serait inutile. Je lui enverrais un palefrenier et un cheval. Frère Mark pourrait l'accompagner. Pourquoi non ? Il n'aurait qu'à venir tôt, enveloppé d'un manteau et à trouver une place discrète d'où il pourrait tout voir. Quoi qu'il arrive, dit Isouda d'une voix grave et décidée, car je ne suis pas assez bête pour ne pas craindre qu'un malheur ne s'abatte sur leur famille — quoi qu'il arrive, je veux qu'il se montre au grand jour. C'est sa place. Et tant pis s'il y en a qui ne sont pas contents ! Car c'est quelqu'un de bien et je veux que ça se sache !

— Moi de même, s'exclama Cadfael en toute sincérité, moi de même !

— Alors demandez à Hugh Beringar de m'autoriser à lui envoyer un palefrenier. J'ignore pourquoi mais j'ai le sentiment qu'on aura besoin de lui, qu'il a le droit de venir et qu'il doit se montrer.

— Je parlerai à Hugh, promit Cadfael. Maintenant suivez-moi, il faut être à Saint-Gilles avant la tombée de la nuit.

Ils partirent tous deux par la Première Enceinte, tournèrent à droite sur le champ de la foire aux chevaux, où l'herbe avait pâli, et, longeant des maisons dispersées parmi des champs verdoyants, arrivèrent à l'hospice. Des squelettes d'arbres fantomatiques dessinaient sur le ciel pâle, verdâtre, prometteur de gel, des arabesques de dentelle.

— Ainsi voilà l'endroit où même les lépreux peuvent trouver refuge ? dit-elle, tout en remontant la pente douce du chemin, menant à la barrière du lazaret. On leur donne des remèdes et on s'efforce de les soigner le mieux possible ? C'est admirable !

— Il arrive même que le traitement réussisse, répondit Cadfael. On n'a jamais manqué de volontaires pour servir ici, même si l'un ou l'autre en meurt. Mark aura peut-être grandement contribué à guérir Meriet physiquement et spirituellement.

— Quand j'aurai fini ce que j'ai entrepris, je le remercierai comme il le mérite, promit-elle avec un brusque sourire rayonnant.

Cadfael l'emmena directement à la grange qui, pour le moment, était vide. Ce n'était pas encore l'heure du repas du soir, mais il ne faisait plus assez clair pour les activités de plein air. La petite paillasse solitaire était soigneusement recouverte d'une couverture terne.

— C'est son lit ? demanda-t-elle, et elle eut un long regard méditatif.

— En effet. Il l'avait d'abord installé au grenier, de peur de déranger ses compagnons au cas où il aurait eu des cauchemars, et c'est, hélas, de là qu'il est tombé. Selon Mark, il s'était levé dans son sommeil pour aller s'accuser auprès de Hugh Beringar et lui demander de libérer le prisonnier. Voulez-vous l'attendre ici ? Je vais le chercher et je vous l'amène.

Il trouva Meriet assis au petit bureau de frère Mark, dans l'antichambre de la grande salle. A l'aide d'un morceau de cuir, il rapiéçait la reliure d'un livre d'heures. Il travaillait avec adresse et patience, se concentrant sur sa tâche. C'est seulement quand Cadfael lui annonça qu'un visiteur l'attendait dans la grange, qu'il manifesta une agitation soudaine. Il était habitué à Cadfael dont la présence ne le gênait pas, mais il répugnait à se montrer à d'autres, comme s'il craignait d'être contagieux.

— J'aimerais mieux que personne ne vienne, dit-il partagé entre la gratitude devant une marque de bonté découlerait. A quoi cela peut-il servir maintenant ? Que reste-t-il à dire ? Je suis content d'être au calme ici.

— Tu n'as rien à craindre, dit Cadfael, pensant à Nigel dont la sollicitude fraternelle aurait pu s'avérer trop difficile à supporter, s'il en avait manifesté... ce qui n'était pas le cas.

Les fiancés ont quelque raison de négliger tout ce qui ne concerne pas leur mariage, mais il aurait quand même pu demander des nouvelles de son frère.

— Il s'agit simplement d'Isouda.

Simplement Isouda ! Meriet poussa un soupir de soulagement.

— Isouda a pensé à moi ? C'est vraiment gentil. Mais... est-elle au courant ? Sait-elle que j'ai reconnu être un assassin ? Je ne voudrais pas qu'on l'induise en erreur....

— Elle est au courant. Tu n'as pas besoin d'en parler, et elle non plus. Elle m'a demandé de la conduire ici parce qu'elle éprouve pour toi une affection sincère. Ça ne te coûtera pas grand-chose de passer quelques minutes avec elle. Je ne pense pas d'ailleurs que tu auras beaucoup à parler, elle fera sûrement ça très bien pour vous deux.

Meriet le suivit, toujours un peu à contrecœur, mais la pensée d'avoir à supporter la considération, la sympathie, la confiance obstinée peut-être d'une petite camarade de jeux ne le dérangeait pas beaucoup. Parmi les mendiants, les enfants surtout s'étaient montrés bons envers lui, ils étaient tout simples, ne demandaient rien, et ne posaient pas de questions. Il pourrait accueillir de la même façon l'amitié d'Isouda, du moins c'est ce qu'il supposait.

Elle s'était servi du briquet et de l'amadou placés à la tête de la paillasse et avait réussi à allumer la mèche de la petite lampe qu'elle avait soigneusement posée sur une pierre placée là à cet effet, car elle empêchait tout contact avec la paille qui voletait. Il se répandait autour de la jeune fille une douce lumière chaude. Elle avait rejeté les pans de son manteau sur ses épaules, ce qui rehaussait l'élégance sobre de sa robe, et de sa ceinture brodée. Elle rêvait, les mains posées sur son vêtement. Quand Meriet apparut, elle lui adressa le sourire discret et rayonnant de la Vierge qu'on peut voir sur les tableaux représentant l'Annonciation, où l'apparition de l'ange est manifestement superflue, car il n'a depuis longtemps plus rien à lui apprendre.

Meriet retint son souffle, le regard fixe, à la vue de cette dame qui l'attendait calmement, assise sur son lit. Était-il possible qu'elle ait pu changer autant en quelques mois ? Il avait eu l'intention de lui dire gentiment mais carrément qu'elle n'aurait jamais dû venir jusque-là, mais les mots moururent sur ses lèvres. Elle se tenait là, parfaitement maîtresse d'elle-même, imposant son empreinte au temps et à l'espace, et il avait presque peur d'elle, de l'impression qu'il lui produisait, maigre, boiteux, rejeté par tous. Il se dit qu'elle ne pouvait manquer de le trouver profondément différent du sauvageon qui partageait ses jeux naguère. Mais Isouda se leva, s'avança vers lui et, de ses mains tendues, le força à redresser la tête avant de l'embrasser sur les deux joues.

— Sais-tu que tu es devenu presque séduisant ? Je suis désolée pour ton accident, dit-elle, effleurant d'une main légère la blessure à présent refermée. Mais ça va passer, tu ne garderas pas de cicatrice. Celui qui t'a soigné a bien travaillé. Mais j'y pense, tu peux m'embrasser, tu n'as pas encore prononcé tes vœux.

Les lèvres de Meriet, immobiles et froides contre sa joue, frémirent soudain d'une passion inutile. Il ne la voyait pas encore comme une femme, il répondait seulement à sa tendresse et à sa bonté, car elle lui avait ouvert les bras sans un mot de reproche. Il l'embrassa maladroitement, partagé entre l'impétuosité et la timidité que lui inspirait cet être nouveau, et il frissonna à ce contact.

— Tu as encore de la peine à marcher, remarqua-

210

t-elle compatissante. Viens t'asseoir près de moi. Je ne vais pas rester longtemps pour éviter de te fatiguer, mais je ne pouvais pas être si près sans te rendre visite. Raconte-moi ce que tu fais ici, dit-elle, l'attirant sur le lit, près d'elle. Il y a même des enfants, j'entends leur voix. Ils ont l'air tout jeunes.

Sous le charme, il commença à lui parler en phrases hachées, cherchant ses mots, de frère Mark, petit, fragile et si fort, que Dieu avait marqué de son sceau, et qui voulait devenir prêtre. Il n'eut aucun mal à lui décrire son ami, et les malheureux qui avaient cependant eu assez de chance pour tomber entre ses mains. Mais il ne lui parla ni d'elle ni de lui-même ; ils étaient assis épaule contre épaule, complètement absorbés l'un par l'autre et ils ne cessaient de mesurer, approbateurs, les changements qu'avaient apportés tant d'épreuves. Il oublia qu'il s'était lui-même envoyé à l'échafaud, que la période étrangement calme qui lui restait à vivre ne durerait pas et que la jeune fille allait hériter d'un manoir deux fois plus important qu'Aspley, et aussi qu'elle était devenue très belle. Ils étaient là tous deux, à l'abri du temps et du monde, et Cadfael s'éloigna très satisfait, pour aller échanger quelques mots avec frère Mark pendant qu'il en avait le loisir. C'était Isouda qui comptait les minutes et bientôt il lui faudrait se retirer. Avec quel soin elle avait surpris, réchauffé, le prisonnier, avait fait naître en lui un espoir absurde mais parfaitement crédible !

Quand elle estima qu'il était l'heure de partir, Meriet lui prit la main pour la reconduire à la porte de la grange. Ils avaient tous deux les joues en feu, le regard brillant et, à les voir marcher côte à côte, il était facile de comprendre que la glace était rompue, et qu'ils avaient pu se parler comme avant. C'était une excellente chose. Lorsqu'ils se séparèrent, il lui tendit la joue, elle l'embrassa vivement et lui tendit la sienne à son tour, le traita de tête de mule, ce qui n'était pas une découverte. Elle le laissa pourtant dans un état voisin de l'enthousiasme, et s'en alla elle-même, raisonnablement optimiste.

— Je lui ai pour ainsi dire promis de lui envoyer un cheval pour qu'il puisse être à l'heure demain, dit-elle quand ils arrivèrent près des maisons situées au début de la Première Enceinte.

— J'en ai plus ou moins fait autant avec Mark, avoua Cadfael. Mais il vaudra mieux qu'il mette un manteau et qu'il soit discret. Dieu seul sait si j'ai ou non de bonnes raisons pour cela, mais mon petit doigt me dit qu'il faut qu'il soit là, sans que même sa famille devine sa présence.

— On s'inquiète beaucoup trop, s'écria la jeune fille d'un ton joyeux, ravie de son propre succès. Je vous l'ai dit il y a longtemps. Il est à moi, et personne d'autre ne l'aura. Il importe de découvrir l'assassin de Peter Clemence pour que Meriet et moi puissions être l'un à l'autre. Ne vous alarmez pas. Le coupable se fera prendre, c'est inévitable.

— Mon petit, vous m'effrayez, comme une manifestation de Dieu. Je crois que c'est vous qui attirerez Sa foudre.

Dans la tiédeur et la lumière douce de leur petite chambre de l'hôtellerie, après le souper, les deux jeunes filles qui dormaient dans le même lit échafaudaient leurs plans pour le lendemain. Elles n'avaient pas sommeil, elles avaient beaucoup trop de choses à penser pour avoir envie de dormir. La servante de Roswitha, qui les servait toutes deux, était allée se coucher depuis une heure, c'était une rustaude de la campagne, avec qui on ne pouvait parler du choix d'un bijou, d'une parure ou d'un parfum pour un mariage. Demain Isouda peignerait les cheveux de son amie, et l'escorterait à l'aller et au retour entre l'hôtellerie et l'église. Elle lui retirerait son manteau au portail et le lui rendrait quand, nouvelle épousée, elle quitterait ces lieux au bras de son mari en cette froide journée de décembre.

Roswitha avait déployé sur le lit sa robe de mariée et en contemplait chaque pli, vérifiant la bonne tenue des manches et si le corset était bien ajusté, se demandant également s'il ne vaudrait pas mieux que sa ceinture dorée fût d'un cran plus serrée.

Isouda arpentait la pièce sans arrêt, répondant machinalement aux questions et aux commentaires rêveurs de Roswitha. Elles avaient entassé leurs affaires dans des coffres de bois recouverts de cuir et empilés contre un mur. Les objets moins volumineux, elles les avaient posés au petit bonheur, là où il y avait de la place. Les bijoux de Roswitha reposaient sur un coffre, à côté de la lampe. Isouda y passa une main négligente, les examinant l'un après l'autre. Ce genre de colifichets ne l'intéressait pas beaucoup.

— A ma place, mettrais-tu ces pierres jaunes venues de la montagne ? demanda Roswitha. Ça irait bien avec le fil d'or de ma ceinture.

Isouda leva les grains d'ambre devant la lumière et les fit couler doucement entre ses doigts.

— Oui, ça ne serait pas mal. Mais voyons un peu ce que tu as d'autre. Tu ne m'en as jamais montré la moitié.

Elle les touchait, soudain curieuse et, quand elle surprit l'éclat discret d'émaux colorés, elle sortit du fin fond du coffret une grande broche d'un modèle ancien, constituée par un anneau et une aiguille. L'anneau, avec ses larges extrémités aplaties, était décoré de dessins complexes dont les filigranes d'or entouraient les émaux ; des animaux sinueux se changeaient en feuilles qui se divisaient si on y regardait à deux fois, avant de se transformer de nouveau en serpent. L'aiguille d'argent avait une tête en forme de losange décorée d'une fleur stylisée en émail et la pointe dépassait l'anneau, qui remplissait la paume, de la longueur de son petit doigt. C'était un objet princier, destiné à attacher les plis épais d'un manteau d'homme. Elle avait à peine commencé à dire : « Tiens, je n'ai jamais vu... » quand levant le bijou en pleine lumière, elle s'arrêta net. Ce silence inattendu attira l'attention de Roswitha. Elle s'approcha vivement et plongea elle-même la main dans son coffret où elle remit la broche tout au fond, hors de vue.

— Oh non, pas ça ! dit-elle avec une grimace. C'est beaucoup trop lourd, et terriblement démodé. Remets tout en place, je ne me servirai que du collier jaune et des peignes d'argent.

Elle referma le couvercle et ramena Isouda vers le lit où la robe était soigneusement disposée.

— Regarde, il y a quelques coutures maladroites dans la broderie, tu veux bien me les arranger ? Tu manies tellement mieux l'aiguille que moi.

Le visage calme, la main ferme, Isouda s'assit pour exécuter la tâche, évitant soigneusement de regarder vers le coffret qui contenait la broche. Mais quand vint l'heure de complies, elle coupa le fil de la dernière couture, mit son travail de côté et annonça qu'elle allait assister à l'office. Roswitha, qui se déshabillait déjà langoureusement pour se mettre au lit, ne tenta rien pour l'en dissuader et ne suggéra surtout pas de l'accompagner.

Après complies, frère Cadfael sortit de l'église par le porche sud ; il avait simplement l'intention de passer à son atelier pour vérifier que le feu dont venait de se servir frère Oswin était bien éteint, que tous les flacons étaient bouchés et la porte dûment fermée pour conserver ce qui restait de chaleur. La nuit était pleine d'étoiles et l'air gelé cristallin ; il n'avait aucun besoin d'une autre lumière pour reconnaître son chemin familier. Mais avant qu'il ait dépassé le passage voûté menant à la cour, une main impatiente le tira par la manche tandis qu'une voix essoufflée lui murmurait à l'oreille : « Frère Cadfael, il faut que je vous parle ! »

— Isouda ? Mais que se passe-t-il ? Il est arrivé quelque chose ?

Il l'emmena dans une des niches du scriptorium où, à cette heure tardive, il n'y aurait âme qui vive. Ils étaient tous deux invisibles dans l'obscurité et avaient trouvé refuge dans un des coins les plus retirés. Près de lui, le jeune visage tendu formait un pâle ovale flottant au-dessus d'un manteau noir.

— S'il est arrivé quelque chose ? Et comment ! Vous aviez bien raison de dire que c'est moi qui peut-être provoquerais la foudre ! C'est que j'ai fait une découverte, souffla-t-elle d'une voix basse et rapide, dans le coffret à bijoux de Roswitha. Cachée tout au fond. Une grande broche avec un anneau, très belle et très ancienne, en or, en argent et en émail, comme on en fabriquait autrefois, avant l'arrivée des Normands. Grande comme la paume de ma main, avec une longue aiguille. Quand elle s'en est rendu compte, elle l'a vite remise dans sa boîte et refermé le couvercle, en disant que ce bijou était trop lourd, et démodé. Moi, je me suis bien gardée de répondre. Je me demande si elle a compris de quoi il s'agissait ou comment celui qui lui a donné cette broche en a hérité, bien que, d'après moi, il lui ait sûrement recommandé de ne pas la montrer, ni de la porter pour le moment... Sinon, pourquoi se serait-elle empressée de me la reprendre et de la cacher ? A moins simplement qu'elle ne l'aime pas, c'est peut-être aussi simple que ça. Sauf que, *moi,* je sais ce que c'est, et d'où ça vient, et vous aussi quand je vous l'aurai dit...

Elle était hors d'haleine et sa respiration toute tiède lui effleurait la joue.

— J'ai déjà vu ce bijou, mais elle, peut-être pas. C'est moi qui lui ai enlevé son manteau et qui l'ai apporté dans la chambre que nous lui avions pré-parée. Fremund s'est chargée des sacoches et moi du manteau... et cette broche était piquée à son col.

Cadfael prit dans la sienne la petite main qui s'agrippait à sa manche et demanda, bien qu'il fût déjà plus qu'à moitié convaincu :

— Quel manteau ? Vous voulez dire que ce bijou appartenait à Peter Clemence ?

— C'est exactement ce que je vous dis ! Je suis prête à le jurer.

— Vous êtes bien sûre qu'il s'agit du même bijou ?

— Absolument. Je vous le répète, je l'ai eu entre les mains, je l'ai touché et admiré.

— Certes, il est impossible qu'il y en ait deux semblables, dit-il en inspirant profondément. Ces objets exceptionnels ne peuvent jamais être parfaitement identiques.

— Et même si c'était le cas, on ne les trouverait pas tous les deux dans ce comté ! Mais non, ils ont sûrement chacun été fabriqués pour un prince, un chef, et selon un modèle unique. Mon grand-père avait une broche de ce genre, plus petite, et moins belle. Elle venait d'Irlande, paraît-il, et elle était très ancienne. En outre, je me rappelle exactement les couleurs et les animaux bizarres de celle-là, c'est la même. Et c'est Roswitha qui l'a ! Le chanoine Eluard est encore ici, poursuit-elle. Il a reconnu la croix et l'anneau, il reconnaîtra sûrement cette broche, et il pourra en témoigner. Mais si ça ne marche pas, moi je le ferai, croyez-moi ! Demain — mais comment va-t-on s'y prendre demain ? Car Hugh Beringar n'est pas là, pour qu'on puisse lui parler. Et on manque de temps. C'est à nous de jouer. Dites-moi ce que je dois faire.

— D'accord, répondit lentement Cadfael, lui tenant fermement la main, mais d'abord il s'agit de préciser un détail essentiel. Cette broche, comment est-elle ? Toute propre ? Pas de tache, pas de décoloration quelconque sur le métal ou l'émail ? Pas même un bord plus mince où on aurait pu gratter cette partie plus pâle ?

— Non ! dit Isouda après un bref et soudain silence,

et puis elle respira à fond ; elle avait compris. Je n'avais pas pensé à ça ! Elle est comme neuve, toute brillante, parfaite. Pas du tout comme les autres... Non, elle n'a *pas* été au feu.

CHAPITRE XII

Quand l'aube se leva, le jour du mariage, il faisait très clair et très froid. Un ou deux flocons de neige glacée que leur finesse rendait presque invisibles piquèrent la joue d'Isouda qui traversait la cour pour se rendre à prime, mais le ciel était si pur et dégagé qu'il semblait bien qu'il ne neigerait pas. Isouda pria intensément mais sans humilité, comme si, au lieu de demander l'aide du ciel, elle l'exigeait. En sortant de l'église, elle se dirigea vers les écuries et donna l'ordre à son palefrenier d'amener un cheval à Meriet afin que celui-ci, accompagné de frère Mark, puisse arriver à l'heure pour voir son frère se marier. Ensuite, elle alla habiller Roswitha, lui tressa les cheveux et, à l'aide de peignes d'argent, lui fit une coiffure haute sur laquelle elle plaça une résille. Puis, elle lui attacha au cou le collier d'ambre et examina l'ensemble en détail, vérifiant que chaque pli était à sa place. L'oncle Léoric — préférait-il éviter la chambre des dames dans la clôture ? Se rongeait-il les sangs à cause de la destinée si différente de ses deux fils ? — ne se montrerait pas avant qu'il fût l'heure de prendre place dans l'église, mais Wulfric Linde vint jeter un œil, pour admirer, ravi, la beauté de sa fille. Il semblait que cette atmosphère si féminine ne le dérangeait nullement. Isouda le traitait avec une gentillesse tolérante ; il était gentil, pas très malin, savait fort bien exploiter ses terres et son château, se montrait raisonnable envers ses fermiers et ses vilains, sans voir plus loin que le bout de son nez. Il était toujours le dernier à deviner ce que pensaient ses enfants ou ses voisins.

Au même moment, en un lieu différent, Janyn et Nigel accomplissaient certainement ces mêmes rites archaïques, préparant l'époux à ce qui tenait à la fois du triomphe et du sacrifice.

Wulfric examina la façon dont le bliaut de Roswitha tombait, et il lui tourna autour, afin de la contempler sous tous les angles. Les laissant bavarder, Isouda se rapprocha du coffre, et s'arrangea pour retirer discrètement du fond du coffret à bijoux la broche ancienne qui avait appartenu à Peter Clemence, la fixant par l'aiguille à son ample garde-manche.

Edred, le petit palefrenier, arriva à Saint-Gilles avec deux chevaux, bien à l'heure pour permettre à Mark et Meriet de trouver dans l'église un endroit discret, à l'abri des regards, avant que la noce ne l'envahisse. En dépit de son désir naturel d'assister au mariage de son frère, c'est à contre-cœur que Meriet avait accepté de paraître en public. N'était-il pas accusé de meurtre et n'avait-il pas apporté le déshonneur sur la maison de son père ? C'est ce qu'il avait dit quand Isouda lui avait promis de l'amener à l'église et assuré que Hugh Beringar se laisserait aisément fléchir et qu'il accepterait sa parole de ne pas profiter de l'occasion offerte. Ce scrupule faisait l'affaire d'Isouda, et c'était encore plus vrai aujourd'hui. Il voulait que personne ne le remarque, ce qui tombait on ne peut mieux. Personne ne le remarquerait ni ne le reconnaîtrait. Edred l'amènerait tôt, il pourrait s'installer tranquillement dans un coin sombre du chœur avant l'arrivée des invités ; de là, il serait à même de tout observer sans se montrer. Quand le jeune couple s'en irait, précédant tous les invités, il n'aurait qu'à suivre discrètement le cortège et à retourner à sa prison avec son aimable geôlier, qui lui était nécessaire comme ami, pourrait le soutenir en cas de besoin et servir de témoin, même si Meriet ignorait qu'un témoin bien informé pourrait se révéler fort utile.

— La dame de Foriet m'a donné l'ordre d'attacher les chevaux en dehors de l'enclos, comme ça vous pourrez rentrer sans difficulté, dit Edred avec entrain. Je les laisserai dans les environs du portail, il y a des anneaux tout prêts, et si vous le voulez vous pourrez attendre à loisir que tout le monde soit parti. Ça ne vous gêne pas, mes frères, si je prends une heure ou deux pendant la cérémonie ? J'ai une de mes sœurs qui habite sur la Première Enceinte, dans une petite maison, avec son mari.

Il y avait une jeune fille qu'il trouvait à son goût, dans une cabane, juste à côté, mais il ne jugea pas opportun de mentionner ce détail.

Meriet sortit de la grange, vibrant comme un luth bien tendu, dissimulant son visage sous son capuchon de moine. Il ne se servait plus de son bâton, sauf à la fin de la journée, quand il était trop fatigué, cependant, il boitait encore un peu de son pied blessé. Mark resta tout près de lui, surveillant le profil maigre, que la capuche sombre rendait encore plus aigu, et le visage sérieux avec son vaste front et son nez droit.

— Crois-tu que je fasse bien d'aller le déranger ? demanda Meriet, dont la voix trahissait la souffrance. Il ne s'est pas enquis de moi, ajouta-t-il blessé, et il détourna le visage, presque honteux de se plaindre ainsi.

— Mais ça ne fait aucun doute, dit Mark fermement. Tu l'as promis à ton amie qui s'est mise en quatre pour te faciliter cette visite. Laisse le palefrenier t'aider, tu n'as pas encore complètement récupéré l'usage de ton pied, tu ne peux pas sauter en selle.

Meriet céda, s'abandonnant aux bons services d'Edred.

— Et c'est le propre cheval de la demoiselle que vous montez, constata le jeune homme regardant fièrement le beau hongre élancé. C'est une sacrée cavalière, croyez-moi, et ce cheval, elle le porte aux nues. Ceux qu'elle a laissés s'asseoir sur son dos se comptent sur les doigts de la main, moi je vous le dis.

Meriet se demanda, mais un peu tard, s'il n'imposait pas à frère Mark une épreuve désagréable en le forçant à se servir de cet animal étrange, qu'il redoutait peut-être. Il n'en savait guère sur ce petit moine infatigable, il le connaissait depuis peu, ignorait tout de ce qu'il avait été avant et depuis combien de temps il était intronisé. Il y avait dans la clôture des religieux qui étaient là depuis leur prime jeunesse. Mais Mark mit le pied à l'étrier sans se faire prier et sauta légèrement en selle. S'il manquait de style il se rachetait par l'aisance.

— J'ai été élevé à la campagne, tu sais, dit-il surprenant l'œil étonné de Meriet. J'ai dû m'occuper de chevaux dès mon enfance, pas de pur-sang comme chez vous, des chevaux de labour. Je ne suis pas léger à cheval, mais je ne tombe pas facilement et je conduis l'animal où je veux. J'ai commencé très tôt dit-il, se rappelant des longues heures où, à moitié endormi, il brinquebalait dans les champs, serrant dans sa petite main un sac de pierres pour chasser les corbeaux pendant les labours.

Et l'on vit donc sur la Première Enceinte deux bénédictins sur un même cheval, escortés par un jeune palefrenier qui trottait à leurs côtés. Par ce matin d'hiver il y avait déjà pas mal de gens dehors, fermiers allant nourrir leurs bêtes, ménagères faisant leurs courses, colporteurs attardés s'occupant de leur chargement, enfants qui jouaient et couraient... Chacun voulait profiter sans tarder de cette belle matinée, car les jours étaient courts, et il risquait de faire moins beau demain. En tant que moines de l'abbaye, ils échangèrent salutations et politesses tout au long du chemin.

Ils mirent pied à terre près de la loge du portier,

laissant Edred s'occuper des chevaux comme il l'avait dit. A cet endroit, où il avait souhaité entrer, quelles qu'aient été ses raisons et celles que lui avaient opposées son père, Meriet n'aurait pas pu se décider à pénétrer si Mark ne l'avait saisi par le bras pour le tirer à l'intérieur. Traversant la grande cour où chacun déjà s'affairait, ils se dirigèrent vers la fraîcheur et l'obscurité salutaire de l'église. Même si on les remarquait nul ne s'étonnerait de voir deux moines encapuchonnés pressés de chercher abri en ce matin glacial.

Edred, en sifflotant, attacha les chevaux à la place convenue et partit rendre visite à sa sœur ainsi qu'à la jeune voisine.

Hugh Beringar n'avait pas été invité au mariage ; il n'en arriva pas moins à l'abbaye aussi tôt que Meriet et Mark, et accompagné, qui plus est. Deux de ses hommes se promenaient discrètement parmi la foule qui se pressait dans la grande cour, avec bon nombre de curieux venus de la Première Enceinte en plus des serviteurs laïcs, des enfants, des novices et des oiseaux de passage de toute nature, qui logeaient dans la salle commune. Il avait beau faire froid, ils comptaient bien voir tout ce qu'il y avait à voir. Évitant de se montrer, Hugh s'était installé dans la loge du portier d'où il pouvait tout observer discrètement. Il avait à portée de la main tous ceux qui avaient été présents juste avant la mort de Peter Clemence. Si, en définitive, cette journée ne donnait aucun résultat, Nigel et Léoric auraient à rendre des comptes et on leur ferait dire tout ce qu'ils savaient.

Pour remercier un donateur qui s'était montré généreux envers l'abbaye, Radulphe avait décidé de célébrer lui-même la cérémonie du mariage et il avait prié le chanoine de Winchester d'être présent, lui aussi. En outre, l'office aurait lieu à l'autel principal, et non à celui de la paroisse, puisque ce serait l'abbé qui officierait, et les moines du chœur seraient tous à leur place. Cette disposition empêcha Hugh de se concerter à l'avance avec Cadfael. C'était regrettable, mais ils se connaissaient assez maintenant pour agir de concert sans s'être arrangés auparavant.

Les gens avaient déjà commencé à se rassembler tranquillement ; par groupes de deux ou trois, vêtus de leurs plus beaux atours, les invités passaient de l'hôtellerie à l'église. Il ne s'agissait pas d'une réunion de cour, mais ces campagnards étaient tout aussi fiers et leurs origines étaient aussi anciennes, sinon plus, que celles des barons. Entourée d'une ribambelle de témoins, normands aussi bien que saxons, Roswitha Linde s'apprêtait à partir. Shrewsbury avait été attribué au grand comte Roger très peu de temps après le couronnement du duc Guillaume de Normandie, mais de nombreux manoirs de la région étaient restés entre les mains de leurs anciens châtelains, et de nombreux hobereaux normands tard venus avaient été assez malins pour épouser une Saxonne et assurer leur avenir grâce à un sang plus ancien que le leur, et une loyauté à laquelle ils n'avaient pas droit.

Intéressée, la foule s'agitait et murmurait, se tordant le cou pour apercevoir les invités qui arrivaient. Ils virent passer Léoric Aspley et puis son fils Nigel, à la saisissante beauté, que ses vêtements soulignaient encore davantage, puis Janyn Linde qui le suivait, l'air détaché ; son sourire amusé et indulgent ne seyait pas mal à un jeune homme qui venait assister un ami prêt à perdre sa liberté. Cela signifiait que tous les membres de la suite étaient maintenant à leurs places. Les deux jeunes gens s'arrêtèrent à la porte de l'église où ils prirent position.

Roswitha sortit de l'hôtellerie dans son beau manteau bleu car elle portait une robe légère pour un matin d'hiver. Force était d'admettre qu'elle était vraiment belle, se dit Hugh, la regardant descendre les marches de pierre, cependant que Wulfric lui offrait complaisamment son bras dodu. Cadfael lui avait confié qu'elle ne pouvait s'empêcher de conquérir tous les cœurs, même celui des vieux moines dont le charme était limité. Cependant qu'elle s'avançait vers l'église d'un pas tranquille, elle avait autant de spectateurs qu'elle en avait rêvés et ils la contemplaient tous, bouche bée. Cette attitude, chez elle, semblait aussi innocente et naïve qu'un goût immodéré pour les sucreries. Il aurait été absurde d'être jaloux d'elle.

Isouda Foriet, silencieuse, éclipsée par une telle beauté, marchait derrière la mariée, portant son livre d'heures doré, et prête à s'occuper d'elle à la porte de l'église où Wulfric retira de son bras la main de sa fille pour la glisser dans celle que Nigel lui tendait avec ardeur. Les deux jeunes gens passèrent ensemble sous le porche de l'église, là où Isouda enleva le lourd manteau des épaules de Roswitha et le plia sur son bras, puis elle suivit le couple jusque dans la pénombre de la nef.

Ce n'est pas à l'autel de la Sainte-Croix mais à l'autel principal des saints Pierre et Paul que Nigel Aspley et Roswitha Linde devinrent mari et femme.

Nigel sortit triomphalement de l'église par la grande porte ouest qui se situait juste à l'extérieur de la clôture, tout près de la loge du portier. Il tenait Roswitha cérémonieusement par la main et le fait de l'avoir pour femme le rendait tellement fier, aveugle à tout, qu'il ne se rendit probablement pas compte de la présence d'Isouda sous le porche, à plus forte raison du manteau qu'elle tenait entre ses mains et dont elle couvrit les épaules de Roswitha quand le mari et la femme émergèrent dans la lumière brillante et glaciale de midi. Les deux pères, gonflés de fierté et les invités tout heureux marchaient à leur suite et si Léoric avait le visage anormalement gris et tendu pour une pareille occasion, personne ne sembla le remarquer, il n'avait jamais été très gai de nature.

Roswitha ne remarqua pas non plus le léger supplément de poids à son épaule gauche provenant d'une parure destinée à un vêtement d'homme. Elle n'avait d'yeux que pour la foule admirative qui retenait béatement son souffle sur son passage. A l'extérieur de la clôture les gens se pressaient plus nombreux. Car tous ceux qui avaient à faire sur la Première Enceinte ou qui y avaient leur maison étaient venus pour voir. « Pas ici, se dit Isouda, les surveillant attentivement, ce n'est pas ici que j'ai une chance de provoquer le coup de théâtre. Tous ceux qui pourraient reconnaître cette broche marchent derrière elle, et Nigel n'y prête pas plus attention qu'elle. C'est seulement quand ils reviendront vers le portail, après s'être montrés depuis la porte de la paroisse, qu'il y aura quelqu'un disposé à m'écouter. Et si le chanoine Eluard me laisse tomber, alors, quelqu'un m'entendra, moi, ce sera ma parole contre celle de Roswitha ou de n'importe qui. »

La jeune mariée prenait tout son temps, elle descendit les marches, passa sur les pavés de l'allée qui menait à la grande cour d'un pas lent et majestueux pour permettre à tous les hommes présents de la contempler à loisir. Ce fut une véritable chance car pendant ce temps le chanoine et l'abbé étaient sortis de l'église par le transept et le cloître. Ils s'arrêtèrent, bienveillants, au sommet de l'escalier menant à l'hôtellerie ; les moines du chœur les avait suivis et s'étaient dispersés pour se mélanger à la foule des spectateurs, intéressés, mais sans excès.

Veillant à ne pas se faire remarquer, Cadfael alla prendre position près de l'endroit où se tenaient Radulphe et son invité de manière à suivre, comme eux, la marche du jeune couple. Sur le lourd tissu bleu du manteau de Roswitha, la grande broche, exagérément masculine, se détachait très nettement. Le chanoine, qui échangeait avec l'abbé des propos anodins, s'arrêta net et perdit son sourire bénin, vite remplacé par un regard attentif et préoccupé, comme si à cette distance insignifiante il se refusait à croire à ce qu'il avait sous les yeux.

— Qu'est-ce que c'est que ça? murmura-t-il, se parlant à lui-même. Mais enfin, ça n'est pas possible!

Le mari et la femme s'approchèrent et s'inclinèrent cérémonieusement devant les deux dignitaires de l'Église. Ils étaient suivis d'Isouda, de Léoric et Wulfric et de toute la foule des invités. Depuis la voûte du portail, Cadfael aperçut Janyn, avec ses cheveux blonds et ses yeux bleus très clairs; il était allé s'entretenir avec l'une de ses connaissances, habitant la Première Enceinte, puis il s'approcha de son pas léger, dansant, un sourire aux lèvres.

Nigel se préparait à aider son épouse à poser le pied sur la première marche de l'escalier quand le chanoine vint se mettre entre eux et les arrêta d'un geste de la main. C'est seulement à ce moment que Roswitha, suivant son regard, baissa les yeux vers le col de son manteau, qui pendait librement sur ses épaules, et distingua l'éclat des émaux, les lignes fines et l'or des animaux fabuleux qui se mêlaient à des feuilles sinueuses.

— M'autorisez-vous à jeter un coup d'œil à ce bijou, mon enfant? demanda Eluard.

Il toucha les fils d'or et la tête d'argent de l'aiguille. Elle le regarda, observant un silence prudent, surprise, mal à l'aise, mais elle n'avait pas peur et n'était pas sur la défensive.

— Vous avez là un objet aussi beau que rare, poursuivit le chanoine, la regardant sans savoir que penser. D'où le tenez-vous?

Hugh s'était approché et, protégé par la foule, ne perdait rien de la scène. Depuis le coin du cloître, deux moines en habit observaient tout à distance. Coincé là parmi les spectateurs, près de la porte ouest, perdu dans la noce qui s'était arrêtée sans qu'on sût pourquoi, au beau milieu de la grande cour, ne voulant pas qu'on le vît, Meriet, raide et immobile, demeurait dans l'ombre attendant de retourner dans le refuge de sa prison.

— C'est un cadeau d'un parent, dit Roswitha avec un pâle sourire et elle se passa la langue sur les lèvres.

— Bizarre ! s'exclama Eluard, se tournant vers Radulphe le visage grave. Monsieur l'abbé, je connais bien cette broche, trop bien pour ne pas l'identifier. Elle appartenait à l'évêque de Winchester, et il en avait fait don à Peter Clemence, le clerc préféré de sa maison, celui dont la dépouille repose à présent dans votre chapelle.

Cadfael avait déjà surpris un détail fort intéressant. Il n'avait cessé d'observer Nigel depuis que le jeune homme avait remarqué pour la première fois la parure dont il était question et, jusqu'à présent, il était évident que le bijou lui était inconnu. Son regard oscillait sans arrêt entre le chanoine et Roswitha et un pli profond creusait son grand front ; le petit sourire interrogateur qu'il arborait montrait qu'il attendait qu'on consentît à éclairer sa lanterne. Mais à présent qu'il connaissait le nom de son propriétaire, il comprenait soudain ce que tout cela signifiait, et la menace que cela représentait. Il pâlit et se raidit, effrayé, ses lèvres avaient beau remuer, il n'arrivait pas à trouver ses mots ou peut-être jugea-t-il plus sage de ne pas les prononcer.

L'abbé s'était rapproché d'un côté et Hugh Beringar de l'autre.

— Je vous demande pardon ? Vous dites que ce bijou a appartenu à Peter Clemence ? Vous en êtes sûr ?

— Aussi sûr que je l'étais à propos de ceux que vous m'avez déjà montrés, la croix, l'anneau et le poignard, qu'on a jetés au feu avec lui. Il attachait à celui-ci une valeur particulière car c'était un cadeau de l'évêque. Le portait-il lors de son dernier voyage ? Je ne saurais l'affirmer, mais il l'avait ordinairement sur lui, car il y tenait beaucoup.

— Si je puis me permettre, monseigneur... dit

Isouda d'une voix claire, dans le dos de Roswitha. Moi, je *sais* qu'il l'avait lors de son arrivée à Aspley. La broche était fixée à son manteau quand je le lui ai pris à la porte pour le déposer dans la chambre qu'on lui avait préparée, et elle était à la même place quand je le lui ai apporté le lendemain matin à l'heure de son départ. Il faisait beau et chaud ce jour-là, pour voyager. Il l'avait posé en travers de sa selle, sur le pommeau.

— Où il était donc bien visible, constata sèchement Hugh.

On n'avait pas dépouillé le mort de sa croix et de son anneau qui l'avaient accompagné au bûcher. De deux choses l'une : pressé de fuir le meurtrier avait manqué de temps, ou bien superstitieux et impressionné, il n'avait pas osé dépouiller le prêtre des ornements de sa charge, mais les scrupules ne l'avaient pas étouffé quand il lui avait dérobé le seul objet de valeur qui était à portée de main.

— Vous observerez, messieurs, que ce joyau semble absolument intact, dit Hugh. Si vous voulez bien nous le remettre pour que nous l'examinions...

Parfait, pensa Cadfael rassuré, j'aurais dû savoir que Hugh n'aurait pas besoin que je lui indique la marche à suivre. Inutile de m'en mêler.

Roswitha n'esquissa pas un geste, ni pour lui donner la lourde broche ni pour l'empêcher de la détacher de son col. Son visage très pâle exprimait de la crainte, mais elle ne souffla mot. Apparemment, elle n'était pas totalement innocente. Elle ignorait peut-être d'où venait ce cadeau et comment elle en avait hérité, mais elle avait certainement compris qu'il valait mieux ne pas trop le montrer — pour le moment du moins ! Ou peut-être pas ici ? Après le mariage, elle devait partir avec son mari pour leur château, dans le Nord, où, là, elle aurait pu le porter sans risque.

— Ce bijou n'a pas été au feu, affirma Hugh, le tendant au chanoine pour confirmation. Tout ce que Peter Clemence possédait a brûlé, sauf ceci. C'est le seul objet qu'on lui a dérobé avant l'arrivée de ceux qui ont construit son bûcher. Et il n'y a qu'une seule personne qui ait eu l'occasion de le faire, le dernier à l'avoir vu vivant, le premier à l'avoir vu mort, en d'autres termes, son meurtrier.

Il se tourna vers Roswitha ; elle avait tellement pâli qu'elle paraissait translucide ; immobile, comme saisie par le gel, elle le fixait de ses grands yeux horrifiés.

— Qui vous l'a donnée, cette broche ?

Elle jeta un rapide coup d'œil autour d'elle, puis reprenant courage, elle inspira profondément.

— Meriet ! s'écria-t-elle pour être entendue de tous.

Cadfael se rendit brusquement compte qu'il possédait des renseignements qu'il n'avait pas confiés à Hugh et s'il attendait que quelqu'un d'autre s'inscrive en faux contre cette impudente déclaration, il n'obtiendrait rien. Tout ce qu'il avait réussi à acquérir serait perdu. Pour la majorité de ceux qui se trouvaient là il n'y avait rien d'invraisemblable à l'énormité que Roswitha venait de proférer, et vu la façon dont Meriet était entré au couvent, ça n'était même pas surprenant. En outre, dans ces murs, chacun connaissait la réputation de l'apprenti du diable. Roswitha prit le bref silence qui suivit sa dénonciation pour un encouragement et elle continua avec la même audace.

— Il n'arrêtait pas de me suivre comme un petit chien. Je ne voulais pas de ses cadeaux, j'ai pris celui-là pour lui faire plaisir. Comment aurais-je pu savoir d'où il provenait ?

— *Quand* ? demanda Cadfael d'une voix forte et autoritaire. Quand vous a-t-il offert ce bijou ?

— Quand ?

Elle se tourna, ne sachant pas exactement d'où provenait la question, mais elle se hâta d'y répondre, désireuse de balayer les doutes.

— Le lendemain du départ de maître Clemence — le lendemain de son assassinat — dans l'après-midi. Il est venu me voir dans l'enclos aux chevaux du manoir, à Linde. Il m'a supplié d'accepter... Je n'ai pas voulu le blesser...

Du coin de l'œil, Cadfael vit Meriet quitter l'endroit discret où il se tenait et se rapprocher de quelques pas, suivi de Mark qui paraissait inquiet mais n'essayait pas de le retenir. Ce fut pourtant la haute silhouette de Léoric Aspley qui mobilisa l'attention de chacun. Il arriva à grands pas et vint se placer à côté de son fils et de sa jeune épouse.

— Attention à ce que vous dites, ma fille ! s'écriat-il. Vous devriez avoir honte ! Je suis bien placé pour savoir que vous avez menti.

Il se tourna véhément, fixant tour à tour de son regard blessé, l'abbé, le chanoine et le shérif-adjoint.

— Messieurs, ce qu'elle dit est faux ! Je veux bien reconnaître ma part de responsabilité dans cette affaire, et j'accepterai volontiers le châtiment que l'on m'impose. Voilà ce que j'ai à dire, j'ai ramené avec moi mon fils Meriet le jour où j'ai découvert le cadavre de mon invité et parent. J'avais de bonnes raisons de penser, du moins le croyais-je, que mon fils était coupable de ce crime. Je l'ai enfermé dans sa chambre dès notre retour, car j'avais besoin de réfléchir et il s'est soumis à toutes mes décisions. Depuis la fin de l'après-midi du jour où Peter Clemence a été assassiné, tout le jour suivant et le matin du troisième Meriet est resté prisonnier au château. Il n'a jamais rendu visite à cette fille. Il n'a pas pu lui offrir cette broche car il ne l'a jamais eue entre les mains. Et j'ai la preuve maintenant qu'il n'a jamais levé le petit doigt sur mon invité ! Dieu me pardonne de l'avoir cru coupable !

— Je ne mens pas ! cria Roswitha d'une voix aiguë, essayant de retourner de nouveau la situation en sa faveur. Je me suis trompée de jour, c'est tout ! C'est le troisième jour qu'il a dû venir...

Meriet s'était rapproché très lentement. Protégé par son capuchon, il fixait intensément, stupéfait autant qu'angoissé, son père, le frère qu'il chérissait, et son premier amour qui se donnait tant de mal pour l'accabler. Le regard suppliant de Roswitha croisa le sien, elle resta muette comme un oiseau soudain abattu en plein vol et elle s'effondra dans les bras protecteurs de Nigel avec un gémissement désespéré.

Meriet demeura immobile un long moment, puis, tournant les talons, il s'éloigna aussi vite que le lui permettait sa jambe blessée. Sa démarche irrégulière donnait l'impression qu'à chaque pas il secouait la poussière de ses pieds.

— D'où tenez-vous cette broche ? répéta Hugh, avec une patience impitoyable.

Toute la foule s'était rapprochée, passionnément attentive. Chacun avait compris ce que ces propos impliquaient. Nigel finit par se trouver pris sous le feu de cent regards accusateurs. Il le savait, et son épouse aussi.

— Non, non ! s'écria-t-elle, se tournant pour étreindre farouchement son mari. Elle ne vient pas de mon seigneur et maître — pas de Nigel ! C'est mon frère qui me l'a donnée !

A cet instant, tous ceux qui se trouvaient là tournèrent vivement la tête à la recherche du garçon aux cheveux blonds, aux yeux bleus et au sourire aimable ; les hommes de Hugh fendirent la foule et se précipitèrent vers le portail ; en vain. Car Janyn Linde avait disparu silencieusement, calmement, probablement sans s'affoler dès le moment où Eluard de Winchester avait remarqué les émaux sur l'épaule de Roswitha. On ne retrouva pas non plus la monture d'Isouda, le meilleur des deux chevaux attachés près du portail et envoyés à l'intention de Meriet. Le portier n'avait prêté aucune attention à un jeune homme qui était tranquillement monté en selle et s'était éloigné sans hâte. C'est un gamin de la Première Enceinte, un petit malin au regard vif, qui informa les gens d'armes qu'un jeune monsieur était sorti par le portail, il y avait peut-être un quart d'heure, avait détaché le cheval et était parti par la Première Enceinte en tournant le dos à la ville. Assez lentement d'abord, dit le gosse qui n'avait pas les yeux dans sa poche, mais il était passé au grand galop devant le champ de la foire aux chevaux et n'avait pas tardé à disparaître.

Le désordre régnait dans la grande cour mais Hugh n'avait pas le temps de s'en occuper ; il se précipita aux écuries avec ses hommes, pour préparer les chevaux, demanda du renfort afin de poursuivre le fugitif, si le terme s'appliquait à quelqu'un d'aussi efficace que le charmant Janyn.

— Mais enfin, mon Dieu ! pourquoi ? gémit Hugh, en resserrant sa sangle et se tournant vers frère Cadfael qui se livrait à la même occupation. Pourquoi l'a-t-il tué ? Qu'avait-il contre lui ? Il ne l'avait jamais vu, puisqu'il n'était pas à Aspley cette nuit-là. Comment diantre savait-il même à quoi ressemblait celui qu'il attendait ?

— On le lui avait sûrement décrit — il savait à quelle heure il partirait et la route qu'il prendrait. C'est clair.

Ça oui, mais le reste ne l'était nullement, ni pour Hugh ni pour Cadfael.

Janyn avait filé, il s'était discrètement mis hors de portée du bras séculier au bon moment, prévoyant tout ce qui allait se passer. En prenant la fuite, il avait avoué son crime, mais le crime lui-même restait inexplicable.

— Si ce n'est pas l'homme, dit Cadfael tout agité, s'essoufflant pour rejoindre Hugh qui avait vivement amené son cheval sellé près du portail, si ce n'est pas l'homme qui l'intéressait, c'est forcément ce qu'il faisait. Je ne vois guère d'autre solution. Mais pourquoi aurait-on voulu l'empêcher d'accomplir cette mission de bons offices à Chester, à la demande de l'évêque ? A qui cela pouvait-il bien nuire ?

Dans la cour, la noce s'était dispersée, indécise ; les familles parentes avaient trouvé refuge dans l'hôtellerie, les amis intimes les avaient suivies, loin des regards indiscrets, là où il serait possible de panser les blessures et de se réconcilier sans témoin. Les autres se consultaient et quelques-uns étaient partis sur la pointe des pieds, estimant qu'ils seraient mieux chez eux. Les habitants de la Première Enceinte, tout heureux de cette distraction inattendue, se passaient des renseignements douteux, qui changeaient au fur et à mesure, et attendaient la suite des événements.

Hugh avait rassemblé ses hommes et il avait le pied à l'étrier quand on perçut le fracas furieux de chevaux remontant au galop la Première Enceinte, bruit qu'on entendait rarement à cet endroit, et dont le mur de la clôture renvoya follement l'écho qui se propagea jusque sur les pavés de la route. Un cavalier épuisé, suant sang et eau sur un cheval blanc d'écume, arrêta net sa monture dont les sabots crissèrent sur les pierres gelées et tomba pratiquement dans les bras de Hugh, quand il descendit de cheval, ses genoux se dérobant sous lui. Tous ceux qui étaient encore dans la cour, parmi lesquels l'abbé et Robert, son prieur, se rapprochèrent hâtivement du nouveau venu, s'attendant à une catastrophe.

— Le shérif Prestcote, haleta le messager titubant, ou son lieutenant, de la part de monseigneur l'évêque de Lincoln. Vite ! C'est très urgent !

— C'est moi qui remplace le shérif, dit Hugh. Parlez ! Qu'est-ce que Sa Seigneurie a de si pressé à nous dire ?

— Il faut battre le rappel de tous les chevaliers du comté pour le service du roi, déclara le messager, s'efforçant de se reprendre, car, dans le Nord-Est, on trahit honteusement le roi, et le danger est grand. Deux jours après que notre souverain eut quitté Lincoln, Ranulf de Chester et Guillaume de Roumare ont pénétré par ruse dans le château royal et s'en sont emparés par la force. Les citoyens de Lincoln supplient Sa Majesté de les délivrer d'une tyrannie abominable et monseigneur l'évêque s'est arrangé pour avertir le roi de ce qui se passe, bien qu'on le lui ait expressément défendu. Beaucoup d'entre nous sont partis pour transmettre les nouvelles qui atteindront Londres dans la soirée.

— Mais le roi Étienne était là-bas la semaine passée ! s'écria le chanoine, et ils lui avaient promis fidélité. Comment est-ce possible ? Ils lui ont assuré qu'ils établiraient une chaîne de puissantes forteresses dans tout le Nord.

— C'est ce qu'ils ont fait, répliqua le messager. Mais pas pour le service du roi, ni celui de l'impératrice Mathilde non plus, uniquement pour établir leur royaume bâtard dans le Nord. C'était prévu depuis longtemps. Dès septembre ils ont réuni tous leurs hommes, tous leurs gouverneurs de places fortes à Chester ; ils ont même établi les liens dans le Sud, jusqu'ici, et prévu des garnisons et des capitaines pour chaque château. Ils ont enrôlé des jeunes gens partout à cet effet...

C'était donc ça ! Tout était organisé depuis septembre à Chester, là où Peter Clemence devait se rendre, à la demande de son évêque Henri de Blois. Il arrivait bien mal, ce visiteur, alors que les compagnies armées étaient réunies et que le complot se préparait. Rien d'étonnant à ce que Clemence n'ait pas pu accomplir sain et sauf sa tâche d'ambassadeur de la paix. Et les traîtres avaient des appuis aussi loin dans le Sud !

— Ils étaient deux dans cette histoire, Hugh, déclara Cadfael, prenant son ami par le bras. Demain les deux tourtereaux seraient partis vers le nord sur les marches mêmes du Lincolnshire — c'est Aspley qui a un château là-bas, pas Linde. Emparez-vous de Nigel, pendant que vous le pouvez ! S'il n'est pas déjà trop tard !

Hugh se retourna et le dévisagea un bref instant, comprit aussitôt le sens de ces propos et, laissant tomber sa bride, ordonnant à ses hommes de le suivre, se précipita vers l'hôtellerie. Cadfael était sur ses talons quand ils tombèrent sur une noce démoralisée, dépourvue de gaieté, d'appétit ou d'enthousiasme. Près des tables intactes, les gens tenaient des conversations qui évoquaient plus une veillée funèbre qu'un mariage. La mariée, désolée, pleurait dans les bras d'une opulente matrone, trois ou quatre femmes caquetaient ou roucoulaient autour d'elle. Quant au marié, il avait disparu.

— Il a fichu le camp ! s'écria Cadfael. Il a profité de notre absence, c'était sa seule chance. Et il a abandonné sa femme ! L'évêque de Lincoln a réussi à faire passer son message au moins un jour trop tôt.

Ils se souvinrent des chevaux attachés près de la loge et coururent vérifier ; ils étaient partis tous les deux. Nigel avait sauté sur la première occasion de suivre son complice vers les terres, les postes et les commandements promis par Guillaume de Roumare. Deux jeunes gens au tempérament combatif, et que les scrupules n'étouffaient pas, pouvaient se faire là-bas un bien plus bel avenir que dans deux petits châteaux du Shropshire à l'orée de la Forêt Longue.

CHAPITRE XIII

Il y avait à présent matière à commérages sensationnels et, sur la Première Enceinte, les spectateurs qui avaient écouté de toutes leurs oreilles et regardé de tous leurs yeux s'empressèrent d'aller répandre la nouvelle d'une menace de rébellion dans le Nord, accompagnée d'une tentative d'établir un royaume privé tenu par les comtes de Chester et de Roumare, et puis voilà que les beaux jeunes gens de la noce étaient dans le coup depuis longtemps et qu'ils avaient fui parce qu'on avait découvert le pot aux roses avant qu'ils aient eu le temps de partir dignement comme prévu. L'évêque de Lincoln ne portait pas le roi Étienne dans son cœur, mais il le préférait encore à Roumare et Chester et il s'était arrangé pour informer le roi et le supplier de lui venir en aide ainsi qu'à sa ville.

On surveillait attentivement les allées et venues autour du pont et de l'abbaye. Hugh Beringar, hésitant entre deux priorités, finit par laisser ses hommes poursuivre les deux traîtres ; lui-même courut au château pour rameuter tous les chevaliers du comté à la cause du roi, qui ne manquerait pas d'aller assiéger Lincoln au plus vite. Il s'agissait donc de rassembler toutes les montures disponibles à cet effet, et vérifier que tout ce dont on aurait besoin à l'armurerie était en état de fonctionner. L'envoyé de l'évêque fut logé à l'abbaye et un autre cavalier se hâta de transmettre son message aux châteaux du sud du comté. Dans l'hôtellerie, la noce effondrée et l'épouse délaissée restèrent invisibles, à se lamenter sur les ruines de ce mariage.

Tout ceci se passa le vingt et unième jour de décembre, à un peu plus de deux heures de l'après-midi. Qu'allait-il encore arriver avant la nuit? Qui aurait pu le prévoir dans une telle tempête d'événements?

Radulphe avait repris la situation en main, et obéissant à ses ordres, les moines allèrent dîner au réfectoire un peu plus tard qu'à l'ordinaire. Il n'était pas question de ne plus respecter la Règle même pour des raisons aussi graves que le meurtre, la trahison ou une chasse à l'homme. De plus, ce fut la conclusion de Cadfael, ceux qui avaient survécu à tout cela en y trouvant leur compte auraient le temps de souffler et de réfléchir tranquillement, avant de devoir faire face à la suite. Quant à ceux qui y avaient laissé des plumes, ils auraient un moment pour panser leurs blessures. Pour les fugitifs enfin, le premier avait une belle avance et l'autre avait profité de l'arrivée de nouvelles encore plus épouvantables pour s'offrir un bref répit; mais malgré cela les chiens étaient sur leur piste, sachant parfaitement quelle route prendre car le manoir qu'Aspley avait dans le Nord était quelque part au sud de Newark et tous savaient que pour s'y rendre il fallait prendre la route de Stafford. Quelque part sur la lande, à proximité de cette ville, les fuyards seraient surpris par la nuit. Ils jugeraient peut-être plus prudent de loger en ville, ce qui n'empêcherait sans doute pas de les capturer et de les ramener.

Quittant le réfectoire, Cadfael se dirigea naturellement vers l'endroit où il travaillait l'après-midi, sa cabane de l'herbarium où il préparait ses mixtures mystérieuses. Les deux jeunes moines en habit y étaient aussi, calmement assis côte à côte sur le banc appuyé au mur du fond. Les quelques lueurs qui se voyaient encore dans le feu éclairaient doucement leur visage. Meriet était affalé contre la paroi, complètement épuisé, il avait rejeté son capuchon et des ombres marquaient son visage. Il avait éprouvé tour à tour une colère, une tristesse et une amertume profondes, dont la présence, la constance et la patience de Mark l'avaient tiré. Il se remettait maintenant, il ne pensait ni n'éprouvait rien, prêt à renaître à un monde nouveau, si on ne le pressait pas. Comme d'habitude, Mark avait l'air paisible, presque détaché, comme s'il se demandait s'il avait le droit d'être là, mais comptait pourtant s'y tenir jusqu'à la mort.

— Je pensais plus ou moins vous trouver ici, dit Cadfael qui s'empara d'un soufflet pour ranimer le feu, car la température dans la pièce était plutôt fraîche.

Il ferma aussi la porte pour empêcher les courants d'air de s'infiltrer par les fissures du bois.

— J'imagine que vous n'avez rien mangé, reprit-il en passant la main sur l'étagère derrière la porte. Il y a des gâteaux d'avoine et quelques pommes, je dois aussi avoir un morceau de fromage. Vous vous sentirez mieux après. Un verre de vin ne vous fera pas de mal non plus.

Et merveille, le jeune homme avait faim ! Au fond, c'était tout naturel. Il avait à peine plus de dix-neuf ans, il était en parfaite santé et n'avait rien mangé depuis l'aube. Il commença distraitement, se contentant d'obéir, mais dès la première bouchée, il retrouva goût à la vie, il mourait de faim, ses yeux brillaient et le feu projeta sur ses joues creuses une lueur douce et dorée. Cadfael ne fut pas surpris de voir que le vin le réconfortait, lui insufflant chaleur et énergie.

Il n'évoqua ni son père, ni son frère, ni son amour perdu. Il s'était entendu injustement soupçonné, et on l'avait laissé s'enfermer dans son admirable et stupide sacrifice sans un mot de remerciement. Il avait eu son compte d'avanies, et il ne les oublierait pas de si tôt. Mais, Dieu merci, il n'avait pas perdu l'appétit et mangeait comme un écolier affamé. Cadfael trouva tout cela fort encourageant.

Dans la chapelle mortuaire où Peter Clemence reposait dans son cercueil scellé recouvert d'une draperie, Léoric Aspley avait décidé de se confesser et il pria l'abbé de bien vouloir lui servir de confesseur. Il avait tenu à s'agenouiller sur les dalles et il entreprit de raconter tout ce qu'il savait de son fils cadet qu'il avait surpris suant sang et eau pour tirer un cadavre à couvert et le dissimuler aux regards. Meriet se reconnaissait tacitement coupable. Sa répugnance à envoyer son fils à l'échafaud était mêlée au regret de l'aider à s'en tirer.

— Je lui ai promis de m'occuper du corps, même au péril de mon âme, et lui vivrait, mais dans un repentir perpétuel et loin du siècle. Il a dit *amen* à tout et accepté son châtiment, mais je sais maintenant, ou crains de le savoir, que c'était par amour pour son frère, qu'il avait d'excellentes raisons de croire coupable, bien meilleures et pour cause, que celles que j'avais, moi, de penser la même chose de Meriet. Il a accepté son sort autant pour l'amour de moi que de son frère, j'en ai bien peur, car, et j'en ai honte aujourd'hui, il était fondé à croire — que dis-je, à savoir ! — que j'avais tout misé sur Nigel et presque rien sur lui, et que je me remettrais de sa disparition, mais que si je perdais Nigel, je n'y survivrais pas. Et à présent je l'ai perdu, en vérité, mais je continuerai à vivre. Donc j'ai gravement péché contre mon fils cadet non seulement en doutant de lui, en le prenant pour un meurtrier sur de simples apparences, et en l'exilant dans un couvent, mais surtout en refusant depuis son enfance de le juger à sa juste valeur.

« J'ai aussi péché contre vous, mon père et contre votre maison, je le confesse et m'en repens, car disposer ainsi d'un suspect et lui imposer d'entrer dans les ordres sans vocation véritable, ce fut agir bassement envers lui, comme envers votre abbaye. Tenez-en compte aussi, car je veux me libérer de toutes mes offenses.

« J'ai aussi péché contre Peter Clemence, mon invité et parent, en lui refusant un enterrement chrétien à seule fin de ne pas ternir la renommée de ma maison. Je suis heureux que Dieu se soit servi de ce fils vis-à-vis duquel je me suis montré injuste pour découvrir et réparer le mal que j'ai fait. Vous déciderez du châtiment qui s'impose, et j'y ajouterai une somme d'argent substantielle pour faire dire des messes pour le repos de son âme tant que je vivrai... »

Il manifesta la même fierté et la même intransigeance pour confesser ses fautes que pour corriger celles supposées de son fils ; il raconta son histoire de bout en bout, et Radulphe l'écouta jusqu'à la fin, gravement, patiemment, se prononça en termes mesurés sur la façon dont il pourrait réparer et lui donna l'absolution.

Léoric se releva, les genoux un peu raides et partit avec une humilité dont il n'était pas coutumier retrouver le fils qui lui restait.

On frappa à la porte de l'atelier que Meriet avait barricadée alors que le vin, l'un de ceux que Cadfael avait préparés trois ans auparavant, commençait à produire son effet. Le jeune homme se demandait s'il n'allait pas se réconcilier avec l'existence et commençait à oublier les images trop vives de la trahison de Roswitha. Cadfael ouvrit la porte, et dans la douce lumière du foyer apparut Isouda : elle portait encore sa belle robe de cérémonie, écarlate, rose et ivoire, une résille d'argent tenait ses cheveux, et son visage était grave, solennel. On distinguait derrière elle une haute silhouette telle une ombre en ce crépuscule d'hiver.

— Je pensais bien te trouver ici, dit-elle et son sourire étincela dans la lumière dorée. Je viens en messagère. On t'a cherché partout. Ton père te prie de lui accorder un moment d'entretien.

Meriet s'était raidi sur son siège, sachant qui suivait la jeune fille.

— Je ne me rappelle pas que mon père m'ait jamais demandé cela de cette façon, répondit-il avec un soupçon de malice et de tristesse. Ce n'est pas ainsi que les choses se font dans sa maison.

— Très bien, répliqua Isouda, sans se troubler. Alors disons que ton père t'ordonne de le laisser rentrer, ou je m'en chargerai pour lui, et je te conseille de rester courtois.

Elle s'écarta, adressant à Cadfael et Mark un regard discret mais impérieux, tandis que Léoric pénétrait dans la cabane ; il était si grand qu'il toucha les bouquets d'herbes sèches qui oscillaient aux poutres du plafond.

Meriet se leva de son banc et s'inclina lentement, hostile et digne ; l'orgueil lui raidissait le dos, ses yeux flambaient mais quand il parla, ce fut d'une voix calme et ferme.

— Donnez-vous la peine d'entrer. Voulez-vous vous asseoir, monsieur ?

Cadfael et Mark s'éloignèrent chacun de leur côté et rejoignirent Isouda dans le crépuscule glacé. Derrière eux, ils entendirent Léoric dire d'une voix très calme et humble :

— Tu ne vas pas me refuser ce baiser aujourd'hui !

Il y eut un silence bref et tendu puis Meriet s'exclama : « Père... » d'une voix rauque et Cadfael referma la porte.

Dans les vastes landes situées au sud-ouest de la ville de Stafford, à peu près à la même heure, Nigel Aspley s'enfonça à toute vitesse dans un fourré profond, sur son épais tapis de gazon, et faillit buter sur son ami, voisin et confrère en conspiration Janyn Linde, lequel jurait et transpirait à cause d'un cheval boitant bas d'un postérieur car il était tombé sur le sol inégal à la suite d'un faux pas. Nigel l'appela, soulagé, car il avait fort peu de goût pour les aventures solitaires, il sauta à terre pour examiner le cheval, qui, par miracle, tenait encore sur ses jambes. Il n'irait manifestement pas beaucoup plus loin.

— Toi ? s'écria Janyn. Ainsi tu as réussi à t'en sortir ? Que ce maudit animal aille au diable ! Il m'a jeté par terre et il s'est blessé. Qu'as-tu fait de ma sœur ? poursuivit-il, empoignant son ami par le bras. Tu l'as laissée seule là-bas ? Tout le monde va s'en prendre à elle ! Elle va devenir folle !

— Elle se porte à merveille et elle ne risque rien, on la fera venir dès qu'on pourra... Et c'est *toi* qui m'accables de reproches ! protesta Nigel furieux, se tournant vers lui, les yeux étincelants. *Toi*, tu t'es échappé au bon moment nous laissant dans le pétrin jusqu'au cou ? Qui nous a attiré tous ces ennuis pour commencer ? T'avais-je demandé de le tuer, cet homme ? Tout ce que je t'avais dit, c'était d'envoyer un cavalier prévenir qu'il arrivait, et de tout faire disparaître avant sa venue. Cela n'avait rien d'impossible. Moi, je ne pouvais pas m'en charger. Il logeait chez nous, si j'envoyais quelqu'un, on s'en serait aperçu... Mais toi, *toi*, il a fallu que tu le tues !...

— Moi, j'ai eu le courage de régler tous les problèmes, lança Janyn, avec une moue dédaigneuse. Un cavalier serait arrivé trop tard. Je me suis arrangé pour que le messager de l'évêque ne parvienne jamais à destination.

— Et tu as abandonné le corps sur place ! A la vue de tous !

— Mais fallait-il être idiot aussi pour te précipiter là-bas dès que je t'en ai parlé !

Et dans la voix sifflante de Janyn, il y avait tout son mépris envers cette faiblesse et ce manque de caractère.

— Si tu l'avais laissé sur place, reprit-il, personne n'aurait jamais su qui l'avait tué. Non, il a fallu que tu prennes peur et que tu te dépêches d'aller le cacher, alors qu'il était bien mieux là où il était. Et en plus ton crétin de frère t'a surpris et ensuite ton père, pour faire bonne mesure ! Mais quelle idée ai-je eue de m'allier avec un pareil incapable pour une affaire aussi importante !

— Et moi d'écouter un hypocrite aussi convaincant ! gémit Nigel, misérable. Maintenant on est fichu. Ce cheval n'en peut plus, tu vois bien ! Par-dessus le marché, on est à un mile de la ville, et la nuit tombe…

— Quand je pense à l'avance que j'avais, ragea Janyn en tapant du pied, la fortune m'attendait, et ce cheval qui n'est bon qu'à se flanquer par terre ! Et toi qui t'effondres à la première difficulté. Lâche, comme je te connais, tu t'arrangeras pour toucher la récompense promise à qui nous livrera ! Quelle maudite journée !

— Mais tais-toi donc ! s'exclama Nigel, se tournant, désespéré, pour caresser le flanc couvert de sueur du cheval blessé. Ah, si seulement je ne t'avais jamais rencontré, je n'en serais pas là ! Mais je ne te quitte pas. Si on doit nous ramener — tu crois qu'ils sont loin derrière nous ? — on reviendra tous les deux. Enfin, essayons au moins de gagner Stafford. Le mieux est de laisser cet animal à l'attache pour qu'on le trouve, et nous, on montera l'autre et on courra à côté à tour de rôle…

Il avait encore le dos tourné quand la dague s'enfonça par-derrière entre ses côtes. Il tituba, se plia en deux, tout étonné. Il ne sentit pas aussitôt la douleur, seulement que la vie et ses forces l'abandonnaient, et il tomba dans l'herbe, presque doucement. Le sang qui coulait de sa blessure lui chauffait le flanc et rougissait le sol sous lui. Il essaya de se relever, mais fut incapable de bouger le petit doigt.

Janyn resta un moment à le regarder, sans rien éprouver. Il ne pensait pas que la blessure fut mortelle mais il jugea qu'il faudrait moins d'une demi-heure à son ancien ami pour se vider de son sang, ce qui serait tout aussi efficace. Il toucha le corps immobile d'un pied négligent, essuya son arme dans l'herbe et se tourna pour enfourcher le cheval de Nigel. Sans un coup d'œil en arrière, il enfonça les talons dans les flancs de sa monture et partit vers Stafford au grand trot, se faufilant dans l'ombre des arbres.

Les hommes de Hugh qui arrivèrent au galop dix minutes plus tard trouvèrent un homme à moitié mort et un cheval boiteux. Ils se séparèrent, deux cavaliers s'élancèrent à la poursuite de Janyn, tandis que les deux qui restaient s'occupèrent de l'homme et de l'animal qu'ils confièrent à l'étape la plus proche. Puis, ils ramenèrent à Shrewsbury un Nigel très pâle, enveloppé de bandages, évanoui, mais vivant.

— ... il nous avait promis de l'avancement, des châteaux, des postes de commandement, ce Guillaume de Roumare. Tout est arrivé quand Janyn m'a accompagné dans le Nord, j'étais parti à la mi-été voir mon château. C'est Janyn qui m'a décidé.

Nigel confessa par morceaux ses tristes exploits, le lendemain, à la tombée du jour. Il avait retrouvé ses esprits et n'en était pas vraiment plus heureux pour autant. Tant de gens entouraient sa paillasse et le dévoraient du regard. Son père au pied du lit, très droit, décomposé, fixait son héritier, les yeux pleins de tristesse, Roswitha était agenouillée à sa droite, incapable de pleurer maintenant, mais son visage était comme ravagé par les larmes ; frère Cadfael et frère Edmond, l'infirmier, observaient tout avec attention, prêts à intervenir au cas où leur malade présumerait trop tôt de ses forces, et à sa gauche, se tenait Meriet qui avait remis sa tunique et ses hauts-de-chausses. Débarrassé de cet habit noir qui n'avait jamais été fait pour lui, il paraissait curieusement plus grand, plus mince et plus âgé que quand il avait revêtu l'habit pour la première fois. Son regard, distant et sévère comme celui de son père, s'était le premier posé sur Nigel quand ce dernier avait repris connaissance. Mais il n'y avait pas moyen de deviner ce qu'il pensait.

— Nous nous sommes engagés pour lui, ce jour-là... On savait quel jour le soulèvement éclaterait à Lincoln. Nous comptions partir vers le nord après notre mariage, et Janyn nous accompagnerait, mais Roswitha n'était pas au courant ! Et maintenant nous sommes perdus. Vous avez été prévenus trop tôt.

— Parlez-nous du jour du meurtre, dit Hugh qui se tenait à côté de Léoric.

— Ah oui ! Clemence ! Au souper il nous a confié le but de sa mission. Et les autres étaient réunis là-bas, à Chester, avec leurs connétables et leurs gouverneurs... en pleine action ! Quand j'ai ramené Roswitha, j'en ai parlé à Janyn et je l'ai supplié d'envoyer un messager tout de suite, en pleine nuit, pour les prévenir. Il m'a juré qu'il le ferait... Je suis allé le voir le lendemain matin de bonne heure, mais il n'était pas là, il n'a pas reparu avant midi, et quand je lui ai demandé comment ça allait il m'a dit « très bien ! ». Car Peter Clemence gisait mort dans la forêt, et il n'y avait plus de danger pour la réunion de Chester. Il m'a ri au nez quand je lui ai dit que j'étais inquiet — « qu'il reste où il est, m'a-t-il dit. On ne pensera jamais à nous soupçonner, il y a des bandits de grands chemins partout... » Mais j'avais peur ! Je suis parti pour essayer de cacher le corps avant la nuit...

— Et Meriet vous a surpris en flagrant délit, dit Hugh, lui donnant vivement la réplique.

— J'avais coupé la flèche pour le déplacer plus facilement. J'avais du sang plein les mains — que pouvait-il penser d'autre ? Je lui ai juré que ce n'était pas moi, mais il ne m'a pas cru. Il m'a dit de filer tout de suite, de me laver les mains, de retourner voir Roswitha et de ne pas réapparaître avant la nuit ; lui s'occuperait de tout. Il a ajouté que cela valait mieux pour père... que je comptais tellement pour lui que ça lui briserait le cœur... J'ai fait tout ce qu'il a dit ! Il a dû croire que je

l'avais tué par jalousie. Il ignorait tout ce que j'avais —
ce que nous avions — à cacher. Je suis parti, et je l'ai
laissé s'accuser d'un crime dont il était innocent...

Nigel se mit à pleurer. Il chercha à tâtons une main
qu'il pût saisir pour éprouver un peu de réconfort, et
ce fut Meriet qui, s'agenouillant d'un geste vif, la
saisit. Son visage toujours aussi sévère ressemblait
plus que jamais à celui de son père, mais cependant il ne repoussa pas cette main, qu'il étreignit fermement.

— C'est seulement quand je suis rentré à la nuit
tombée que j'ai appris... Mais que pouvais-je dire?
J'aurais trahi tous ceux qui... qui... Quand Meriet a
reparu parmi nous, après avoir promis de prendre
l'habit, je suis allé le voir, plaida Nigel, sans grande
conviction. Je lui ai proposé de... Mais il a refusé que je
m'en mêle. Il a dit qu'il avait pris sa décision, qu'il était
d'accord avec lui-même et que je n'avais qu'à le laisser
faire...

— C'est vrai, confirma Meriet. C'est ainsi que je l'ai
décidé. Pourquoi rendre intenable une situation difficile?

— Mais j'ignorais tout de cette trahison... Comme je
regrette! sanglota Nigel en tordant la main qu'il serrait
avant de se réfugier dans un accès de faiblesse qui lui
épargnerait d'autres questions. Je regrette le tort que
j'ai causé à la maison de mon père... et surtout celui
que j'ai fait à Meriet... Si je survis, je réparerai...

— Il s'en tirera, affirma Cadfael, heureux d'échapper à cette atmosphère douloureuse et de retrouver l'air
glacé de la grande cour qu'il aspira avidement et où son
souffle traça une brume d'argent. Et il se rachètera en
se joignant aux troupes royales s'il est en état de porter
les armes quand Sa Majesté montera vers le nord. Ça
ne pourra se faire qu'après Noël, il lui faut le temps
de lever une armée. Quant au jeune Janyn, je suis sûr
qu'il avait l'intention de le tuer, l'assassinat semble

être une seconde nature chez lui, mais sa dague a dévié, et la blessure n'est guère dangereuse. Une fois qu'il se sera restauré et reposé, qu'il se sera refait le sang perdu, Nigel se portera fort bien et s'engagera du côté dont il espérera tirer le plus d'avantages. A moins que vous ne jugiez bon de l'arrêter pour cette trahison ?

— En cette période de folie, qu'est-ce que trahir veut dire ? soupira Hugh, mélancolique. Avec deux monarques pour un seul trône et une dizaine de roitelets qui essaient de profiter des circonstances, comme Chester et même Henri de Blois qui hésitent entre deux ou trois protecteurs, je ne sais vraiment pas. Non, laissons-le, c'est du petit gibier, un traître offert à tout venant, et il n'a pas assez de cran pour faire un bon assassin, à ce qu'il me semble.

Derrière eux, Roswitha sortit de l'infirmerie, serrant son manteau sur elle pour se protéger du froid, et se dirigea hâtivement vers l'hôtellerie. Même après l'humiliation, l'abandon et le choc qu'elle avait subis, elle avait encore la force de paraître belle tout en sachant que devant ces deux hommes elle pouvait passer sans s'attarder, et les paupières basses.

— La beauté attire la beauté, remarqua Cadfael en la suivant des yeux et non sans quelque morosité. Rien à dire, ils sont vraiment bien assortis. Bah ! qu'ils partagent le meilleur ou le pire.

Léoric Aspley demanda audience à l'abbé après les vêpres de ce même jour.

— Il y a deux points que j'aimerais discuter avec vous, père. Je m'intéresse à ce jeune moine de Saint-Gilles qui appartient à votre ordre, qui s'est vraiment comporté comme un frère envers mon fils cadet, ce qui n'est pas le cas de son frère de sang. Meriet m'a dit que le vœu le plus cher de frère Mark est de devenir prêtre. Je ne doute pas qu'il en soit digne. Mon père, je vous offre l'argent nécessaire à son entretien pendant les années d'étude qui lui permettront de parvenir à son but. Si vous consentez à me guider, je paierai tout ce qu'il faut et m'estimerai encore son débiteur.

— J'avais moi-même décelé cette inclination chez frère Mark, répondit l'abbé, et l'approuve pleinement. Il a en lui de quoi faire un bon prêtre. Je serai ravi de le voir progresser et j'accepte bien volontiers votre offre.

— Le deuxième point concerne mes fils ; car j'ai appris à mes dépens qu'ils étaient bien deux, comme un certain moine de votre maison a trouvé moyen de me le rappeler deux fois ; et il avait raison. Nigel, mon aîné, est marié à l'unique héritière à présent du château de Linde, et il en héritera donc par son épouse, s'il parvient vraiment à réparer les fautes qu'il a confessées. J'ai donc l'intention d'installer mon second fils dans mon château d'Aspley. Je voudrais concrétiser ce désir par un document. Consentez-vous à me faire l'honneur d'être l'un de mes témoins ?

— De tout cœur, répondit Radulphe avec un sourire grave. J'ai plaisir à rendre votre enfant au siècle. Je le reverrai dans d'autres circonstances, en dehors de cette clôture qui n'a jamais été faite pour lui.

Cette nuit-là, frère Cadfael s'en vint à son atelier avant complies, pour vérifier, comme il le faisait chaque soir, si tout était en ordre, si le feu était bien éteint ou suffisamment bas pour ne présenter aucun danger, si tous les récipients non utilisés avaient été lavés, si les vins qu'il préparait fermentaient selon les règles et enfin si tous ses pots et autres flacons étaient convenablement bouchés. Il était fatigué, mais serein, le monde qui l'entourait n'était guère plus chaotique que quarante-huit heures auparavant et, entre-temps, on avait rendu justice à l'innocence et nul ne s'en portait plus mal. Le garçon avait adoré ce frère accessible, affectueux, gentil, tellement plus agréable à regarder que lui, paré de toutes les grâces que lui-même n'aurait jamais, tellement plus aimé, mais aussi vulnérable et fragile, quand on ne s'arrêtait pas aux apparences. C'était fini maintenant, mais la compassion, la loyauté, voire la pitié peuvent être tout aussi contraignantes que l'excès d'amour. Meriet avait été le dernier à quitter la chambre de Nigel. C'était étrange de penser que Léoric avait dû éprouver une vive jalousie à voir Nigel le laisser partir pour rester avec son frère à qui il devait tout. Il y aura entre le père et le cadet pas mal d'affrontements et de concessions avant que tout ne rentre dans l'ordre.

Cadfael s'assit en soupirant dans sa cabane, sans donner la lumière, les dernières lueurs du feu lui tenaient compagnie. Un quart d'heure encore s'écoulerait avant complies. Hugh était enfin rentré chez lui ; il serait temps demain d'enrôler des hommes pour l'armée du roi. Noël viendrait et se terminerait et presque aussitôt Étienne, en qui se disputaient la bonté, la volonté et la mollesse, et dont la nature généreuse allait devoir laisser la place à l'action violente à la suite d'une trahison aussi méprisable, Étienne donc se mettrait en marche. Il savait faire vite, quand il le fallait, mais l'ennui avec lui est qu'il ne gardait guère rancune aux gens. Il était incapable de haïr. Et quelque part dans le Nord, il y avait Janyn Linde, qui, à présent, approchait de son but, toujours souriant, sans doute, sifflotant, le cœur léger, bien qu'il laissât deux cadavres, enfin presque ! derrière lui, et sa sœur, l'être dont il s'était senti le plus proche au monde, ne l'avait-il pas abandonnée sans le moindre pincement au cœur ? Hugh n'oublierait pas Janyn Linde quand il accompagnerait Étienne à Lincoln ; ce jeune homme agréable avait à répondre d'abominables forfaits, et il lui faudrait payer tôt ou tard. Tôt, de préférence.

Quant à Harold, le vilain, un maréchal-ferrant, qui habitait vers le pont situé à l'ouest de la ville, était prêt à l'embaucher, et dès que tous les citoyens, qui ont la mémoire courte, l'auraient oublié, il pourrait commencer à travailler honnêtement. Au bout d'un an et un jour dans une cité libre, il serait libre lui-même.

Sans y prendre garde, Cadfael ferma les yeux et sommeilla un moment, appuyé contre les poutres du mur, les jambes étendues, et les chevilles confortablement croisées. C'est seulement le courant d'air glacé, dû à l'ouverture de la porte qui le réveilla à demi et lui fit cligner des yeux. Ils étaient là devant lui, la main dans la main, le même sourire grave aux lèvres : l'adolescent était devenu un homme, et la jeune fille la femme remarquable qu'elle avait toujours portée en elle. Il n'y avait plus que les dernières braises du foyer à les éclairer, mais ils resplendissaient tous deux.

Isouda lâcha la main de son ami, s'avança et se pencha pour déposer un baiser sur la joue piquetée de poils roux de Cadfael.

— Demain matin à la première heure, nous rentrerons chez nous. On n'aura peut-être pas l'occasion de vous dire au revoir comme il faut. Roswitha reste avec Nigel, elle le remmènera avec elle quand il ira mieux.

Une lumière secrète jouait sur les différents plans de son visage rond, doux, énergique, ajoutant parfois des reflets de feu à son épaisse chevelure. Roswitha n'avait jamais été aussi belle, car elle n'était qu'apparence froide.

— On vous aime ! s'exclama impulsivement Isouda parlant pour Meriet et elle-même, avec la confiance dont elle était coutumière. Vous et frère Mark !

Elle se pencha pour prendre entre ses deux mains le visage assoupi, puis, généreuse, elle s'écarta pour céder la place à Meriet.

Le froid lui colorait les joues. Son épaisse tignasse brune — qui avait Dieu merci évité la tonsure — lui tombait jusqu'aux sourcils, et il était plus ou moins tel que Cadfael l'avait vu la première fois quand il était descendu de cheval sous la pluie pour tenir l'étrier de son père, obstiné et obéissant, alors que ces deux êtres si inconfortablement proches s'affrontaient sur une question de vie ou de mort. Mais sous les boucles humides, son visage aujourd'hui était calme, mûri, voire résigné ; il se savait responsable d'un frère plus faible que lui, qui avait besoin d'aide. Non pour ses actions désastreuses, mais pour lui-même, pauvre pécheur.

— Ainsi, notre couvent t'a perdu, dit Cadfael. Si c'est toi qui avais décidé d'entrer dans cette maison, je t'aurais accueilli volontiers, on a parfois besoin d'un homme d'action pour nous secouer un peu. Ça ferait aussi du bien à frère Jérôme de se faire rabattre son caquet de temps en temps. Il parle trop.

Meriet eut le bon goût de rougir et de sourire sereinement.

— Je me suis réconcilié avec Jérôme, très poliment et humblement ; vous auriez été content de moi. Du moins, je l'espère. Il m'a dit qu'il m'estimait et continuerait à prier pour moi.

— Ah ça, par exemple !

De la part de quelqu'un qui à la rigueur pardonnerait une offense à sa personne, mais jamais à sa dignité, c'était un beau geste qu'il faudrait porter à son actif. A moins qu'il n'ait simplement été tout heureux de se voir débarrassé de son apprenti du diable, et qu'il n'en ait rendu grâce à sa façon ?

— J'étais jeune et ignorant, ajouta Meriet avec l'indulgence d'un vieux sage envers le jeune chien qu'il avait été, ce naïf qui avait idolâtré le souvenir d'une jeune fille, laquelle n'avait pas hésité à lui mettre sur le dos un meurtre dont il était innocent.

— Vous vous souvenez ? poursuivit-il. Je n'arrivais presque jamais à vous appeler « mon frère ». Ce n'était pourtant pas faute d'essayer. Mais ça ne correspondait ni à ce que je sentais ni à ce que je voulais dire. Et aujourd'hui, en fin de compte, il semble que ce soit Mark que je devrais appeler « mon père », alors que pour moi, ce sera toujours un frère. J'avais besoin d'un père à plus d'un titre. Alors pour cette fois, cela vous

252

ennuierait-il que je fasse semblant, et que je vous appelle... comme j'aurais aimé vous appeler quand... ?

— Meriet, mon petit, dit Cadfael, se levant pour l'embrasser affectueusement, et plantant sur sa joue glacée, ferme et douce un baiser paternel, nous sommes de la même trempe toi et moi, et si jamais tu as besoin de moi, fais-le-moi savoir. Tu seras toujours le bienvenu. Rappelle-toi, je suis gallois, et chez nous, quand on aime, c'est pour la vie. Voilà. Tu es content ?

Meriet l'embrassa à son tour, avec une ferveur non dépourvue de solennité, et ses lèvres froides devinrent brûlantes quand il lui rendit son baiser. Mais Meriet avait autre chose à lui demander, et il garda dans la sienne la main de Cadfael tout en formulant sa requête.

— Consentiriez-vous à faire preuve de la même bonté envers mon frère, avant son départ ? Il a en ce moment beaucoup plus besoin de votre aide que moi quand je suis arrivé.

Isouda s'était discrètement retirée dans l'ombre mais Cadfael crut entendre un bref éclat de rire discret suivi d'un soupir résigné.

— Mon enfant, je ne saurais dire si tu es un saint ou un idiot, mais je ne suis pas d'humeur à supporter l'un ou l'autre en ce moment, répondit Cadfael, secouant la tête devant ce dévouement obstiné, qui ne lui déplaisait cependant pas. Mais rien que pour avoir la paix, c'est une cause entendue ! Je ferai tout ce qui est en mon pouvoir. Allez, dehors ! Emmenez-le, jeune fille, que je puisse éteindre mon feu et fermer mon atelier, ou je vais arriver en retard à complies.

Achevé d'imprimer en novembre 1990
sur les presses de l'Imprimerie Bussière
à Saint-Amand (Cher)

N° d'édition : 2042.
N° d'impression : 3303.
Dépôt légal : novembre 1990.

Nouveau tirage : novembre 1990.

Imprimé en France